JN193373

100 Documents
That Changed the World

スコット・クリスチャンソン［著］
松田和也［訳］

図説 世界を変えた100の文書（ドキュメント）
易経からウィキリークスまで

創元社

100 Documents that Changed the World
From Magna Carta to WikiLeaks
by Scott Christianson

First published in the United Kingdom in 2015 by Batsford,
An imprint of Pavilion Books Company Limited, 43 Great Ormond Street, London WC1N 3HZ
Japanese translation rights arranged with Pavilion Books Company Limited, London
through Tuttle-Mori Agency, Inc., Tokyo

目次
Contents

イヴ、マイケル、アダム、ジョエル、ジュリアに

IN CONGRESS, JULY 4, 1776.

The unanimous Declaration of the thirteen united States of America,

When in the Course of human events, it becomes necessary for one people to dissolve the political bands which have connected them with another, and to assume among the powers of the earth, the separate and equal station to which the Laws of Nature and of Nature's God entitle them, a decent respect to the opinions of mankind requires that they should declare the causes which impel them to the separation. —— We hold these truths to be self-evident, that all men are created equal, that they are endowed by their Creator with certain unalienable Rights, that among these are Life, Liberty and the pursuit of Happiness. — That to secure these rights, Governments are instituted among Men, deriving their just powers from the consent of the governed, — That whenever any Form of Government becomes destructive of these ends, it is the Right of the People to alter or to abolish it, and to institute new Government, laying its foundation on such principles and organizing its powers in such form, as to them shall seem most likely to effect their Safety and Happiness. Prudence, indeed, will dictate that Governments long established should not be changed for light and transient causes; and accordingly all experience hath shewn, that mankind are more disposed to suffer, while evils are sufferable, than to right themselves by abolishing the forms to which they are accustomed. But when a long train of abuses and usurpations, pursuing invariably the same Object evinces a design to reduce them under absolute Despotism, it is their right, it is their duty, to throw off such Government, and to provide new Guards for their future security. — Such has been the patient sufferance of these Colonies; and such is now the necessity which constrains them to alter their former Systems of Government. The history of the present King of Great Britain is a history of repeated injuries and usurpations, all having in direct object the establishment of an absolute Tyranny over these States. To prove this, let Facts be submitted to a candid world. —— He has refused his Assent to Laws, the most wholesome and necessary for the public good. —— He has forbidden his Governors to pass Laws of immediate and pressing importance, unless suspended in their operation till his Assent should be obtained; and when so suspended, he has utterly neglected to attend to them. —— He has refused to pass other Laws for the accommodation of large districts of people, unless those people would relinquish the right of Representation in the Legislature, a right inestimable to them and formidable to tyrants only. —— He has called together legislative bodies at places unusual, uncomfortable, and distant from the depository of their Public Records, for the sole purpose of fatiguing them into compliance with his measures. —— He has dissolved Representative Houses repeatedly, for opposing with manly firmness his invasions on the rights of the people. —— He has refused for a long time, after such dissolutions, to cause others to be elected; whereby the Legislative Powers, incapable of Annihilation, have returned to the People at large for their exercise; the State remaining in the mean time exposed to all the dangers of invasion from without, and convulsions within. —— He has endeavoured to prevent the population of these States; for that purpose obstructing the Laws for Naturalization of Foreigners; refusing to pass others to encourage their migrations hither, and raising the conditions of new Appropriations of Lands. —— He has obstructed the Administration of Justice, by refusing his Assent to Laws for establishing Judiciary Powers. —— He has made Judges dependent on his Will alone, for the tenure of their offices, and the amount and payment of their salaries. —— He has erected a multitude of New Offices, and sent hither swarms of Officers to harrass our people, and eat out their substance. —— He has kept among us, in times of peace, Standing Armies without the Consent of our legislatures. —— He has affected to render the Military independent of and superior to the Civil power. —— He has combined with others to subject us to a jurisdiction foreign to our constitution, and unacknowledged by our laws; giving his Assent to their Acts of pretended Legislation: — For Quartering large bodies of armed troops among us: — For protecting them, by a mock Trial, from punishment for any Murders which they should commit on the Inhabitants of these States: — For cutting off our Trade with all parts of the world: — For imposing Taxes on us without our Consent: — For depriving us in many cases, of the benefits of Trial by Jury: — For transporting us beyond Seas to be tried for pretended offences: — For abolishing the free System of English Laws in a neighbouring Province, establishing therein an Arbitrary government, and enlarging its Boundaries so as to render it at once an example and fit instrument for introducing the same absolute rule into these Colonies: — For taking away our Charters, abolishing our most valuable Laws, and altering fundamentally the Forms of our Governments: — For suspending our own Legislatures, and declaring themselves invested with power to legislate for us in all cases whatsoever. — He has abdicated Government here, by declaring us out of his Protection and waging War against us. —— He has plundered our seas, ravaged our Coasts, burnt our towns, and destroyed the lives of our people. —— He is at this time transporting large Armies of foreign Mercenaries to compleat the works of death, desolation and tyranny, already begun with circumstances of Cruelty & perfidy scarcely paralleled in the most barbarous ages, and totally unworthy the Head of a civilized nation. —— He has constrained our fellow Citizens taken Captive on the high Seas to bear Arms against their Country, to become the executioners of their friends and Brethren, or to fall themselves by their Hands. —— He has excited domestic insurrections amongst us, and has endeavoured to bring on the inhabitants of our frontiers, the merciless Indian Savages, whose known rule of warfare, is an undistinguished destruction of all ages, sexes and conditions. In every stage of these Oppressions We have Petitioned for Redress in the most humble terms: Our repeated Petitions have been answered only by repeated injury. A Prince, whose character is thus marked by every act which may define a Tyrant, is unfit to be the ruler of a free people. Nor have We been wanting in attentions to our Brittish brethren. We have warned them from time to time of attempts by their legislature to extend an unwarrantable jurisdiction over us. We have reminded them of the circumstances of our emigration and settlement here. We have appealed to their native justice and magnanimity, and we have conjured them by the ties of our common kindred to disavow these usurpations, which, would inevitably interrupt our connections and correspondence. They too have been deaf to the voice of justice and of consanguinity. We must, therefore, acquiesce in the necessity, which denounces our Separation, and hold them, as we hold the rest of mankind, Enemies in War, in Peace Friends. ——

We, therefore, the Representatives of the united States of America, in General Congress, Assembled, appealing to the Supreme Judge of the world for the rectitude of our intentions, do, in the Name, and by Authority of the good People of these Colonies, solemnly publish and declare, That these United Colonies are, and of Right ought to be Free and Independent States; that they are Absolved from all Allegiance to the British Crown, and that all political connection between them and the State of Great Britain, is and ought to be totally dissolved; and that as Free and Independent States, they have full Power to levy War, conclude Peace, contract Alliances, establish Commerce, and to do all other Acts and Things which Independent States may of right do. —— And for the support of this Declaration, with a firm reliance on the protection of divine Providence, we mutually pledge to each other our Lives, our Fortunes and our sacred Honor.

John Hancock

Button Gwinnett
Lyman Hall
Geo Walton.

Wm Hooper
Joseph Hewes,
John Penn

Edward Rutledge 1.
Thos Heyward Junr.
Thomas Lynch Junr.
Arthur Middleton

Samuel Chase
Wm Paca
Thos Stone
Charles Carroll of Carrollton

George Wythe
Richard Henry Lee
Th Jefferson
Benja Harrison
Thos Nelson jr.
Francis Lightfoot Lee
Carter Braxton

Robt Morris
Benjamin Rush
Benja Franklin
John Morton
Geo Clymer
Jas Smith
Geo Taylor
James Wilson
Geo Ross

Caesar Rodney
Geo Read
Tho M:Kean

Wm Floyd
Phil. Livingston
Fran. Lewis
Lewis Morris

Richd Stockton
Jno Witherspoon
Fras Hopkinson
John Hart
Abra Clark

Josiah Bartlett
Wm Whipple
Saml Adams
John Adams
Robt Treat Paine
Elbridge Gerry
Step. Hopkins
William Ellery
Roger Sherman
Saml Huntington
Wm Williams
Oliver Wolcott
Matthew Thornton

上：独立宣言——国家の誕生、そして民主主義の歴史上、最も重要な里程標のひとつ（80頁参照）。

document

名詞 \dä-ky -mənt, -kyü-

何かに関する情報を与える、もしくは何かの証拠として用いられる公式書類
文字テキストを含むコンピュータ・ファイル

1. a：何かの根拠、証拠もしくは補助となる原本もしくは公式書類
   b：証拠もしくは証明となる何か（写真や記録）
2. a：情報の含まれた書類
   b：何らかの伝統的な記号や象徴によって思考の表明の描かれた物質（硬貨や石など）
3. a：コンピュータ使用者によって入力された情報を含むコンピュータ・ファイル

語源　中期英語＜アングロフランス語 precept、teaching＜後期ラテン語及びラテン語；後期ラテン語 documentum 公式文書＜ラテン語 lesson、proof＜ docere「教える」

初出　15世紀

序

われわれは文書の時代に生きている。
それはわれわれの歴史の道標であり、21世紀の生活において普遍的に流通しているものでもある。
ディジタル時代、文書はまさに遍在するものとなった。それらは無限に閲覧され、作成され、複製され、保管される。
われわれは日常生活において文書の洪水を浴びる。それはわれわれの生活を豊かにすると同時に乱雑にする。
文書は既に人々の思考法の中に統合されてしまっている。
われわれは現在の世界を検索し、過去と繋がるために文書を用いている。

言うまでもなく、あらゆる文書がそれ自体で重要であったり保存価値があったりするわけではない。だがわれわれは、何が新しくて何が重要なのかを判断するために文書に頼り、歴史を学ぶためにもまた文書を参照する。記録され保存された権威ある文書がなければ、記述され記憶された歴史は存在せず、また遠い過去に関する知識は何一つ持ち得なかっただろう。

「文書（ドキュメント）」の定義は今も成長と拡大を続けている。その証拠は前頁に掲載した辞書の定義である。だがこれから先のディジタルの未来において、文書がますます重要となると予想するのは理に適っている。そうならないわけがあろうか？

本書がそうであるように、文書を歴史のパースペクティヴから見ることによって、われわれは知識、文明、権力、社会に関する膨大な人為的記録の窓を手に入れる。本書『図説 世界を変えた100の文書（ドキュメント）』は、過去5000年に及ぶ人類史の中から、その形態を問わず、さまざまな種類の著名な文書を提示するものである。文書は、その作成者たちの精神へ、そしてその作成を促した歴史的状況へとわれわれを誘うタイムカプセルに他ならない。

年代順の項目配置は文書の素材の変化をも反映する。歴史の記録が示すように、最初期の文書は竹や絹片に書かれ、石に刻まれていた。それから文書はパピルスに記され、精細な写本となり、手刷りやタイプの書類となり、最終的にはビッグデータを集積したコンピュータ・ファイルとなった。

本書に収録した文書の種類やジャンルには、法令や宣言書から聖典、法律、協定や密約、公式許可書や証明書、特許状、古典文学、哲学論文、日記や手紙、契約書や出納帳、覚書や電子メール、データマップなど多岐にわたり、その全ては歴史上の重要な記録となっている。

政府文書、教会記録、私的な書簡など、中には芸術作品然としたものもあるが、ほとんどのものは単に重要な情報を含むだけの——単なる純然たる文書に過ぎない。ただ、それらは戦争の開始や終結を宣言し、何百万人もの人間に崇拝の念を引き起こし、科学や人権の理念を新たな高みへと引き上げたのだ。

これらの文書の著者の中には、歴史上の偉人もい

グーテンベルク聖書——金属活字による最初の印刷本——は、文書制作の性質を変えた（40頁参照）。

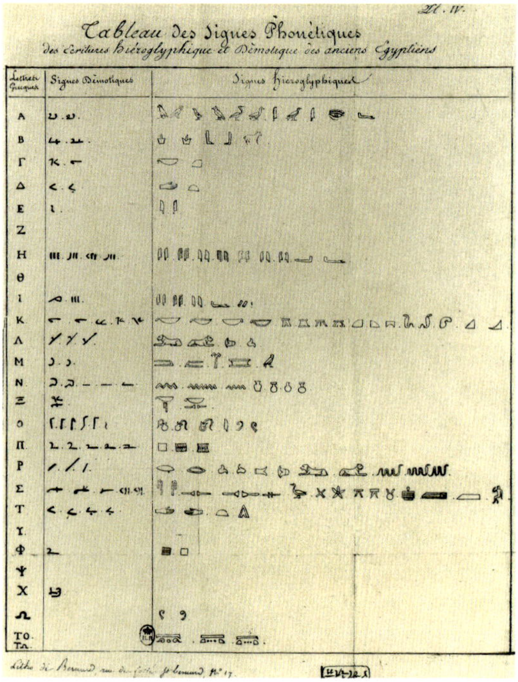

Tableau des Signes Phonétiques
des écritures hiéroglyphique et démotique des anciens Égyptiens

ジャン=フランソワ・シャンポリオンの暗号。ロゼッタ・ストーン解読に用いられた。2つの忘れられた言語の鍵が書かれている(96頁参照)。

る――クリストファー・コロンブス、レオナルド・ダ・ヴィンチ、マルティン・ルター、アイザック・ニュートン、チャールズ・ダーウィン、エイブラハム・リンカーン、ジークムント・フロイト、トーマス・エディソン、マーティン・ルーサー・キング・ジュニア。また、あまり知られていない者もいる――シェイクスピアの鑑識眼ある同業の役者たち。自責の念に駆られたコンキスタドールであるバルトロメ・デ・ラス・カサス。変人偏屈な辞書編纂者サミュエル・ジョンソン。常に正しい言葉の使用法を追求していた凝り性の博識家ピーター・マーク・ロジェ。勇気ある女権宣言のために斬首された18世紀フランスの女権論者オランプ・ド・グージュ。あるいはまた、王や女王、将軍、詩人、大統領、官僚、そしてコンピュータ・ハッカーもいる。

通常、これらの文書の意味を把握するためにいちいち手書きされた〈独立宣言〉の原本に当たる必要はない。だがその原本自体は膨大な象徴的価値を持っており、それを見るという行為は儀式的な性質を帯びる。重要な文書の原本はその内容と目的を超越する「アウラ」を持つ。それは原本自体に莫大な――しばしばカネに代えられない――価値を付与するため、国家による保存と管理を必要とする。このような文書は国家的同一性や人権、世界を変えた戦争、莫大な富と人口の移動、学芸における重要な研究といった、巨視的な歴史的概念を体現し、担っている。したがって、これらの文書の保管されている施設を実際に訪ねることのできない読者は、本書によって現存する最古の版の一部やその制作者の肖像を垣間見、その背景とコンテクストの某か(なにがし)を知ることができる。

本書に取り上げた文書の中には、間違いなく歴史を変えたものもある――〈ハンムラビ法典〉〈マグナ・カルタ〉〈合衆国憲法〉のような法律文書、〈アルハンブラ勅令〉〈ヴォルムス勅令〉〈奴隷解放宣言〉などの支配者の布告、そして〈サイクス＝ピコ協定〉や〈ヴェルサイユ条約〉などの有名な協定や密約、〈死海文書〉や『クルアーン』のような宗教文書、等々。

また、大衆文化や近代メディアに影響を及ぼしたいつかのイコン的な文書もある――ビートルズとＥＭＩとのレコーディング契約書、世界最初のテレビジョン番組表、アップル・コンピュータ社の設立文書、世界最初のウェブサイトや世界最初のツイート。

それぞれに物語があり、その多くは他のものと互いに織込まれ、文書による歴史を創り上げる。

人類は文明の初めから、重要な文書を保存する方法を模索してきた。考古学者は粘土板、パピルス、その他の材料で作られた記録の書庫を発見している。それらは紀元前2千年紀と3千年紀の古代メソポタミア人、中国人、ペルシア人、ギリシア人、ローマ人（彼らは文書庫をtabulariaと呼んだ）の時代にまで遡る。このように蓄積された歴史記録は当時において、法的、軍事的、行政的、商業的、及び社会的な秩序と連続性を維持し、徴税や犯罪、戦勝その他の死活的な統計を把握するために重要だった。長きに亘って政府、教会、企業その他の民間団体によって維持されてきた書庫は、歴史記述の基本要素を提供し、かつての政体、文化、事象に関する歴史的情報を後世に伝えた。だが書庫は常に選択的であり、ただ保存と特別な管理の価値があると見做された記録のみが保管されていた。

当初、各文書は手作りの芸術作品と同様に唯一無二のものであったが、その名望が高まるにつれ、その写本や複製が制作されることとなった。だが聖なる文書の保存のために写字生が写本を複製し、さらに写本の写本を複製するということを重ねれば重ねるほど、その質は劣化していく。さらに不幸なことに、これらの写本の多くは何度も破壊された。だが中には生き延びることのできた古代文書もある――例えば『易経』〈死海文書〉『マハーバーラタ』、そしてプラトンの『国家』などである。

後にはまた翻訳版や、さらには印刷などの機械的な手段による複製が制作されるようになった。場合によっては、権威ある書物を印刷すること自体が極めて重要な政治的意味を帯びることもあった。『欽定訳聖書』や『毛主席語録』がそれに当たる。

今日では、複製はまた新たな転換を迎えている。政府や企業は情け容赦もなく、度肝を抜くほどの規模で秘密文書や書類の類いを集積している。だが近年では、WikiLeaksやエドワード・スノーデンの内部告発等の現象に見られるように、コンピュータ・ハッカーによる小さな、だが効果的な動きが文書保存者たちの上を行き、自ら文書を流出させる。これまで秘密、私的、機密とされてきた大量のファイルが今や十把一絡げに大衆に公開され、不正が暴かれるのである。

documentという用語は単純に、証拠として用いられる公式の文書を意味する語として用いられる。だが、情報科学の先駆者であるオランダの文書学者フリッツ・ドンケル・ダウフィス（1894―1961）は、文書は「表明された思考の貯蔵庫」であるがゆえに、その内容は「霊的性格」を持つと主張した。

本書で紹介した文書の多くは確かに、それが制作されて数十年、もしくは数世紀という時と、無数の複製を経た今もなお、感じ取ることのできるアウラを持っている。おそらく、この輝いて見える独自の人間的特質こそ、その力に貢献しているアットリビュト――すなわち、ある人物、役目、資格などを連想させたり象徴したりする記号――のひとつであろう。場合によっては、その力は王や教皇、国家や企業の道具として、あるいは支配と治安の劇場における「小道具」として用いられた。文書は特定の行動を命ずる政治力、深遠な形で読者に届く神聖な、もしくは芸術的な力、時宜を得て死活的なメッセージを届ける救世主的な力、もしくはその単純な形態によって革命的な新概念を孕む発明者の力を具現化した。

全てが、現在もしくは将来においてことを起こす力を示した。そうするために、時には世界を変えるために。ここにその100の文書（ドキュメント）がある。

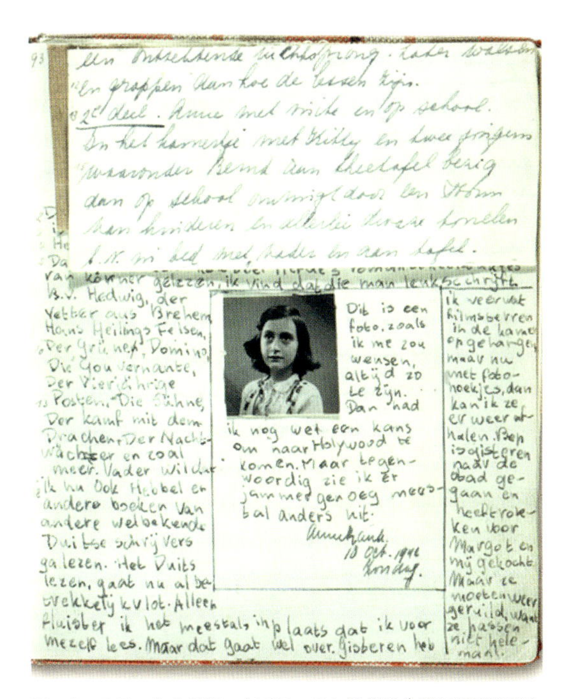

アンネ・フランクの日記。ホロコースト時代の生活に関する最も有名な記述となり、何千万という人に読まれた（158頁参照）。

『易経』

（紀元前2800年）

小成卦（しょうせいか）と大成卦（たいせいか）のパターンを採用した占術のための古代の漢籍。
各卦は陰陽の原理によって解釈され、個人の現状と将来に関する賢明な助言が得られる。
学者はこれを中国哲学の枢要と考えている。

古代の『易経』すなわち「変化の書」以上に何千年にも亘って中国文化に影響を及ぼした哲学書はない。

その起源に関しては現在も伝説に包まれているが、歴史家はその成立を5000年以上前の神話的皇帝である伏羲（ふっき）にまで遡らせている。伏羲の後継たる聖人たちの中には、紀元前1766－1121年の周王朝で活動した文王、及びその息子である周公旦、後には紀元前551年から479年まで生きた孔子（孔夫子）がいる。同書はおそらく現在においてもなお使用されている世界最古の文書である。

現存する最古の版は郭店で発見された竹簡で、紀元前300年頃のものとされており、現在は湖北省博物館に所蔵されている。西洋人が易経の存在を知ったのは18世紀のことで、最初の完本（ラテン語）は1830年代のドイツで出版された。学者たちによれば、それは長い年月の間に頻繁に複写され改訂された混成的な作品である。

古代中国で行なわれていた骰子（さいころ）占いでは、神意を問うために籤（くじ）（通常は棒もしくは石）が投げられていた。易経はその最も洗練された事例を残している。この場合、占いはノコギリソウの茎や硬貨を投げて行なわれる。これを「立卦」と言う。問いを立てて立卦すると、その並び順が宇宙論的意義を担っていると見做される。この文書には64通りの結果が記されており、各章は長短いずれかの茎から成る、それぞれ異なる六本の線による卦から構成されている。

例えば需（じゅ）の卦に曰く、「需は、孚（まこと）有り。光（おお）いに亨（とお）る。貞なれば吉なり。大川を渉るに利（よ）ろし」。次に、この回答を解釈する。

易経の背後にある中心概念は変化である。生きとし生けるものは時と共に変化する。易経は変化を陰陽の用語で定義する。陰は消極的であり、暗く、女性的である。陽は積極的で、明るく、男性的である。易経は、あらゆる変化はこの両者の間の関係として理解されると説く。両者の均衡が取れていれば、調和がある。

易経は特定の行動が幸運もしくは不運のいずれをもたらすかを示すが、これは占いの本ではない。そこには生命の変化に対する多くの基本的な教えが記されている。曰く、「天地の間に盈（み）つる者はただ万物なり。故にこれを受くるに屯（ちゅん）をもってす。屯とは盈つるなり。屯とは物の始めて生ずるなり。物生ずれば必ず蒙（もう）なり」。

この古代の作品はまた、中国文明の研究に対しても資するところ大である。

左：紀元前300年頃の竹簡。現存する最古の『易経』。
右：宋代（960－1279）の『易経』。註釈付き。

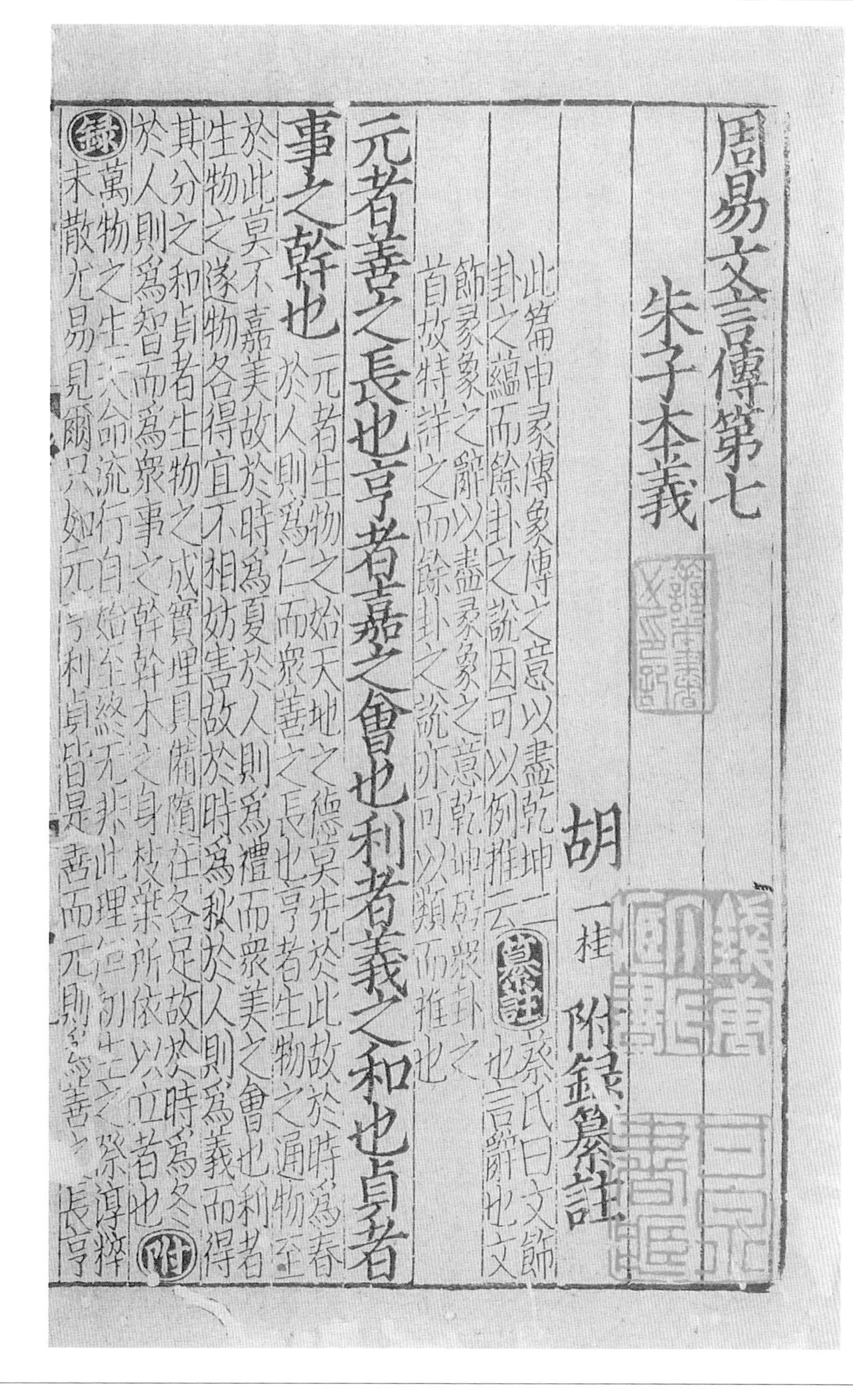

周易文言傳第七

朱子本義

胡　一桂　附錄纂註

此篇申彖傳象傳之意以盡乾坤二卦之蘊而餘卦之說因可以例推云　纂註　蔡氏曰文飾也言辭也文飾彖象之辭以盡彖象之意乾坤衆卦之首故特詳之而餘卦之說亦可以類而推也

元者善之長也亨者嘉之會也利者義之和也貞者事之幹也

元者生物之始天地之德莫先於此故於時爲春於人則爲仁而衆善之長也亨者生物之通物至於此莫不嘉美故於時爲夏於人則爲禮而衆美之會也利者生物之遂物各得宜不相妨害故於時爲秋於人則爲義而得其分之和貞者生物之成實理具備隨在各足故於時爲冬於人則爲智而爲衆事之幹幹木之身而枝葉所依以立者也　附錄　萬物之生天命流行自始至終无非此理但初生之際淳粹未散尤易見爾只如元亨利貞皆是善而元則爲善之長亨

ハンムラビ法典

（紀元前1754年）

フランスの考古学者がかつてのバビロニア王国でひとつの遺物を発掘した。
そこには世界最古の、だが驚く程進歩した法典が記されていた。
その条文の多くは、法の支配の下の正義と深く関係していた。

かつてバビロンに、巨大な人差し指の形をした、万人に公示する高さ2．25mの黒い玄武岩の石柱があった。この火山岩の最上部にはこの国を統べる王ハンムラビと、その前に座すメソポタミアの法と正義と救済の神であるシャマシュの姿が彫られていた。その下に、彫刻家は石の両側に長い文字の柱を彫り込んだ。

1901年、フランスの考古学者が現在のイランのフージスターン州でこの石碑を発見した。明らかに征服者たちは紀元前12世紀頃、それをシッパール（現在のイラク）からユーフラテス川の東岸へと移したのである。その古代アッカド語を翻訳した結果、この石碑は包括的な法典――ハムラビ法典――であることが判明した。まず序文として神々と王の権力が長々と引き合いに出され、それから長い条文の一覧が続き、最後に結語がある。「賢王ハンムラビが規定した正義の法」と序文は言う、「正しき法、王がこの地にもたらしたる敬虔なる法。ハンムラビ、そは民を保護する王なる朕」。

第6代バビロニア王ハンムラビは有能な支配者であり、紀元前1792年から1750年にかけて、多くの城壁都市、肥沃な農地、用水路から成る多部族・多民族国家であるメソポタミア帝国を統治した。その洗練された法典は紀元前1754年頃にまで遡る。

282条に及ぶこれらの条文の半分近くが債務等の商売上の問題を扱っており、残りの3分の1は父権、相続、姦通、近親相姦などの家庭問題に関するものである。だが商売上の利益はしばしば、家庭問題をも支配している。例えばここでは、結婚は事業協定として扱われていた。

近代の法学者にとって特に興味深いのは、この法典における細密な処罰条項である。そこにはモーセの律法に2世紀以上も先立つ「目には目を（レクス・タリオニス）」の原理が登場する。この法典における量刑の体系は、奴隷と自由人、その他の社会的身分によって刑罰を加減している。

刑罰は苛酷である――姦通や魔術から、強盗や殺人に及ぶ28の罪科が死刑と規定されている。だがハンムラビ王はまた、弱者を守り、全臣民のための正義を涵養すると主張している。ゆえに条項のひとつは、誤った判決を下した裁判官は罰金刑を受け、任を解かれるべしと定めている。また別の条項は、「無罪推定の原理」の現存最古の事例を示している――この被告人保護の原理が西洋の法体系に登場するのは遙か後のことである。

1901年に発見されたオリジナルの石碑はパリのルーヴル美術館に展示されている。他の博物館にも、この法典が彫られた別の石碑がある。

右：石碑は高さ2．25m、メソポタミアの法律の神シャマシュが席に座し、ハンムラビに王笏と指輪を与えている姿が描かれている。この浮彫の下にハンムラビの282条の条項が記されている（拡大写真参照）。死刑に処すべき罪科は28種に及び、姦通、魔術、強盗、殺人などが含まれる。

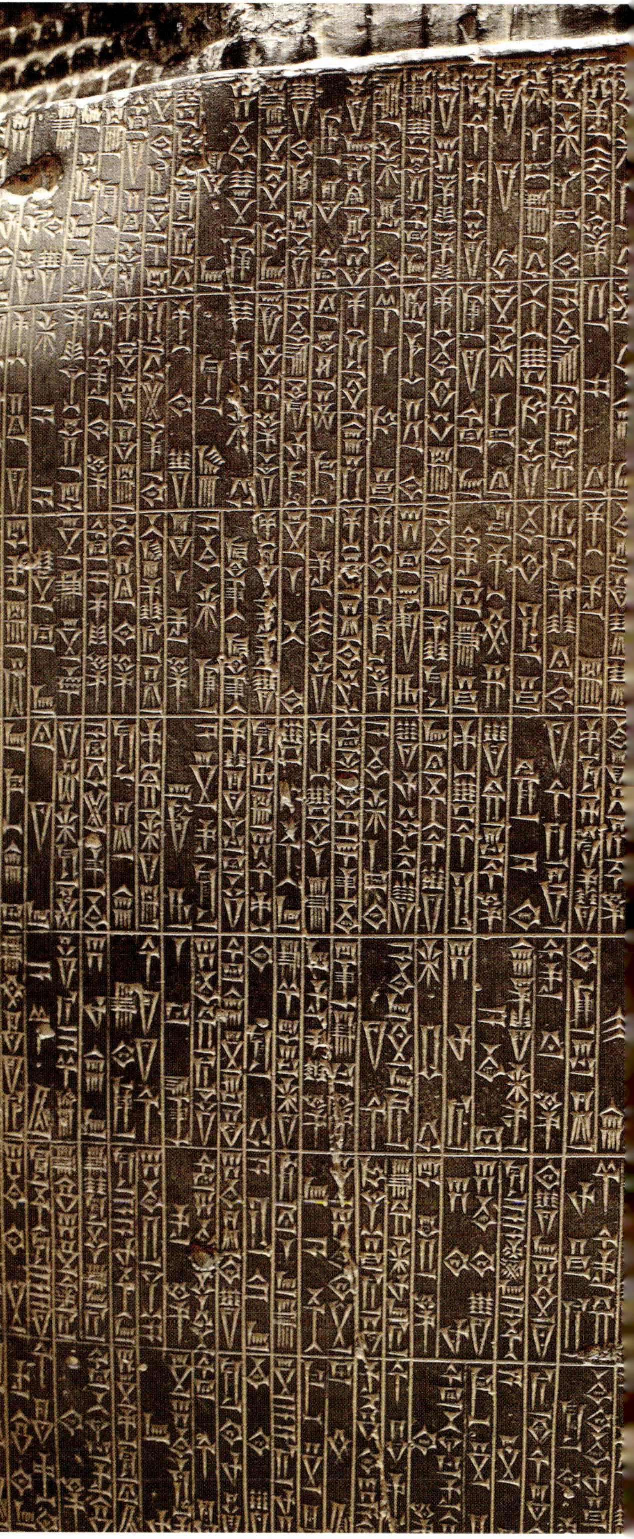

ホメロスの『イリアス』と『オデュッセイア』

（紀元前750年頃）

3000年に亘って暗唱、筆記、印刷によって伝えられてきた、
古代ギリシア文化に属するこの２つの世界最大の叙事詩は長年の間、西洋文学に屹立（きつりつ）する柱であり、
学者たちはこれらの千古の古典を創造した天才、あるいは天才たちに関する思弁を繰り広げてきた。

紀元前400年頃に執筆したプラトンは、ホメロスを「［全―引用者注］ギリシアの師」と呼んだ。それから500年後、ローマの修辞学者クインティリアヌスは、彼を「全ての文学が流れ出る川」と呼び、さらに1400年後、フランスの小説家にして名文家レーモン・クノーは述べた、「あらゆる文学の傑作は『イリアス』か『オデュッセイア』かのいずれかだ」。だがその著者とされるホメロスについては今もなお、ほとんど何も知られていない。その実際の家系も生い立ちも、そして古代の歴史家が述べたように本当に盲目だったのかも、さらに言えばいつ、どこで生きていたのかすら。

ただ知られているのは、ホメロスが2つの偉大な叙事詩『イリアス』と『オデュッセイア』を、紀元前750年頃に書いたとされていることだけである。だが現代の歴史家の中にはその起源を1000年以上も遡らせる者もいれば、全く異なる時期を示唆する者もいる。

『イリアス』はトロイア戦争中のイリオンすなわちトロイア包囲を描いており、物語は全24巻に及んでいるが、実際にはこの長い戦争の間の数週間の出来事を取り上げているに過ぎない。例えば次のような詩句である。「森の繁みの樹の上にとまりこんで、清らかに高い啼き声を放つ蟬みたいな、優れた弁舌家ではあった。トロイア人の指導者たちは、そのように門の櫓に坐っていた」。

『オデュッセイア』はオデュッセウスという人物に焦点を当て、戦争終結後のトロイアからイタカへの10年に及ぶ帰還の旅と、彼の不在の間の家族の運命を描く。「ムーサよ、私にかの男の物語をして下され、トロイアの聖なる城を屠（ほふ）った後、ここかしこと流浪の旅に明け暮れた、かの機略縦横なる男の物語を。多くの街の民を見、またその人々の心情をも識った。己が命を守り、僚友たちの帰国を念じつつ海上を彷徨（さまよ）い、あまたの苦悩をその胸中に味わったが、必死の願いも虚しく、僚友たちを救うことはできなかった」。全12110行の長短短六歩格から成るこの詩は、同時にまた近代的な筋書きを扱っている。

ほとんどの歴史家によれば、これらの作品は口承で伝えられ、長い年月、恐らくは何世紀にも亘って口誦された後に初めて文字化されたが、3000年もしくはそれ以上前と見られるその最初の手稿は現存していない。『オデュッセイア』の既知の最古の断片は、ギリシア系エジプト人のミイラの石棺から発見されたパピルスに書かれた紀元前285－250年頃のもので、現在はニューヨークのメトロポリタン美術館に展示されている。『イリアス』の最古の完全な写本は上質皮紙（ヴェラム）に手書きされた900年頃の「ヴェネトゥスA」で、15世紀以来、ヴェネツィアの国立マルチャーナ図書館に保管されている。各頁にはホメロスの文が25行、そこに紀元前1世紀から紀元1世紀の間にアレクサンドリアの編纂者によって記された傍注（スコリア）（余白の注釈）が付いている。1901年に高品質の影印版が作成され、近年には学者たちによって最新のディジタル画像技術を駆使した高解像度版が完成されている。

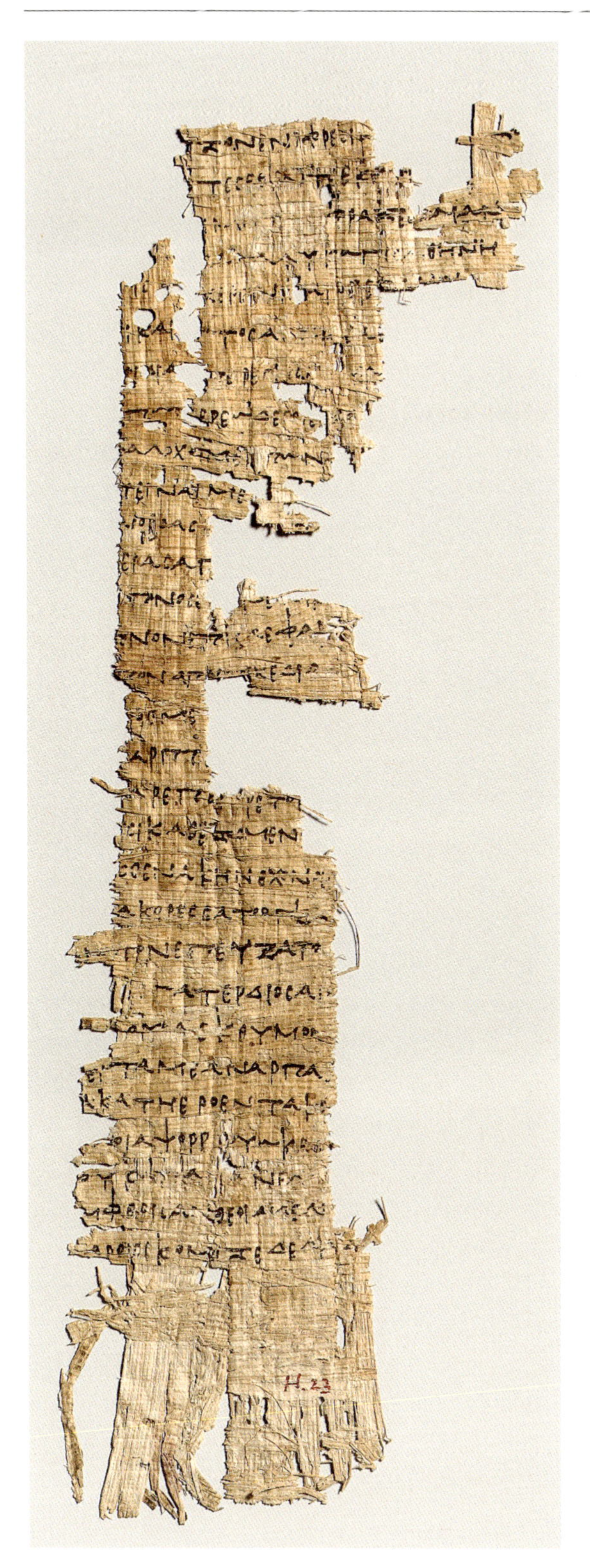

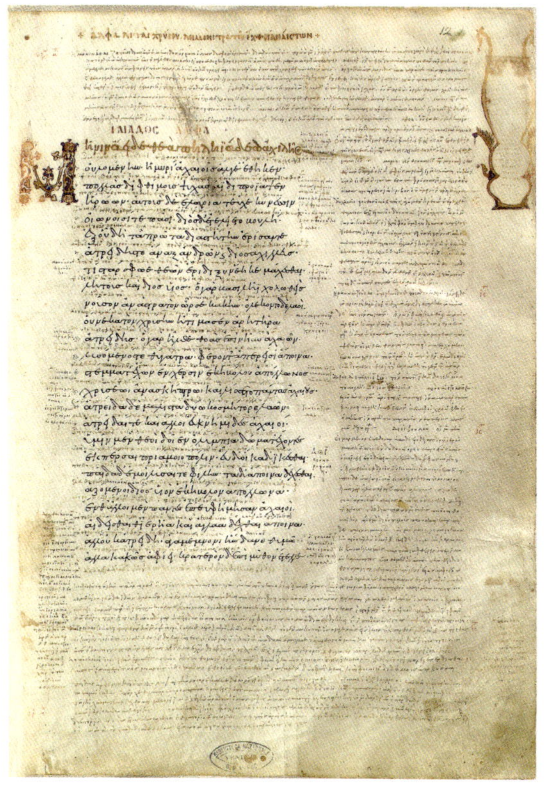

上：『イリアス』最古の完全な写本の1頁。「ヴェネトゥスA」と呼ばれるこの写本は900年頃に上質皮紙（ヴェラム）に手書きされたもので、5重に及ぶ歴代の学者たちの注釈が付いている。
左：紀元前285－250年頃のパピルス。『オデュッセイア』の現存最古の断片。標準版には見られない第20巻の数行が含まれている。他の3世紀の資料から、ホメロスのテキストには地方ごとの異同があり、その後、アレクサンドリアの学者たちによって標準化されたことが判明している。

『孫子』
（紀元前512年）

とある古代中国の戦争論は、戦術と戦略について記された最高の手引書に挙げられ、
時代を超えて多くの野戦将軍に千古不朽、かつ海千山千の指導を提供してきた。
それはまた、企業のエグゼクティヴや法廷弁護士、その他の真剣勝負師たちにも愛読されている。

「孫子曰く、兵とは国の大事なり、死生の地、存亡の道、察せざるべからざるなり。故にこれを経るに五事を以てし、これを校ぶるに計を以てして、其の情を索む」。戦争に関する史上最大の論考はこのように始まる。だがその起源に関する論争はまだ決着を見ていない。専門家の中には、これが中国の伝説的な軍師である孫子（彼の実在・非実在を問わず）によって書かれたことに疑問を呈する者もいる。また、ここに書かれた施策は長期に亘って多くの人間の手によって蓄積され、修正されてきたものであると論ずる者もいる。だが誰もが認めるのは、この書が極めて古いということである。1972年に山東で行なわれた考古学調査の際、〈銀雀山漢簡〉（紀元前206－紀元220）と呼ばれるほとんど完全な竹簡が発掘された。その内容は現代の『孫子』とほとんど同一であった。

「武経七書」の筆頭であるこの書は1772年にフランス語に全訳され、1905年には英語に抄訳された。これを読む者はその指導内容が全く色褪せないことに驚嘆してきた。ナポレオン・ボナパルトからヴォー・グェン・ザップ大将、ノーマン・シュワルツコフ将軍に至る軍司令官は、同書こそが彼らの戦術・戦略上の勝利の要因であったことを認めている。2001年に放映されたＴＶ番組『ザ・ソプラノズ　哀愁のマフィア』の1挿話では、ギャングのトニー・ソプラノが掛かり付けの精神科医に言う、「こいつだよ――中国の将軍、2400年前にこれを書いたんだが、そのほとんどが今でも役に立つっていう」。

『孫子』は全13章。それぞれが、戦争の主要な局面に対する賢明かつ風雪に耐えた助言を提供している。平易で明晰な言葉で書かれた本文は、いつ、如何にして戦うかに関する基本原理と戦略を示し、「衆寡の用を識る者は勝つ」「上下の欲を同じうする者は勝つ」などの重要な原則を提供する。

孫子は、戦争を可能な限り回避すべき必要悪と捉えていた。全ての戦争は素速く遂行すべきである。さもなくば軍の鋭気は挫かれ、「久しく師を暴さばすなわち国用足らず」。「夫れ兵久しくして国の利する者は、未だこれ有らざるなり」。「兵とは詭道なり」と孫子は喝破する、「故に、能なるもこれに不能を示し、用なるもこれに不用を示し、近くともこれに遠きを示す」。

本文は6つの主要な「将の過ち」を挙げている。すなわち「兵には、走る者あり、弛む者あり、陥る者あり、崩るる者あり、乱るる者あり、北ぐる者あり」。逆に、「上将」は「敵を料って勝を制し、険夷・遠近を計る」。

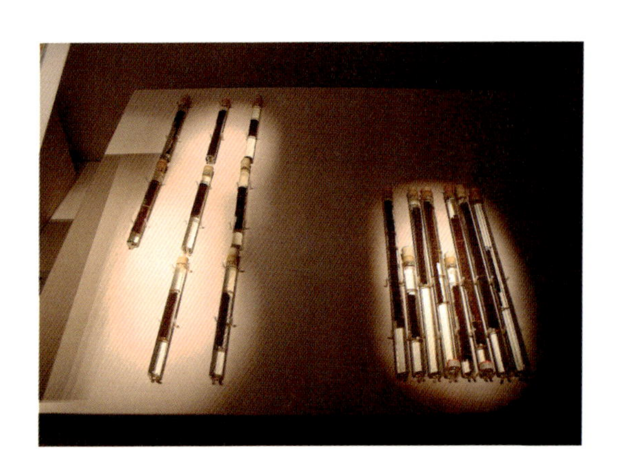

左：銀雀山漢簡と呼ばれる竹簡。紀元前206－紀元220。紀元前6世紀の『孫子』の現存する最古の資料。

上：18世紀の竹簡版『孫子』清朝の第6代皇帝乾隆帝（1711－99）によって作成された。

死海文書

(紀元前408－紀元318年)

ユデア砂漠の洞窟で、古代の写本の隠し場所が発見された。
そこには、現存最古の『旧約聖書』や、その他の古代ヘブライ文化の文書が含まれていた。
だがその所有権や意味は、その後論争を生むことになる。

1946年11月、ひとりの若いベドウィンの羊飼いが、死海北西部ヨルダン川西岸地区のクムランの周囲の石灰岩の崖で、はぐれた羊を探していた時に岩だらけの中腹にひとつの洞窟を見つけた。その暗い入口に石を投げてみると、陶器が割れる音がした。そこで勇を揮って中に入ってみた彼は、その中に封印された幾つかの大きな陶器の壺を見つけた。その中には亜麻布で包まれた長いものが入っていた――全く読めない文字がびっしりと書かれた古い巻物である。

それからの3ヶ月、このアラブの若者と3人の仲間はこの謎の物品を7つ回収し、その真の価値を何も知らぬまま、ベツレヘムの古物商に売り払った。

ヘブライ大学のエリアザル・リパ・スケーニク教授はその巻物のひとつに書かれていたものを見て、興奮に打ち慄えた。「私は何度も何度も見た」と彼は後に回想している。「そして突然、私は運命の悪戯で、2000年間誰も読んだことのないヘブライ語の巻物を目にする特権を与えられたのだと感じた」。

それからの9年間、その地域では新たな発見が相次ぎ、900以上の巻物と断片が見つかった。それはいずれも、獣皮やパピルスに、葦ペンとさまざまな明るい色のインクで走り書きされていた。本文のほとんどはヘブライ語で、一部はアラム語、ギリシア語、ラテン語、アラビア語であった。

集められた文書は〈死海文書〉と呼ばれるようになり、幾つかの理由で国際的なセンセーションを巻き起こした。その起源が紀元前408年から紀元318年の間――一神教であるユダヤ＝キリスト教の発展にとって極めて重要な時期――と判定されたために、この写本はしばしば激烈な論争の的となる問題について、歴史的・宗教的・言語的に重大な意味を担うこととなったからである。

新たな技術が進歩すると、巻物の試料は炭素14法に掛けられ、DNA検査やX線、荷電粒子励起X線分析、その他の技術で分析された。その結果、幾つかの巻物は紀元前3世紀に作られたことが判明したが、ほとんどは紀元前1世紀の原本もしくは複製であった。多くのものは、特定の宗派共同体と関係していた。

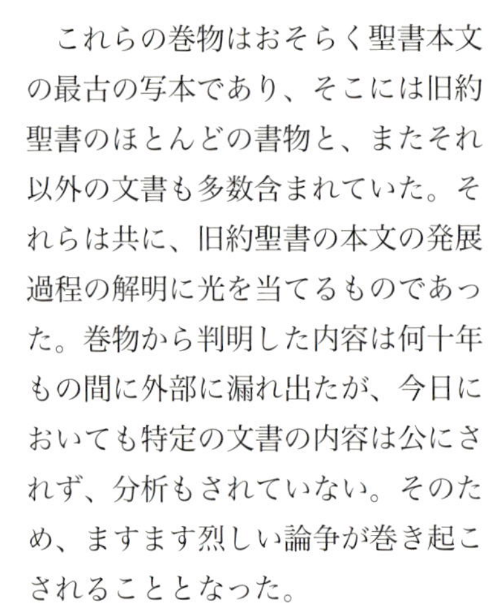

これらの巻物はおそらく聖書本文の最古の写本であり、そこには旧約聖書のほとんどの書物と、またそれ以外の文書も多数含まれていた。それらは共に、旧約聖書の本文の発展過程の解明に光を当てるものであった。巻物から判明した内容は何十年もの間に外部に漏れ出たが、今日においても特定の文書の内容は公にされず、分析もされていない。そのため、ますます烈しい論争が巻き起こされることとなった。

巻物の一部は現在、エルサレムのイスラエル博物館に展示されているが、その所有権と意味に関しては依然として熱い論争が交されている。

上：〈死海文書〉の断片。「戦争の書」より。ヘブライ語。紀元20－30年。善悪の諸力の間の40年に及ぶ戦いの物語。
左：クムランの洞窟で発見された陶器の壺のひとつ。この粘土製の蓋付き容器が〈死海文書〉の保管に用いられていた。

『マハーバーラタ』

（紀元前400年頃）

世界最長の叙事詩にして、その内部にヒンドゥー教の中でも最も広く読まれた聖典である『バガヴァッド・ギーター』を、7つの主要な部（パーヴァ）のひとつとして内包するこの書は、歴史上、最高の文学的傑作のひとつとされている——2000年以上に亘るインド文化の頂点のひとつである。

『ラーマーヤナ』と並んで、『マハーバーラタ』は古代インドにおける最も偉大なサンスクリット語の叙事詩である——信じがたいほど膨大なサガであり、暗唱するのに2週間近くを要する。10万以上の二行連句（シュローカ）と長い散文節を合わせると、180万語に及んでいる。

「マハーバーラタ」とは「バーラタ王朝の大いなる物語」の意味で、核となる筋書きはクル族が治める王国ハスティナープラの王位を巡るパーンダヴァ族とカウラヴァ族の争いであり、王、王子、賢者、悪霊、神々の役割を巡る無数のエピソードが含まれている。この深遠にして哲学的な作品はヒンドゥー教とヴェーダの伝統を体現するもので、インド文化の神話の多くを詳述し、そのスケールの壮大さは他の全ての叙事詩を顔色なからしむるものとなっている。

『マハーバーラタ』で語られる出来事の幾つかは紀元前1000年の昔に起ったとされているが、オクスフォード大学のラジェスワリ・スンデル・ラジャン教授の2000年の論文によれば、現存する最古の本文は紀元8世紀もしくは9世紀のものであるという。この文書が3世紀から5世紀までの間にどのような過程をたどって最終的な形となったのかを説き明かすために、さまざまな学者のチームが何十年もの間、骨を折ってきた。とある研究チームはこの膨大な叙事詩の多くの写本を収集比較し、全28巻のマスターリファレンス・シリーズを編纂した。

『マハーバーラタ』の作者は通常、聖仙ヴィヤーサとされる。彼はヒンドゥーの伝承において崇拝された神秘的な人物で、物語の著者であると同時にまた主役でもある。ヴィヤーサによれば、彼の目的のひとつは幸福へと導く4つの人生の目的（プルシャルタ）を説明することにある。そしてこの深遠なる教訓的側面ゆえにこの作品はインドの倫理哲学と法に対する基本的な指導書となっている。

一部の学者によれば、この叙事詩の起源は西暦紀元前数世紀頃に起った実際の出来事にあるという。また別の説によれば、この作品は渦巻き交差する伝説、信仰、半歴史的な話の集大成であり、ヒンドゥーの生活と古代インドの哲学を色彩豊かに描き出したものだという。

ヴィヤーサはそもそも実在したのか、もししたのならその場所はどこかを証明すること、あるいは迷宮のような叙事詩の中で事実と虚構とを弁別することは不可能であろう。それはひとつには、ヴィヤーサの物語の多くがその弟子である賢人ヴァイシャンパーヤナによって吟唱されたものであり、その豊かな語り口には極めて複雑な「枠物語」構造が採用されているからである。これはインドの伝統的な聖俗の作品の多くに共通するもので、以下の短い引用からも、その高度に修飾的な様式が窺えるであろう。

> サウティは言った、私は、パリクシット大王の子息、ジャナメージャヤ王が催した盛大な蛇供儀に列席し、大聖仙ヴィヤーサが構想した「マハーバーラタ」を、聖仙ヴァイシャンパーヤナが具（つぶさ）に吟唱するのを耳にする幸運に恵まれた。その後諸国を訪れ、数多の聖地を巡り、クル、パーンドゥ両家が死闘を繰り返した地をも訪れて来た。

右：これらの華やかに描かれた挿画は19世紀版の『マハーバーラタ』に収録されたもので、この叙事詩の循環的な性質をよく表している。原本の完全な複製は存在しないが、それが最終的な形となったのは紀元前5世紀のことと考えられている。

『カーマ・スートラ』

（紀元前400－紀元200年）

今日では奇抜なまでに歪んだ性交体位の手引書として広く知られているが、
その元来の（挿図のない）古代サンスクリット語本文は、官能的に満たされた生活のための
広範かつ驚く程近代的な指導書である。そこでは、性交は単にひとつの要素に過ぎない。

サンスクリット語のカーマ・スートラとは性的悦楽の手引きを意味する。その標題を持つこの古代文芸は一般に北インドの賢者ヴァーツヤーヤナの作であるとされている。彼は著名な僧で、深い瞑想と神々の観照によって千古の性の知識の全てを集大成したという。とはいうものの、その実際の起源は明らかではない。古代のサンスクリット語で書かれた『カーマ・スートラ』は、古代インド史のこの時期のものとしては唯一の既知の哲学書である。

1250の連を含む36章から成るこの作品は、悦び溢れる生活への指針である。中心となる人物は世俗的だが高潔なとある男性。とは言うものの、求愛とロマンスに関する同書の指導は大なり小なり女性にも同様に当て嵌まる。曰く――

> 眷族に取り巻かれ、父母を有し、年齢が少なくとも三歳年少で、且(か)つ家族の行状優れ、財産があり、家族多く、親族多く、親族の間に信望があり、且つ親族に恵まれた娘を娶(めと)るべきである。彼女はまた、父系母系のいずれに於いても眷族多く、容姿美しく、好き性質を持ち勝れた相を有し、歯・爪・耳・髪・眼及び胸に過不足なく、生来病身でない娘でなければならない。学識あって、またかかる美点を有する男は、まさに、かかる娘を得るように心がくべきである。

ひとつの基本的な教義は、幸福な結婚のためには両性が多くの点で悦楽に精通していなければならぬというものである。本文にはまた婚外交渉や同性愛に関する指導も提供されており、恋人を惹き付ける香辛料の調合法も含まれている。男女の身体の相性を示す図表が示され、抱擁や接吻から口淫や性交に至る性技が集大成されている。だが性は実際には同書の7つの部のただひとつに過ぎない。

実際、『カーマ・スートラ』は4つのプルシャルタ――法則(ダルマ)、富(アルタ)、欲望(カーマ)、解脱(モクシャ)――のそれぞれが均衡の取れた状態にあることをとりわけ重視する。すなわちこの作品は、洗練されたヒンドゥー文化の全体論的な生活様式をカタログ化し、優雅な生き方を構成するための幅広い社交技能を教授しているのだ。ここに採り上げられた美質には、音楽、料理、文学、スポーツ、快活な会話等も含まれている。

何世紀にも亘って複製され伝承されてきた本作は、著名な英国の言語学者サー・リチャード・バートンによって19世紀末に再発見された。バートンはインド人と英国人の協力者と共に、散逸した写本の集成から原文を再編纂し、これに基づいて英訳版を制作した。

19世紀以来、この文書はインドの外に広く流通し、世界文学の中で特異な地位を占めると共に、多くの文化と時代を超えて人間関係に関する実践的な指導書となってきた――今日のハウツー本の先駆者である。

右：鮮やかに彩色された18世紀の絵。ラージプターナの王宮で花開いたラージプト派のもので、『カーマ・スートラ』に説かれた性技のひとつが描かれている。原典であるサンスクリット語の本文は現存しないが、それは紀元前5世紀から紀元3世紀の間に編纂されたと考えられている。

プラトン『国家』

（紀元前380年頃）

アテナイの思想家プラトン――ソクラテスの弟子にしてアリストテレスの師――は、
これまで書かれたものの中で最も影響力のある哲学及び倫理／政治理論の著者とされている。
対話篇として提示されたそれは、正義の意味や魂の不滅などの核心的な問題を扱っている。

古代ギリシアの哲学者プラトン（紀元前428／427もしくは424／423－紀元前348／347）に帰せられる35の対話篇と13の書簡の中で、最も有名なのが『国家』である。そこではプラトンの師であるソクラテスが、アテナイ人や異邦人相手に、理想的な国家に関する問答をする。

カリポリスは最も美しい都市国家と記述されるが、それはひとつには、哲人王に統治されているからである。「哲学者たちが国々において王となって統治するのでない限り」と彼は述べる――

> あるいは、現在王と呼ばれ、権力者と呼ばれている人たちが、真実かつ充分に哲学するのでない限り、すなわち、政治的権力と哲学的精神とが一体化されて、多くの人々の素質が、現在のようにこの2つのどちらかの方向へ別々に進むのを強制的に禁止されるのでない限り、親愛なるグラウコンよ、国々にとって不幸の止む時はないし、また人類にとっても同様だと僕は思う。さらに、われわれが議論の上で述べてきたような国制のあり方にしても、このことが果されないうちは、可能な限り実現されて日の光を見るということは、決してないだろう。

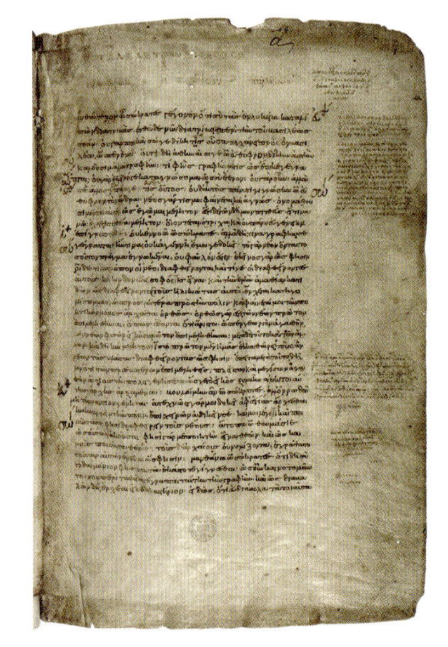

プラトンは、カリポリスの国制（ポリテイア）――貴族政治（アリストクラティア）――は他の形態、例えば名誉支配制（ティモクラティア）、寡頭政治（オリガルキア）、民主制（デモクラティア）、僭主独裁制（テュラニア）等よりも優れていると主張する。プラトンはそれぞれの国家形態とそれに対応する支配者の本質を分析する。

プラトンは民衆政治の国（アテナイ）を「快く、無政府的で、多彩な国制であり、等しい者にも等しくない者にも同じように一種の平等を与える国制だ」とする。だが彼は民衆政治を、富者と貧者の間に葛藤が生ずる無規律社会であり、最終的には人気のある指導者が擡頭（たいとう）して、抑圧を強め、僭主（せんしゅ）となると説いている。「民衆の慣わしとして、いつも誰かひとりの人間を特別に自分たちの先頭に押し立てて、その人間を養い育てて大きく成長させる……僭主が生まれる時はいつも、そういう民衆指導者を根として芽生えてくるのであって、他の所からではないのだ」。

『国家』の中心概念のひとつは「正義と幸福は不即不離である。それは良心が正義から生じるからではなく、正義それ自体があまりにも偉大で、不正から得られるものはそれ以上偉大にはなり得ないからだ」というものである。

今日ではプラトンの著作は単にそれ自体の思想のみならず、そのソクラテス的な分析手法や古代ギリシア史に関する言及の点においても高く評価されている。西洋思想史の聖典上におけるその地位は、もしも彼や、あるいは彼とソクラテスやアリストテレスを比較した古代の批評家たちに帰せられる多数の写本断片の発見がなければあり得なかったものである。

『国家』の文書は、原本である古代の本文の初期の複製から制作された複製である。その一部はアラブの写字生によって作られたもので、後の中世時代に発見された。現存する最古の版はアッティカ方言のギリシア語で書かれている。これは古代アッティカ地方で使われていた主要なギリシア語の方言で、アテナイもそこに属している。15世紀半ばのコンスタンティノープル陥落の後、プラトンの『国家』やその他の作品の手書きの写本はイタリアに移され、ルネサンスの原動力となった。

左：現存する最古の完全な『国家』の写本の1頁。895年にコンスタンティノープルで筆写された。「クラーク・プラトン」と呼ばれ、オクスフォード大学ボドレアン図書館に所蔵されいる。
上：3世紀のパピルス。プラトン『国家』の第X章が含まれている。1897年にエジプトのオクシリンコスで発見され、現在ではイェール大学バイネッケ稀覯書写本図書館に所蔵されている。

ガンダーラ語仏教写本

（紀元50年）

樺（ブハージャ）の樹皮の巻物に書かれ、2000年前にアフガニスタン東部の砂漠に埋められた仏教僧の聖典は、
現存する最古の仏典であり、南アジアの文書としても最古のものである。
それはまさにインド仏教版の〈死海文書〉と言うべきものだ。

紀元前6世紀から紀元11世紀までのガンダーラは活気に満ちた古代インドの他民族国家であり、それは現在のパキスタン北部、カシミール、アフガニスタン東部に相当する――インド、イラン、中央アジアの文化の交差点である。その最盛期、すなわち紀元前100年頃から紀元200年頃、この国はインドから仏教が中国その他へもたらされる門であった。アレクサンドロス大王による征服以来、ガンダーラはまたインドと西洋世界の接触の主点となり、哲学、芸術、通商において大いに交流が行なわれた。

今から2000年前、仏僧たちは樺の樹皮に書かれた経典の巻物を丸い陶器の壺に詰め、砂漠の丘に埋めた――おそらく、経典の新しい複製を作成した後、廃棄するものを仏塔（ストゥーパ）の聖別の儀式に用いたのだろう。菜食と慈悲という仏教の教義を踏まえ、僧は獣皮の代わりに樺（ブハージャ）の内部樹皮を用いていた。樺の樹皮を打ち伸ばして貼り合わせ、巻物にした上で、鉄筆とインクで文字を書いたのである。

1994年に大英図書館に寄贈されたカローシュティ写本コレクションは他に例を見ない13巻の巻物で、カローシュティ文字を用いたガンダーラ語で書かれており、1世紀半ばのものである。巻物の元来の出所は明らかではないが、アフガニスタン東部の都市ジャララバード近隣にある古代ギリシア式仏教の中心地であるハッダに由来すると考えられている。この巻物はおそらくサカ族の統治下の時代の1世紀半ばに書かれたもので、だとすれば知られている中で最古の仏典であると共に、インド系の言語による現存最古の写本であるということになる。

その後の考古学的発見によって、研究対象となる古代の樺皮文書の数は76にまで増加した。それらはワシントン大学図書館、米国議会図書館、スコイエン・コレクション、平山コレクション、林田コレクション、ビブリオテーク・ナスィヨナル・ド・フランスなどに収蔵されている。

テキストの多くは現在も部分的に判読可能で、幅広い仏教の教義を伝えている。これまでに翻訳された作品の中には哲学的・専門的教義の他、『犀角経』『無熱悩池偈頌』などの一般向けの教訓的な経文もあった。

それらは、ゴータマ・シッダールタ（「仏陀」）が菩提樹の下で瞑想して悟りを開いたのと同時期に発祥したと考えられている初期インド仏教に対する多くの新たな洞察をもたらした。今日の世界にも、自らを仏教徒と考える人は5億人もいる。

左：1世紀後半のガンダーラ仏。最古の仏像のひとつ。
右：ガンダーラ語仏教写本の断片。1994年に大英図書館に寄贈された。樺の樹皮にインク。1世紀。現存最古の仏典。

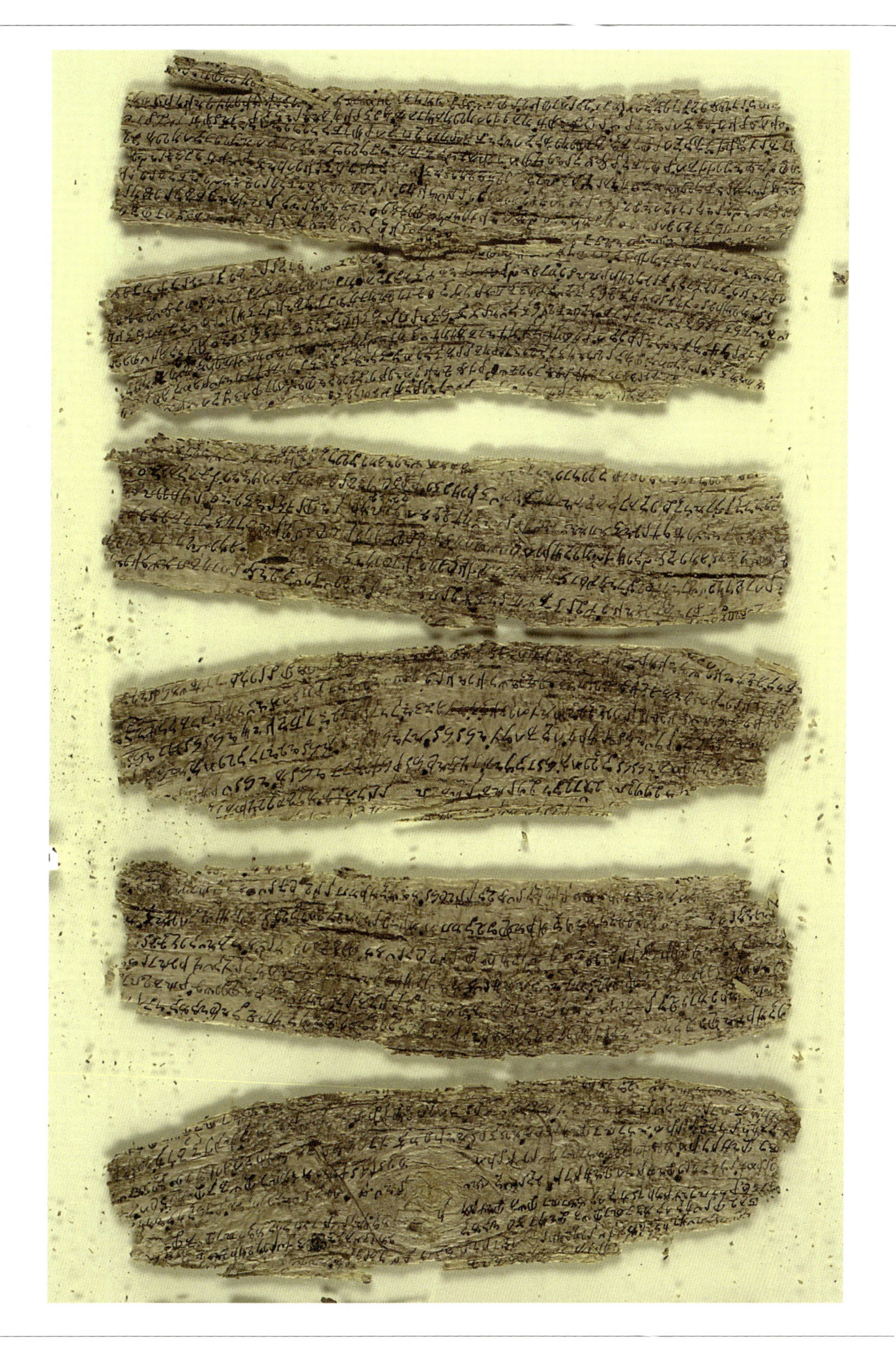

『クルアーン』

（609－632年）

23年以上に亘り、アラーの言葉が天使ガブリエルを通じて、聖なる詩の形で預言者ムハンマドに啓示された。
後にムハンマドはそれを一字一句余さず信者たちに口承した。
今日、イスラムの聖典を信ずる者は世界の人口の6分の1に及んでいる。

イスラムの伝承によれば、609年12月23日、当時40歳であったムハンマドという名のメッカのアラブ人がひとり山中に隠遁していた時、ヒラーサンの洞窟に天使が現れた。この天使ガブリエル（ジブリール）はアラー（神）自身の言葉とヴィジョンを啓示した。それこそ、632年のムハンマドの死まで続く多くの啓示の初めであった。

文盲（ウンミー）であったために古い経典も読めず、自らの言葉を記すこともできなかったにも関わらず、預言者ムハンマドはアラーの言葉を忠実に口承し、それを記憶して祈りにおいて唱えることを信者に命じた。最終的に、聴衆の一部がその言葉を粘土板や骨、棗（なつめ）椰子の葉などに記録し始めた。

ムハンマドが死ぬと、彼の最も親しい友人で初代カリフであるアブー・バクル（634年歿（ぼつ））はその言葉をひとつの正典に編纂して永遠に保存したいと願った。彼はその作業をザイド・イブン＝サービト（655年歿）に命じた。写字生の一団と共に作業に当ったザイドは聖なる言葉を集め、アラビア語による最初の手書きの写本を作成した。数年後、その正統な複製が作成された。

『クルアーン』と題されたこの聖典は114の短い章（スーラ）から成り、各章は多くの唱（アーヤト）から構成されていて、合計77000語に及んでいる。この唱は祈りの際に暗唱することを意図している。この聖典は自らを「正邪の弁別もしくは規範」「導き」「叡智」「啓示」と規定し、歴史上の出来事を詳述し、その倫理的意味について註釈する。その核心的特徴は全能なる唯一神と復活に対する信仰である。「おまえたちがどこにいようと、神はお前たち全部を復活へと寄せ集めたまう」。唱の3分の1ほどは死後と審判に関する記述であり、また信者に対しては「神の教えのために戦う」ことを求めている。

この聖典の言語は「韻を踏む散文」と呼ばれ、その構造には始まりも中間も終りもない。ある批評家によれば、この異常な非線形構造はその預言的メッセージの力を強調すると共に、さまざまな意味のレベルを与えるものであるという。

クルアーンが最初にラテン語訳されたのは1143年、英訳は1649年で、現在では100以上の言語に訳されている。

1972年、イエメンのサヌアのモスクで聖なる唱の写本が発見された。その年代は671年とされ、おそらく現存する最古の写本と考えられている。

サヌア写本（671）。現存する最古のクルアーン写本のひとつ。

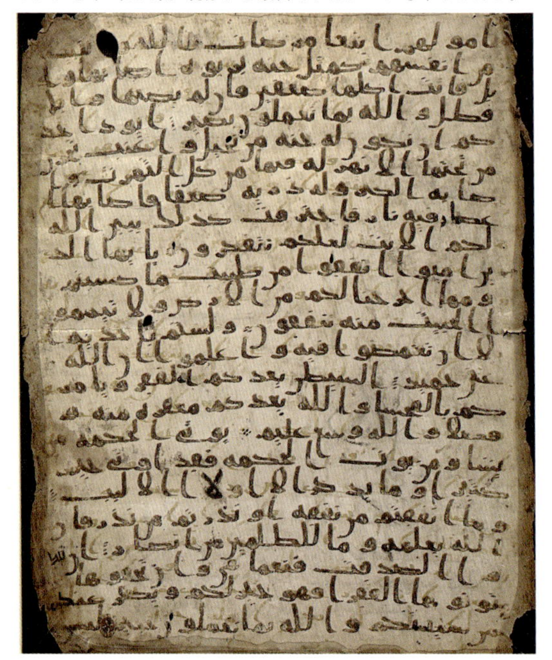

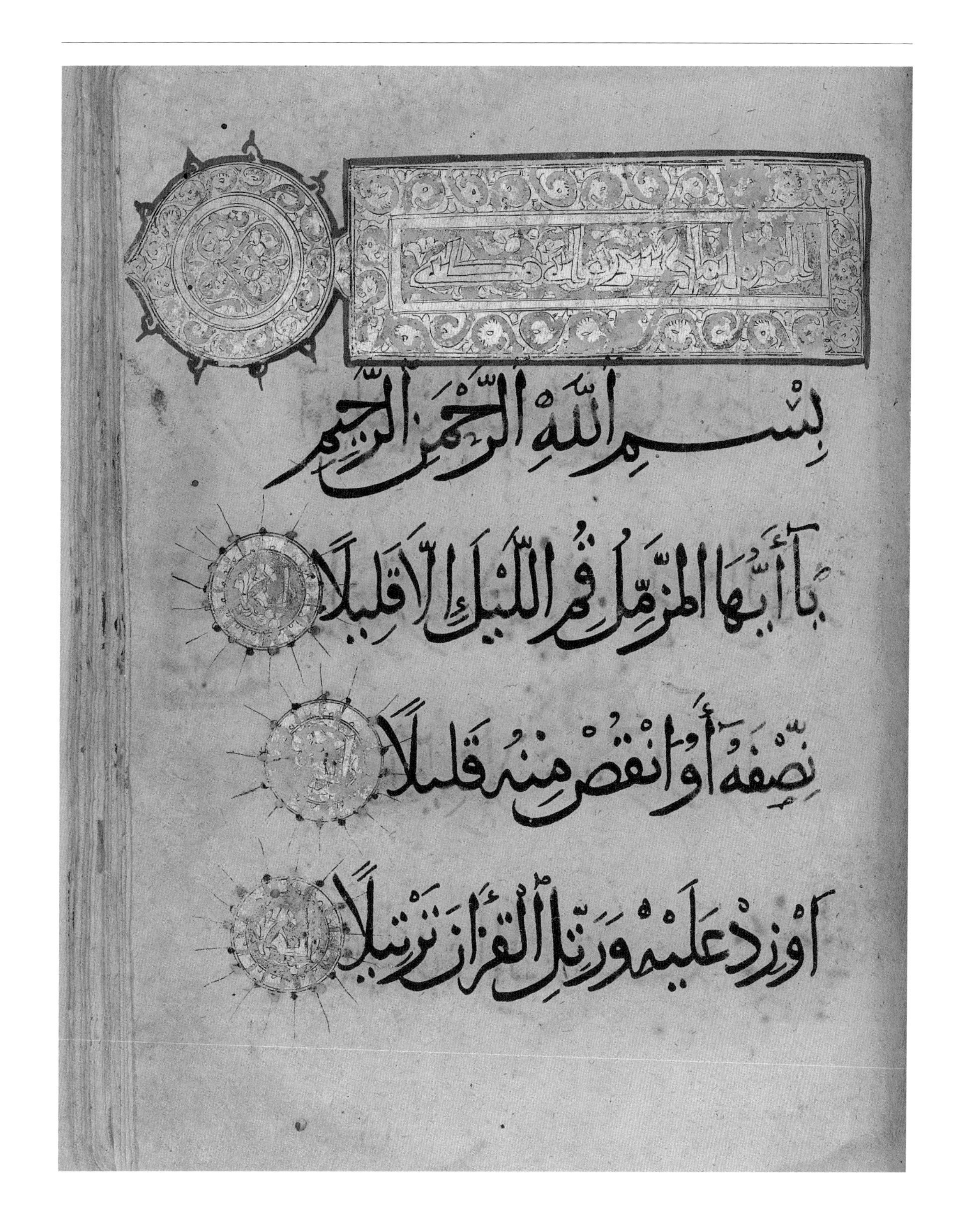
بسم الله الرحمن الرحيم
يا أيها المزمل قم الليل إلا قليلا
نصفه أو انقص منه قليلا
أو زد عليه ورتل القرآن ترتيلا

上：1192－93年の手書き版『クルアーン』。イラクで製作されたもので、2004年にメトロポリタン美術館が購入した。

マグナ・カルタ

（1215年）

ラニミードにおいてジョン王と貴族たちの間で合意された1215年の中世の大憲章は、
王権の力を制限し、自由人に与えられる自由を規定した世界初の文書であり、
イングランドのコモン・ローの基盤と考えられている。

〈大憲章（マグナ・カルタ）〉、別名「マグナ・カルタ・リベルタルム」もしくは「イングランドの自由の大憲章」は1215年6月にラテン語で作成され、1215年6月15日にウィンザー近傍のテムズ川の河岸にあるラニミードで国王ジョンの宣誓の下に承認された。作成の時点での目的は国王と有力貴族らの間の和解の促進であったが、むしろそれは戦争を引き起こすこととなった。実際、それが法的に有効であったのは僅（わず）か3ヶ月間に過ぎず、その条項が完全に実行されることは終ぞなかった。だがそれは13世紀を通じて、異なる形で何度も制定されるととなった。

一方、〈マグナ・カルタ〉はイングランドの国王に対してその臣下の集団が押しつけた歴史上初の文書であり、その目的は法によって王権を制限し、臣下の封建的権利を守ることにあった。この憲章は王権を世俗の法の下に置くことで、その後の歴史的進展の発端となった。その進展は最終的にイングランド及びその他の国々における憲法の支配に至り、代議政治、普通法（コモン・ロー）、人身保護令状（ハビアス・コルプス）、その他裁判権などの基本的保護を与えた。

この憲章には60以上の条項があり、国民の生活の多くの範囲を網羅している。そのひとつが公正な裁判を受ける権利である。例えば——

> 如何なる自由人も、彼の同輩の合法的裁判により、あるいは国法によるのでなければ、逮捕され、あるいは投獄され、あるいは侵奪され、あるいは法益剥奪に付され、あるいは流罪に処され、あるいは如何なる方法でも傷害を受けることがなく、而（しこう）して、朕（ちん）が彼を兵力を以て襲うことも、また彼へ向かって兵力を派遣することもないであろう。朕は、権利あるいは正義を、何ぴとにも売らず、何ぴとにも拒否したりあるいは遅らせたりしないであろう。

ジョン王がラニミードで貴族たちとの講和に応じた直後にこの憲章の複製が幾つか制作され、王の決定の証拠として国中に送られた。それは熟練の写字生によって上質皮紙にラテン語で手書きされた。

この文書はその重要性のゆえに法の支配の礎石となった。イングランドの市民的自由の初めての法典化として、〈マグナ・カルタ〉は正義、公正、人権の象徴となっている。その法はアメリカへの植民においても重要な役割を果たした。何故ならイングランドの法体系は東部13州の多くにおいても、それぞれの独自の法体系を創り上げる規範とされたからである。3つの条項は今なおイングランドとウェールズの法の一部に現存しており、現在でもあらゆる時代における最も重要な憲法文書と見做されている。〈マグナ・カルタ〉の現存する4つの複製（2つはロンドンの大英図書館、ひとつはソールズベリ大聖堂、もうひとつはリンカーン大聖堂にある）は2015年、800周年を記念して初めて一堂に会した。

左：1927年にエドワード1世の下で作成された〈マグナ・カルタ〉。この版は議会によって承認され法律となった。その写本のひとつは、2007年に213万ドルで売却された。
上：1215年の原典版〈マグナ・カルタ〉。4点のみ現存する。リンカーンに1点、ソールズベリに1点、そしてロンドンの大英図書館に2点である。

『異端の根絶について』（アド・エクスティルパンダ）
（1252年）

教皇インノケンティウス４世は中世の異端審問を創始したわけではないが、
彼こそが異端者の自供を引き出すために審問官に拷問の使用を明確に認可した最初の人物である。
罪は疑われてはならない。そして誰もが何らかの自供をせねばならない。

中世の異端審問は1231年、教皇グレゴリウス9世による異端撲滅のための特別な裁判制度の制定をもって嚆矢（こうし）とする。異端は教会と国家に対する最も重大な犯罪と考えられていた。このような裁判所は「検邪聖省」と呼ばれている。当初、訴追を受ける者のほとんどは反体制的宗派であった。例えば南フランスを拠点とするカタリ派などである。

カタリ派がロンバルディアで教皇特使を殺害したとの申立てを受けて、教皇インノケンティウス4世（本名シニバルド・フィエスキ、1195－1254）は1252年に大勅書を発し、異端審問による異端の審理、裁判、処罰の手段と方法を示した。インノケンティウスは彼らを強盗や殺人犯と等しく扱うことを望んだが、法に定められた証拠によって罪を証明することが必要であるとした。また、「必要はあらゆる法を越える」とも宣言した。

大勅書『異端の根絶について』は、このような証拠となる自供を引き出すために異端者を拷問する際の状況と手段とを規定している。その姿勢は、容疑者は常に自らの罪を認め、共犯者を密告しなければならないということを前提としている。

教皇インノケンティウス4世は、この大勅書を全ての都市の法規に組み込むよう命じた。異端審問官自身が拷問を行なうことは許可されていなかったが、それを指示することが求められ、法廷には教会の全権が与えられた。処罰を遂行する見返りとして、国には異端者から没収された財産の一部が与えられた。被告人は有罪の証拠が揃うまで長期に亘って投獄され、自供を引き出すために如何なる苦しい拷問であっても用いることができる。ただし、その拷問によって生命や四肢を喪失することがないこと、拷問はただ一度に限られること、そして審問官がその証拠が事実上確実であると見做している場合のみに限られる。例えば、39の法の内の26番目は次のように言う――

> 国の首長もしくは統治者は拘留中の全ての異端者に対し、これを殺さぬ限り、あるいは腕や脚を欠損せぬ限り、これを実際の魂の強奪者、殺人者として、神の秘蹟とキリスト教の信仰の盗賊として、その過ちを自供し、知る限りの他の異端者を密告し、その動機、彼らが誑（たぶら）かした者、彼らを泊めた者、擁護した者を特定すべく強制せねばならない。ちょうど物品の強奪者や盗賊が共犯者を密告し、自らの為した犯罪を自供するのと同様である。

教皇インノケンティウス4世の『執政官と世俗官吏とが従うべき、異端者とその共犯者及び擁護者に対する法と規則の布告』は1252年5月15日に発布され、数世紀に及ぶ苦難の歴史への道を開いた。

1330年代の写本挿画。教皇インノケンティウス４世が韃靼にドミニコ会士及びフランチェスコ会士の宣教師を派遣している。

Innocentius epc servus servor dei. Dilectis filiis . . Electo et Capitulo Taurinen. Salt et aplicam ben. Cum sicut ex parte dilecti filii Nobilis
viri Thome de Sabaudia Comitis fuit propositum coram nobis. Carissimus in xpo filius nr Willis Rex Romanor Illustris ipi . T .
suisq heredibus utriusq sexus omnia iura et dominia generaliter ac quedam alia specialiter que idem Rex ratione Imperii habebat seu ha
bere debebat in Civitate ac dioc Taurinen in perpetuum feudum de speciali gratia duxerit concedenda prout in eiusdem Regis litteris exinde
confectis plenius continetur nosq ipius Thome devotis supplicationib inclinati concessionem huiusmodi ratam et gratam habentes.
illam duximus per nras litteras confirmandam. Discretionem vram rogamus monemus et hortamur attente per aplica vobis scrip
ta mandantes quatinus eidem . T . suisq heredibus in hiis que sibi circa premissa ex concessione regia competunt ob reverentiam aplice
sedis et nram studeatis vos sic favorabiles exhibere qd nullum eis per vos in suorum conservatione iurium impedimenti obstaculum oppo
natur. Alioquin dilectis filiis . . Electo Tarentasien et Johi de Amblion capellano nro damus nris litteris in mandatis ut vos ab eorumde
in hac parte molestatione cessare monitione premissa per censuram ecclesiasticam appellatione remota compellant. Non obstante si vobis communit
vel singillatim a sede aplica sit indultum qd interdici suspendi vel excommunicari non possitis per litteras aplicas non facientes plenam et expressam ac
de verbo ad verbum de indulto huiusmodi mentionem. Dat Perusii Kl Februar
Pontificatus nri Anno decimo.

上：教皇インノケンティウス4世の大勅書。容疑者から自供を引き出すために拷問を用いる権限を与えた。国家の統治者はカトリック以外のキリスト教徒を逮捕し、処刑する権利が与えられた。この大勅書は5世紀半にわたり、異端者に対する拷問の使用を合法化した。これが教皇ピウス7世によって廃止されたのは1816年のことである。

『神学大全』

(1265－74年)

トマス・アクィナスは中世の最盛期における最大のカトリックの哲学者であり神学者である。
そして彼の傑作『神学大全』はキリスト教の信仰に関する最上の説明であるが、彼はその完成を見ずして死んだ。
この著作は西洋文学の中で最も影響力ある作品のひとつと考えられている。

トマス・アクィナス（1225－74）はローマ近郊のロッカセッカに生まれ、ベネディクトゥス会の大修道院であるモンテ・カッシーノで育った。ナポリ大学で勉強中、両親の反対を押し切って賛否両論の新会派ドミニコ会に入会する。両親はドミニコ会士になりたいという彼を翻意させるため、一年にわたって一族の城に彼を幽閉したが、適わなかった。兄弟たちは娼婦まで雇って彼を誘惑させようとしたが、それも失敗に終った。

パリ、ケルン、ローマを初めとする学問の中枢で長年に亘って神学を研究・教授した後、百戦錬磨のドミニコ会士神学者となった彼は、1265年に『神学大全』の執筆に着手する。元来はごく普通の若い神学者に対する手引書を意図していたが、トマスによるカトリック教会の主要な教義の集成は、信仰者が直面するあらゆる主要問題に対するキリスト教的議論の決定的な説明へと変貌した。

神の存在の証明とは何か、そして神の本質とは？　世界は如何にして創造されたのか？　神への道とは？　その他数多くの論題がある。

トマスの判断は穏健かつ穏当で、聖典の扱いは至妙（しみょう）である。トマスの教えは、単にカトリック教会の教義のみに留まらない。スコラ哲学の伝統に則り、彼はムスリム、ヘブライ、さらには異教徒の資料にも依拠し、アリストテレス、ボエティウス、プラトン、マイモニデス、ローマの法学者ウルピアヌスを初めとする大思想家の作品を引用し、彼らの思想の

『デミドフ祭壇画』（1476）部分。神学の象徴に囲まれたトマス・アクィナス。

一般的解釈を提供する。「法とは」と彼は説く。「共同体の配慮を司る者によって制定され、公布せられたところの、理性による共通善への何らかの秩序づけ、に他ならない」。そして「人間の精神は、アウグスティヌスが明らかにしたように、思考を通じてのみ真理を理解するのである」。

『神学大全』は神学の概論にして指導書であり、彼は神学の研究を科学と見做していた。彼の論文は聖なる信仰によって宇宙の歴史を要約し、人生の意味を明かにする。「この世界に動いているものがあるということは」と彼は説く――

確実であり、私たちの感覚には明白である。さて、何であれ動いているものは、別の何かによって動かされたのである。……もし、動いているものを動かしたものがそれ自身動いていたのであれば、それもまた別のものによって動かされたのでなければならず、以下次々に別のものが必要になる。しかし、これを無限に続けることはできない。何故なら、もしそれを無限に続けられるのであれば、最初に動かしたものはないということになり、ひいては、動いているものはなにもないという結論に至るからである。後から動き出したものは、最初に動かしたものが動かした限りにおいて動いているにすぎないことを考慮すること。杖が手によって動かされるしかないのと同様である。従って、他のもの

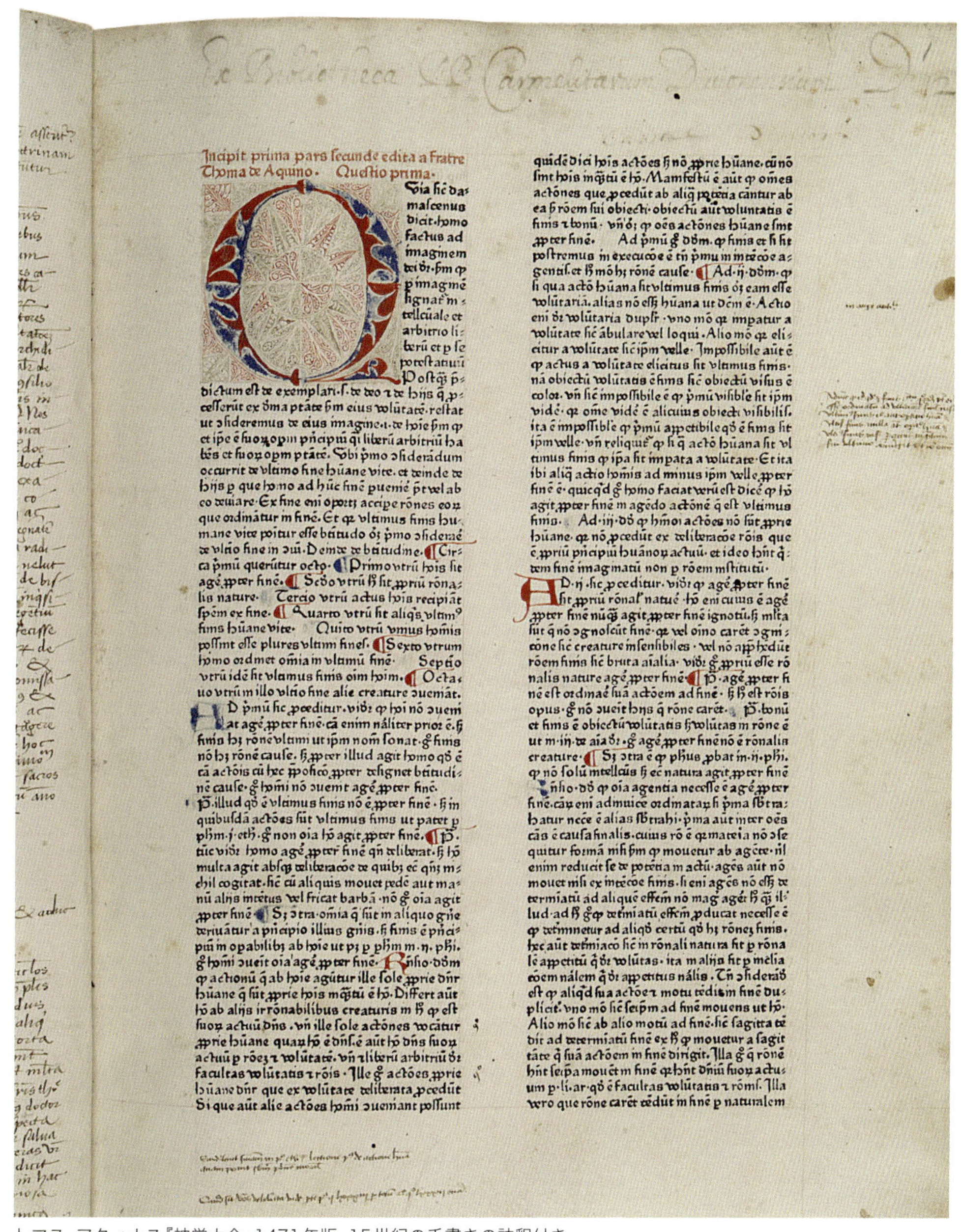
Incipit prima pars secunde edita a Fratre Thoma de Aquino. Questio prima.

トマス・アクィナス『神学大全』1471年版。15世紀の手書きの註釈付き。

によって動かされたのではない、最初に動かしたものに辿りつくことは必然である。それを、すべての人々は神であると理解している。

最後の部分は1274年のトマスの死によって未完に終っているが、彼が残した文書は合計3500頁もの大部に及んでいる。

彼は1323年、聖トマス・アクィナスとして列聖された。

ヘレフォード図

(1280−1300年)

巨大な獣皮に描かれた百科全書のような〈ヘレフォード図〉は、13世紀の教養あるヨーロッパ人にとっての世界を描写している。地理学や聖書の物語から異国の動物、外国の奇妙な民族やギリシア・ローマ神話の図像まで、あらゆるものが示され——地図という形式で示された中世の知識の貯蔵庫となっている。

イングランドの壮麗なヘレフォード大聖堂に隣接する新築の図書館に、世界最大の視覚的文書がある——ヘレフォード図、すなわち世界最大の中世の地図である。163㎝×132㎝、オーク材の枠の上に一枚物の上質皮紙で制作されている。図は円形で、ほとんどは黒インクで描かれているが、僅かに他の色も用いられている——例えば紅海には赤、その他の海には青や緑、等々。

地図には「リンカーン大聖堂のラフォードの司教座参事会員、ホルディンガムとラフォードのリチャード」との署名がある。この人物はこの地の宇宙論者、地図制作者であった。専門家によれば、この地図の年代は1280年から1300年までのいつかであるという。多くの学者の信ずるところによればこの文書は本来は祭壇の装飾用であり、これに向かってひざまずいて祈る地元の信徒に世界の栄光と危険を教えるために作られたという。

同時期の他の地図と同様、この地図の地理学は教会の教義を裏付けるもので、天国や聖書に所縁のある多くの場所が描かれ、世界の中心にはエルサレムが置かれている。地図の中心近くにあるバビロンはバベルの塔のそばの多層の要塞都市として描かれる。その上方に金文字でインドと書かれているが、そこは龍のいる異国的な国である。そしてさらにその上に栄光に満ちたエデンの園がある。

ブリテン諸島は実際の大きさよりも大きく描かれている。現在アジア、アフリカ、ヨーロッパと呼ばれている地域や、それに隣接する島々の描写もまた13世紀イングランドの未発達な知識を反映している。

500もの都市や街が描かれているのに加えて、噂に基づくかなりの数の異国人、動物、植物が描き込まれている。例えば媚薬であるマンドレイクは、当時の学識あるイングランド人の多くが信じていたように、人間の髪に似た根を持っている。

この地図には1000以上の伝説が書き込まれ、特定の国、川、都市、自然の名所が、その本質を捉えた図像と共に描かれている。言語はラテン語及び古フランス語のノルマン方言である。

この地図は13世紀の学者がどのように世界を解釈していたかを宗教的・地理学的用語で要約したもので、今日の世界で「データ・マップ」と呼ばれるものの初期形態と言える。この文書の詳細を知ることのできるヴァーチャル・マップは、ヘレフォード大聖堂の Mappa Mundi Exploration というウェブサイトで見ることができる。

ヘレフォード図（部分)。バベルの塔、ソドムとゴモラ、紅海が見える。

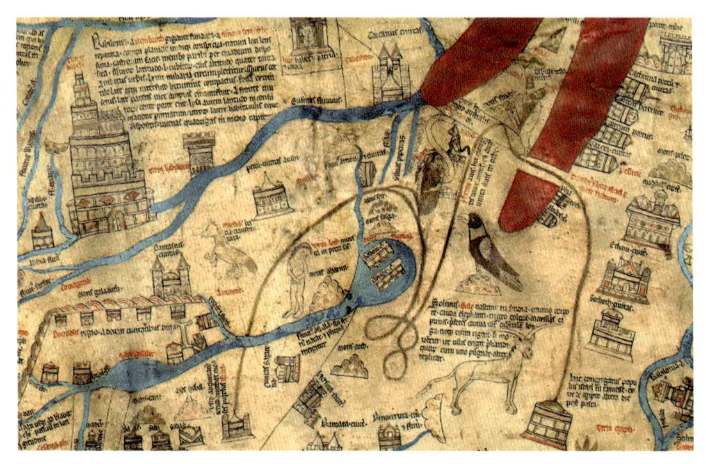

上：ヘレフォード図。直径約132㎝の円の中に世界を詳細に描いている。そこには中世イングランド教会の世界観が反映されている。エルサレムが中心にあり、国々や海洋は地図に収まるように短縮あるいは伸張されている。

グーテンベルク聖書

（1450年代）

最初の発明は中国・高麗にずっと早く現れていたが、金属活字を用いた印刷機による近代印刷術の起源は、まさしくグーテンベルクによる聖書の印刷に遡ることができる。それは文書制作の性質を変え——そして世界を変えた。

木版印刷は6世紀の中国で発明された。一枚板の木版に墨を塗り、ひとつの頁を大量に複製できるようにしたものである。中国人はまたこの方法を改良して1040年代には各文字毎の版を創り出したが、このような技術の使用は限定的なものであった。と言うのも、中国語の書法には数千もの文字の版を創る必要があったからである。高麗は最も早く中国の木版印刷を導入した国で、また各文字に対応する金属活字を初めて創り出した国でもある。それは1377年に仏教文書『直指心体要節』を印刷するために用いられた。だがアジアの言語の文字体系は複雑過ぎ、むしろ金属活字は西洋のアルファベット言語の出版により適していた。

その大きな革新は1450年代、ドイツはマインツの金細工職人ヨハネス・グーテンベルク（1398－1468）が4年の歳月を費やして〈ウルガタ〉の精巧な版の制作のために新たな印刷手法を完成させたことにあった。〈ウルガタ〉とは4世紀のラテン語版聖書である。

少なくとも20人のインク塗れの助手と共に、グーテンベルクはその洗練された印刷技術をほぼ1から創り上げ、異なるインク、紙、工程を試し抜いて、遂に正解を見出した。伝統的な水性インクの代わりに最高品質の油性インクを選び、この上なく厳密な基準でそれを精製した。最高級の紙をイタリアから取り寄せた。試行錯誤を通じて、低温で熔融するにも関わらず印刷機の圧力に耐えるだけの強度を持つ特製の合金を開発した。そして特製の砂型鋳造による各文字の最適な製法を発見すると共に、また繰り返し良好な印刷結果を得られるよう活字の分類、貯蔵、手入れの方法を工夫した。極めて巧妙に設計され、入念に制作された彼のフォントには全部で292個の異なる活字のブロックがあり、その中には同じ文字の6種類もの版が含まれる。それらは版毎に幅が微妙に異なっており、必要とあらばミリメートル単位までの狭い空間に合わせて組めるようになっている。特注の木製印刷機は葡萄酒の圧搾機を基に作られたもので、これにより操作者はどのような木版印刷よりも遙かに速く頁を刷ることができ、またその完成品の品質も優れていた。

インクの刷りの均質性、割り付けの調和、その他の品質に優れる1286頁のグーテンベルク聖書（別名「42行聖書」「マザラン聖書」「B 42」などとも呼ばれる）は傑作として賞賛された。

今日の学者によれば、160部から185部が製作されたと考えられているが、内48部が現存している。グーテンベルク聖書が印刷術に与えた影響は甚大で、情報革命を大いに促した。

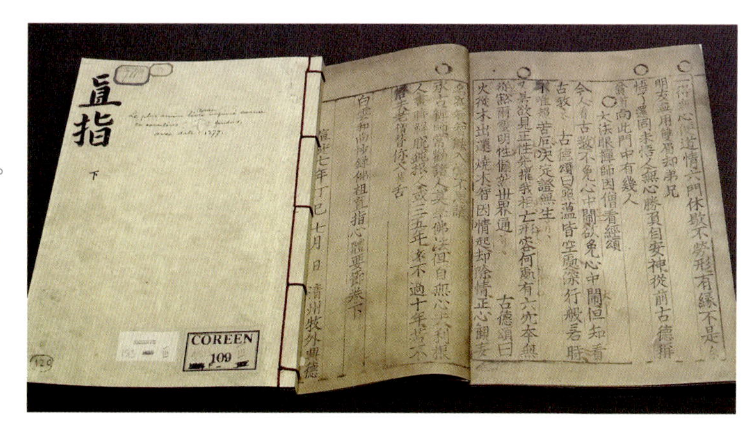

abiisset puer surrexit david de loco qui
vergebat ad austrū: et cadens pronus
ī terrā· adoravit tercio. Et osculātes se
alterutrū· fleverunt pariter· david aūt
ām̄pli⁹. Dixit ergo ionathas ad david.
Vade in pace. Quecūq; iuravimus
ambo in nomine domini· dicentes:
domin⁹ sit inter me et te· et inter semen
tuum ⁊ semen meum· usq; in sempiter-
num. Et surrexit david et abiit: sed et
ionathas ingressus ē civitatē.

Venit autē david in nobe· ad achi-
melech sacerdotē. Et obstupuit
achimelech· eo quod venisset david· et
dixit ei. Quare tu solus: et nullus est
tecum. Et ait david ad achimelech sa-
cerdotem. Rex p̄cepit michi sermonem·
et dixit. Nemo sciat rem propter quā
missus es a me: ⁊ cuiusmodi precepta
tibi dederī. Nā et pueris meis cōdixi· ī
illū et illū locū. Nūc ergo si q̄d habes
ad manū· vel quinq; panes da michi:
aut quicq̄d inveneris. Et r̄ndens sacer-
dos ad david: ait illi. Nō habeo lai-
cos panes ad manū: sed tantū panē
sanctū. Si mūdi sunt pueri· maxime
a mulieribȝ· mādicēt. Et r̄ndit david
sacerdoti: et dixit ei. Et quidē si de mulie-
ribȝ agitur· cōtinuim⁹ nos ab heri et
nudiustercī⁹ quādo egrediebamꝰ: et fue-
rūt vasa puerorū sācta. Porro via hec
polluta est: sed et ip̄a hodie sanctifica-
bitur in vasis. Dedit ergo ei sacerdos
sanctificatū panem. Neq; enī erat ibi
panis· nisi tantū panes p̄positionis·
qui sublati fuerāt a facie dn̄i: ut pone-
rentur panes calidi. Erat autē ibi vir
quidā de servis saul· in die illa intus
in tabernaculo domini: ⁊ nomen eius
doech ydumeus: potentissim⁹ pastorū
saul. Hic pascebat mulas saul. Dixit
aūt david ad achimelech. Si habes
hic ad manū hastam aut gladiū da
michi: quia gladiū meū ⁊ arma mea
non tuli mecum. Sermo enim regis
urgebat. Et dixit sacerdos. Ecce hic
gladi⁹ goliath philistei· quē p̄cussisti
in valle therebinti· est involut⁹ pallio
post ephot. Si istum vis tollere· tolle.
Neq; enī hic est alius absq; eo. Et ait
david. Nō est huic alter similis. Da
michi eū. Surrexit itaq; david· ⁊ fugit
ī die illa a facie saul: ⁊ venit ad achis
regem geth. Dixerūtq; servi achis: cum
vidissent david. Nūquid non iste est
david rex terre? Nōne huic cātabant
per choros dicētes: percussit saul mille·
et david decem milia? Posuit autem
david sermones istos in corde suo: et
extimuit valde a facie achis regis geth.
Et mutavit os suū corā achis· et col-
labebat̄ inter manus eorū: et impinge-
bat in ostia porte: defluebantq; salive
eius in barbā. Et ait achis ad servos
suos. Vidistis hominem insanum:
q̄re adduxistis eū ad me? An desint
nobis furiosi: q̄a introduxistis istum
ut fureret me p̄sente? Dimittite illum
hinc: ne ingrediat̄ domū meā.

Abiit ergo david inde: et fugit in
speluncā odollam. Quod cum
audissent frēs ei⁹ et om̄is dom⁹ p̄ris
eius: descenderūt ad eū illuc. Et cōvene-
runt ad eū om̄es qui erāt in angustia
cōstituti· et opp̄ssi ere alieno et amaro
aīo: et fact⁹ est eorū princeps. Fueruntq;
cū eo q̄si quadringēti viri. Et p̄fectus
est david inde in masphat: q̄ est moab.
Et dixit ad regē moab. Maneat oro
pater me⁹ ⁊ mater mea vobiscū: donec
sciam q̄d faciat michi de⁹. Et reliquit
eos ante faciem regis moab. Manse-
runtq; apud eū: cunctis diebȝ quibus
david fuit ī p̄sidio. Dixitq; gad p̄pha

左：高麗の仏教書『直指心体要節』。1377年。金属活字によって製作された現存する最古の書物。
上：グーテンベルクの初版『42行聖書』。各節の冒頭に空間が設けられ、赤や青のインクで手書きの文字を挿入できるようになっている。

レオナルド手稿

(1478－1519年)

その後半生のほとんどの期間、このルネサンスの精髄とも言うべき男は自分の興味や思考を日々記録していた。
入念な挿画や注釈に溢れたその手記は、彼が時代の遙か先を行っていたことを示している。
それゆえに彼はその文字のほとんどを、自ら考案した暗号のような方式で記していた――
まさに「ダ・ヴィンチ・コード」である。

レオナルド・ディ・セル・ピエロ・ダ・ヴィンチ(1452－1519)、すなわち偉大なるイタリア・ルネサンスの博識家の中の博識家。彼は無限の創造力、「抑えがたき好奇心」、「熱病のような創意空想力」に恵まれていた。その精神は子宮の中の胎児、ヘリコプターに潜水艦、植物の仕組み、その他無数の現象に対する洞察に満ち満ちていた。

自らの思想が洩れることを望まなかったダ・ヴィンチは、当時の専制的な権力の機嫌を損ねぬために大変な苦労を強いられた。ひとつでも権力者に不都合な手を打ったりすれば極めて難儀なことになることを知っていた彼は、自らの足跡の少なくとも一部を隠蔽しようとした。

芸術と自然哲学における最新の追究の一部を記録するために膨大な手記と素描を制作しながら、ダ・ヴィンチはしばしば自らの見解を独自の逆向きの筆記体によって韜晦した。盗賊や異端審問官などの敵を遠ざけるために自ら発明したものである。左利きゆえに彼にとって「鏡文字」は容易であったが、侵入者を発狂させるには充分だった。

この巨匠は、自らの考えを具体化するために、まずは綴じていない紙に素速く素描することから始めるのだった。時には帯に付けていた極小の紙束を使った。その後、その夥しい手記を主題に沿って並べ、順に帳面に綴じていった。

ダ・ヴィンチの死後、長年に亘る弟子で友人であったフランチェスコ・メルツィはそのような帳面を50冊、1万3000頁分も受け取り、ミラノへ持って行った。メルツィの死後、それらの記録の多くは最終的に売り捌かれ、幾つかは散逸した。多くのものは装幀され、〈ダ・ヴィンチ・コーデクス〉と呼ばれるようになった(コーデクスとは、個別の頁を纏めて装幀した本を意味する)。

ダ・ヴィンチの帳面は後に世界の代表的な蔵書に収まった。例えばルーヴル美術館、大英図書館、そしてミラノのアンブロージアーナ図書館などである。中でもアンブロージアーナ図書館は最大の帳面である〈コーデクス・アトランティクス〉を所蔵している。1119葉に及ぶその浩瀚な内容はダ・ヴィンチが1478年から1519年の間に蓄積したものである。科学に関係した唯一の主要な帳面である〈コーデクス・レスター〉は個人蔵で、1994年にビル・ゲイツが3080万ドルで購入した。1560年から1510年迄の間に72枚の亜麻紙に書かれたそれは、主として水文学を扱っている。

世界美術史上、最高の傑作を生み出した精神に関する手掛かりを提供していること以外に、これらの帳面は幅広い学問領域を横断するダ・ヴィンチの天才ぶりを示す、現存する最も偉大な文書である。

右:上は飛行機械に関するダ・ヴィンチの素描。〈コーデクス・アトランティクス〉より。下は〈コーデクス・レスター〉にある科学的な手記。これは別名〈コーデクス・ハマー〉とも呼ばれ、1994年にビル・ゲイツが3080万ドルで購入した。競売に掛けられた中で史上最高額の写本である。

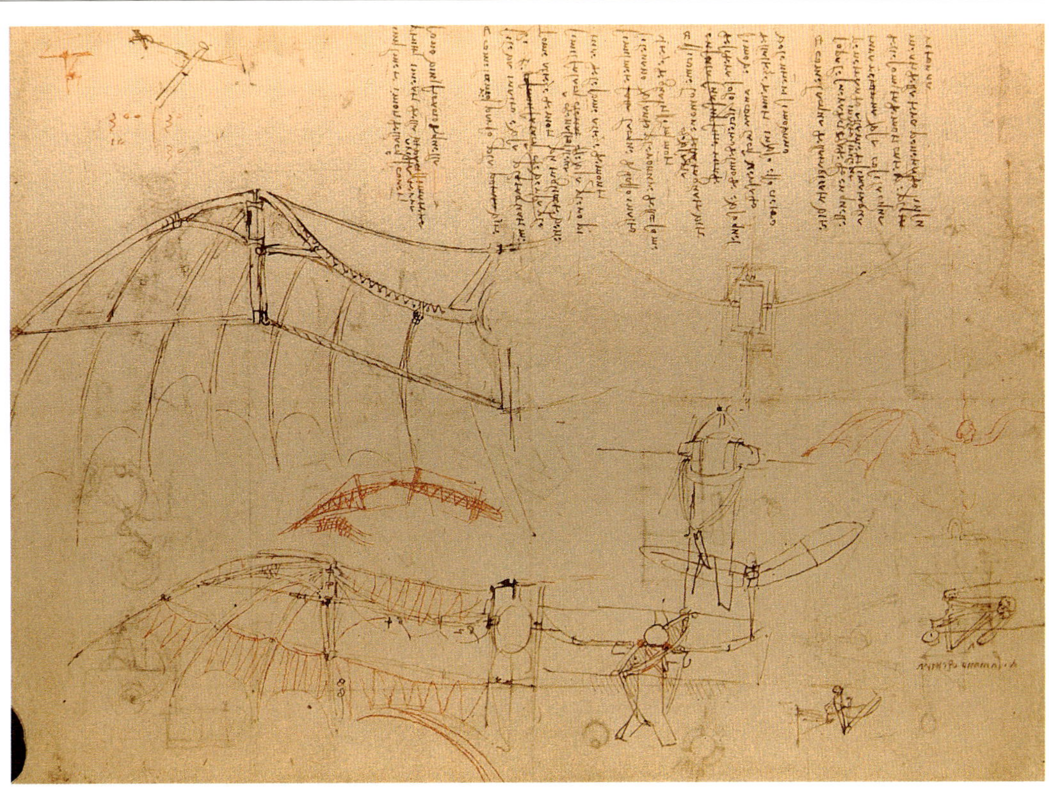

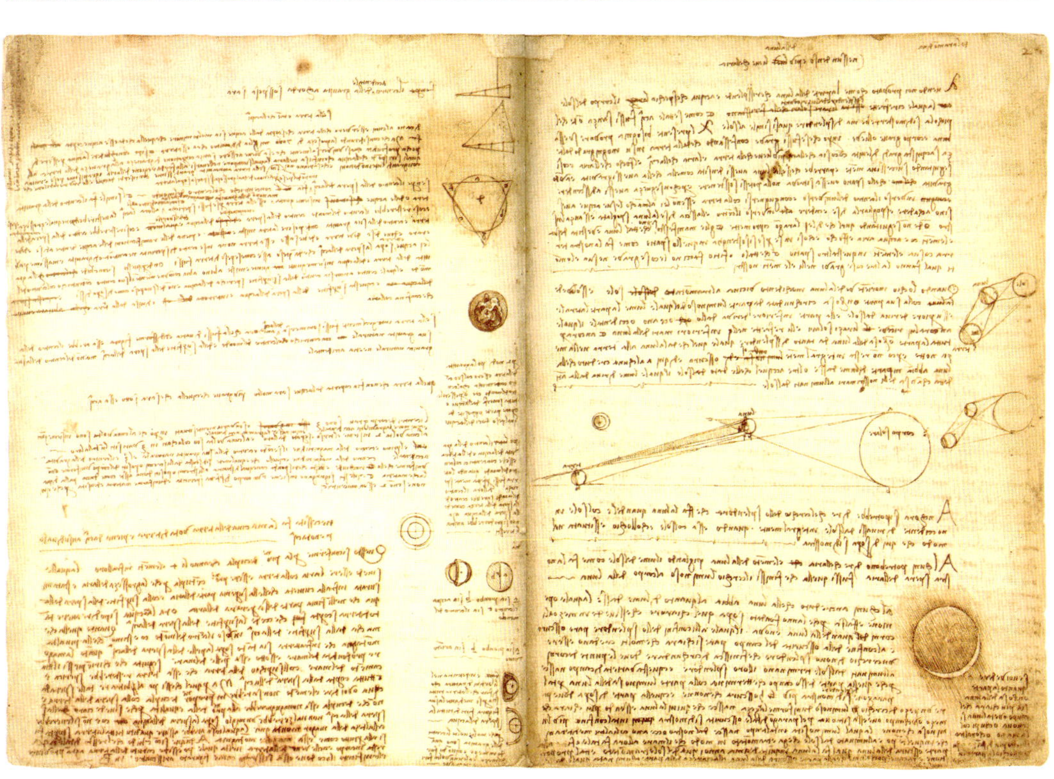

アルハンブラ勅令

(1492年)

ユダヤ人の歴史に、紀元２世紀以来最大の激震をもたらした事件。
スペインのカトリック両王、フェルナンドとイザベルが、王国内のユダヤ人全員に、
カトリックに改宗せぬ限り国外追放するとの勅令を出したのだ——不寛容の歴史の里程標である。

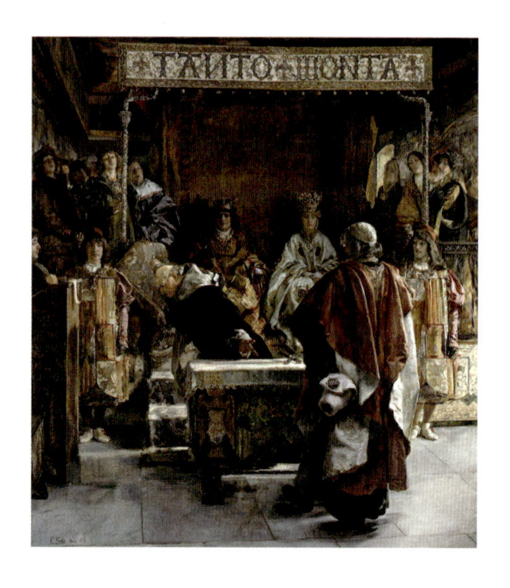

1492年、スペイン軍はグラナダの戦いで勝利を収め、780年間に及ぶムスリムによるイベリア半島支配を終結させた。この地域におけるムスリム、キリスト教徒、ユダヤ教徒の平和共存は終焉を迎えた。スペインの国王フェルナンド2世と女王イザベル1世が、ムーア人支配下のその地に暮らしていた大量のユダヤの放逐を開始したのである。

1492年3月31日、国王夫妻は（イザベルの提案で）ユダヤ人の罪状を縷々記した勅令に署名した。スペイン異端審問所にとって改宗は中心的な問題であったが、キリスト教に改宗したとされるユダヤ人の中にも依然として密かにユダヤ教を信仰している者が存在する、と断じられたのである——それは「邪悪」な所業であり「われらが聖なるカトリックの信仰に対する大いなる侮辱、毀損、恥辱」である、と彼らは主張した。ゆえにこれらの罪により、全てのユダヤ人は直ちにこの国を退去せねばならない。もしも残留するなら裁判無しに死刑に処す。さらに、ユダヤ人を隠匿した者は何ぴとであれ全財産と世襲の特権を没収する、と。

追放処分となったのはスペイン王国の全国土と領土における全てのユダヤ人とその使用人及び支援者——およそ25万人と見積もられている。

フェルナンドとイザベルはこの文書を発布すると同時に、クリストファー・コロンブスに対してはインド諸国への出帆を命ずる文書を発行した。これは結果的に世界を変えるもうひとつの事件となるが、コロンブスは抜け目なくそれを拝承した。と言うのも、彼もまた遠い祖先にユダヤ人を持っていたからもしれない。

〈アルハンブラ勅令〉は4ヶ月後の発効を命じられた——その内容からして到底達成不可能な期限である。その結果、ドミニコ会の司祭たちはユダヤ人を改宗させようと責め立てた。何千人ものユダヤ人がその信仰を棄てた。そうしなかった者は迅速に住居と事業を引き払わねばならず（二束三文で）、さらに金銀や貨幣の持出しも禁じられた。狂乱状態で逃亡を図る中で、何万人もの難民が死んだ。また別の者は法外なカネを請求されて裏切られた。10万人もの追放者が命からがら隣接するポルトガルへ逃げ込んだが、4年後にはそこからも追放されることとなった。さらに5万人ほどが北アフリカに渡ったり、あるいは船に乗ってトルコやその他の港へと逃れた。そしてともかくも7月末にはもはやスペインにはユダヤ人はいなくなっていた。

ヴァティカンが最終的にこの勅令を破棄したのは1968年のことであり、スペイン政府が正式に、1492年にまで遡るユダヤ人に対する「恥ずべき」扱いを認めたのは実に2014年のことであった。アルハンブラ勅令は宗教的迫害の歴史における悪名高い1章を記録している。

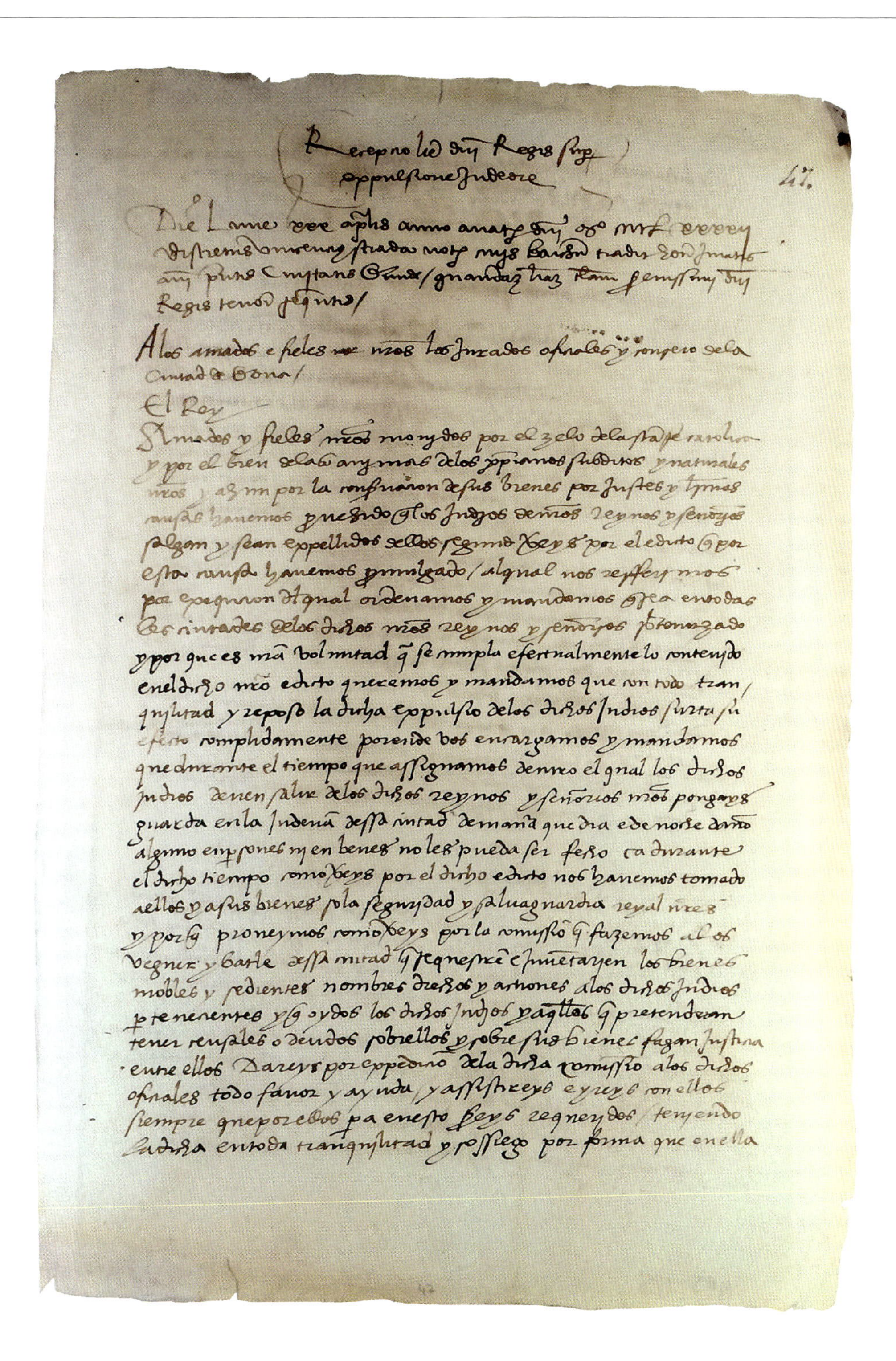

左：慈悲を乞うユダヤ人。エミリオ・サラの『スペインからのユダヤ人追放』（1889）。アルハンブラ勅令に基づく絵画。
上：全てのユダヤ人に対してスペインからの即時退去を命ずる文書。逆らった者は裁判なくして死刑。

クリストファー・コロンブス書簡

（1493年）

新世界を目指す最初の航海からの帰還時、クリストファー・コロンブスは自らの発見を記した書簡を書いた。それはヨーロッパ中に騒ぎを引き起こし、19世紀に至るまで、1492－93年の歴史的事件を一人称で記した、彼の唯一の記述として知られていた。

1492－93年の最初の航海からスペインへの帰還の途上、ジェノヴァの探険家クリストバル・コロン（クリストファー・コロンブス）は自らのカラベラ船ラ・ニーニャでカナリア諸島沖を航行中の1493年2月15日に一通の報告書を認めた。その中で彼は、アジアへの航路探索の旅で発見したものを記述している。

コロンブスによれば、彼は大西洋を西へと向かい、33日目に最初の島に到達した。その後も島々の発見は続いた。この時、彼は自分が（東）インド諸島にいると思い込んでいたので、そこで遭遇した原住民を「インディオ」と呼んだ。実際には彼が記しているのは現在で言うバハマ諸島のサン・サルバドール島であり、またキューバ、ハイティ、ドミニカ共和国であった。そして彼が原住民からその噂を聞いた本島は契丹（カタヨ）ではなく、アメリカであった。

コロンブスがスペインに帰還してすぐ後、スペイン語で書かれたこの書簡がバルセロナで印刷され発行された。１ヶ月後、ほぼ同じ版のラテン語版がローマに登場し、教会によって大いに公専流布された。この文書は謳（うた）う、「私はその地において、数知れぬ人々の住む幾多の島々を発見致しました……私はこのすべての島々に王旗を掲げて宣言し、これらを陛下のものとしたのでありますが、かくすることを妨げる者は誰もありませんでした」。書簡はまた、原住民の征服が容易であるとも述べている。「彼らは鉄も、鋼鉄も、武器も持っておりませんが、またそうしたものを持つのにも相応しくないのであります。と申しましてもそれは決して彼らの格好や背丈が立派でないからというのではなく、彼らが驚く程臆病だからなのであります」。探険隊は何人かのインディオを、この未知の民族がどのようなものであるかを示すため、虜囚として連れ帰った（その途上、生き残ったのは25人中８人のみだった）。

コロンブスは新世界を異国的な生物と豊富な果物、香辛料と黄金に満ち満ちた楽園であると記述し、この豊かな領土はスペインが獲得すべきものであり、その原住民は容易に征服し奴隷化し、キリスト教に改宗させることができると吹聴する。その最初の報告書はあまりにも誘惑的なものであり、ゆえに国王は直ぐさま彼に装備一式を与え、大艦隊を以て再度の航海を命じ、1493年9月24日に出帆させた。彼はさらにその後も2度に亘る航海を行なった。

コロンブス書簡の手書きの原本は未発見であり、彼の偉大な発見を再構成しようとする歴史家は1493年の印刷版に依拠している。

右上：コロンブス書簡の印刷版のひとつ。1493年。冒頭にはコロンブスの「艦隊（オケアニカ・クラシス）」の木版画。

右下：地図制作者ファン・デ・ラ・コサが1492－93年のコロンブスの航海に同行した。彼は1500年にこの注目すべき新世界の地図を制作した。

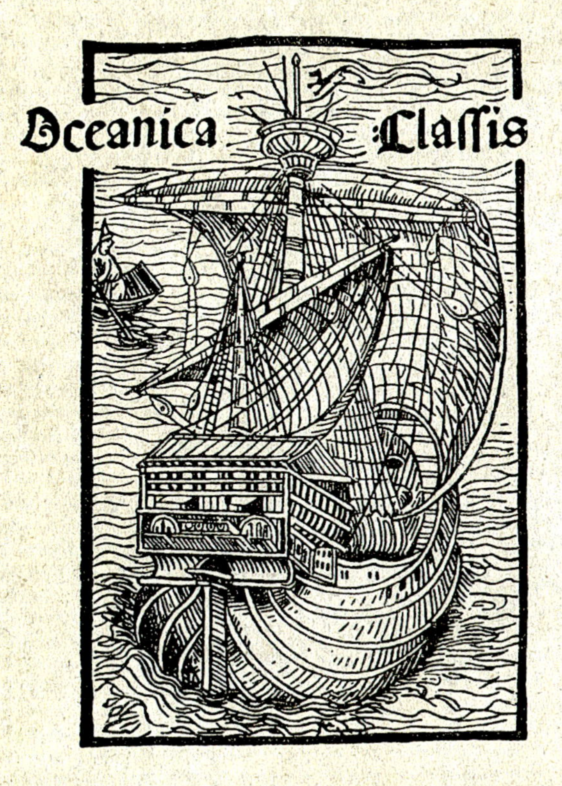

Johana septē vel octo palmaꝝ genera: q̄ pce
ritate ⁊ pulchritudie (queādmodū cetere oēs
arbores/herbe/fructusq̄) nr̄as facile exuperāt
Sūt ⁊ mirabiles pin⁹/agri/⁊ prata vastissima/
varie aues/varie mella/variaq̄ metalla: ferro
excepto. In ea aūt quā Hispanā supra dixim⁹
nūcupari: maximi sunt mōtes ac pulcri: vasta
rura/nemora/ campi feracissimi/seri/pacisq̄ ⁊
cōdendis edificijs aptissimi. Portuū in hac in
sula cōmoditas: ⁊ pstantia fluminū copia salu
britate admixta hoīm: q̄ nisi quis viderit: cre-
dulitatē supat. Huius arbores pascua ⁊ fruct⁹
multum ab illis Johane differūt. Hec pterea
Hispana diuerso aromatis genere/ auro/ me-
tallisq̄ abundat. cui⁹ quidē ⁊ oīm aliaꝝ quas
ego vidi: ⁊ quaꝝ cognitionē habeo: icole vtri
usq̄ sexus nudi semp incedūt: queādmodum
edunt in lucem, preter aliquas feminas. q̄ fo-
lio frondeue aliq̄: aut bombicino velo: pudē-
da operiūt: qd ipe sibi ad id negocij parāt. Ca
rent hi omes (vt supra dixi) quocunq̄ genere
ferri. carent ⁊ armis: vtpote sibi ignotis nec ad
ea sūt apti. nō ppē corporis deformitatē (cū sint
bn̄ formati) sz q2 sūt timidi ac pleni formidine.
gestāt tn̄ p armis arūdines sole pustas: i quaꝝ
radicib⁹ hastile q̄ddā ligneū siccū ⁊ in mucro
nē attenuatū figūt: neq̄ his audēt iugiter vti: nā

ペトルッチの『ハルモニーチェ・ムージチェス・オデカトンA』

（1501年）

先駆的なルネサンスの印刷業者が、複雑なポリフォニーの歌の楽譜の印刷に活字を導入し、当時の主要な国際的曲目が保存された。彼の最高のコレクションは、芸術と技術の勝利である。

オッタヴィアーノ・ペトルッチ（1466－1539）は活字を用いた精細な楽譜印刷の発明で知られている。フォッソンブローネに生まれ育ったペトルッチはイタリア・ルネサンスの最中に印刷術を学ぶためにヴェネツィアに赴いた。数年後、彼はヴェネツィア元老院に対して有用な新発明の販売特権を請願した。曰く、私は活字を用いて「カント・フィグラート」を印刷する方法を発明致しました——「多くの者が、イタリアのみならず、またイタリアの外でも、長い間試みて果たせなかったもの」でありますと。その努力は実を結んだ、というのも1498年、このような音楽を共和国全域で印刷して販売することのできる20年間の独占免許を獲得したからである。

3年後、ペトルッチは壮大な音楽のコレクションを出版した。主としてフラマン語のシャンソンで、当代一流の音楽家たちが書いたもの。彼はそれに、『ハルモニーチェ・ムージチェス・オデカトン A』という表題を付けた。この詞華集には96曲に及ぶ世俗の、3・4声の多声音楽が収録され、厳密に固定された形式で書かれていた。

当時の極めて複雑な多声音楽を記録するために、この先駆者は独創的だが苛酷な技術を考案した。これには金属活字を用いた2つの個別の刷が必要であった——ひとつは五線用、もうひとつはその上に置く楽譜用である。歌詞が含まれる場合は、それぞれの紙は実際には3度に亘って印刷されることになる——五線、楽譜、歌詞——その全てが同じ頁上に調整される。彼の革新的な配置は、2声を頁の右側に、2声を左側に置き、それによって4人の歌手もしくは演奏者が演奏中に同じ楽譜に従えるようになっていた。

素晴らしい技術的偉業を示したのみならず、彼の仕事は極めて複雑な音楽の出版を芸術に変えた。その印刷は最高の書体やその他の優れた特徴を備えた比類無きものであったが、時折その刷は完璧な調和が取れているとは言いがたくなることもあり、結果として表示が乱れ、音楽家たちの間に混乱を引き起こした。にも関わらず、ペトルッチは彼の芸術形態の大量生産を、商業的に成功する事業へと変えたのである——そのため、後には同業者たちと競わねばならなくなった。

『オデカトン』の初版には1501年5月15日の奥付が入っていたが、これは完全な形では現存しない。だが1503年及び1504年の第2版及び第3版は現存している。それなくしては、今日の聴衆はペトルッチ時代の音楽に親しむことはなかっただろう。

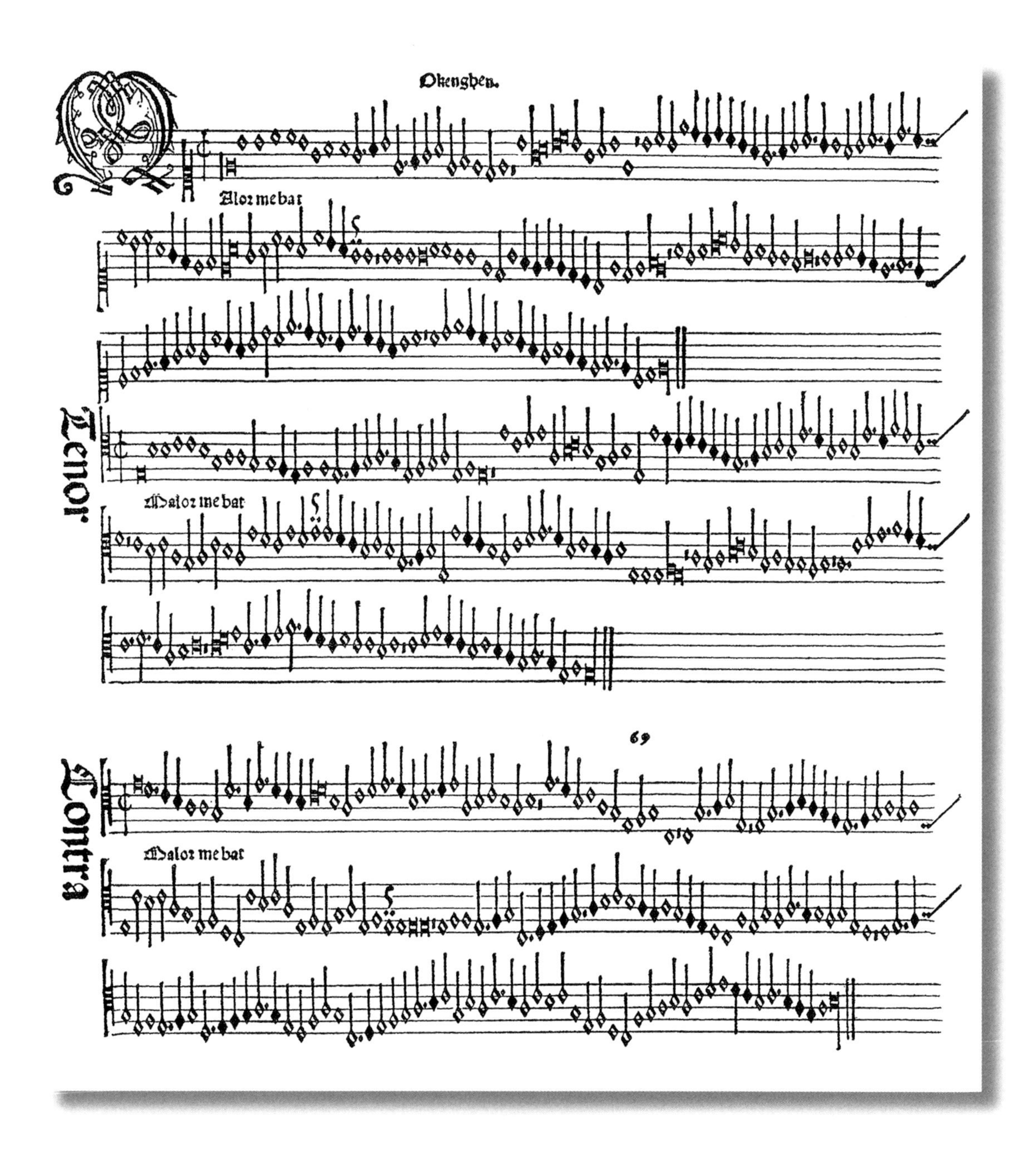

上:ペトルッチの活版印刷の採用により、史上初の大量生産の楽譜が可能となった。印刷された楽譜は明瞭で、読みやすく優美であるが、制作は容易ではなかった。五線、音符、歌詞を印刷するのに印刷機を3度通す必要があった。
左：シルヴェストロ·ガナッシの音楽指導書（1535）の木版挿画。縦笛奏者の一団が、印刷された楽譜を用いている。

マルティン・ルターの95ヶ条の論題

（1517年）

とある聖アウグスティヌス会士がザクセンの教会に、
カトリック教会の所業に対する95ヶ条の批判を含む文書を掲示した——それによって、それとは知らぬままに、
世界を変える一連の出来事の触媒を提供したのである。それは後に、ヨーロッパの宗教改革と呼ばれるようになる。

神聖ローマ帝国の一部であるザクセン（現在のドイツ）はアイスレーベンの裕福な家庭に生まれたマルティン・ルター（1483－1546）は、敬虔だが無名のアウグスティヌス会士にして神学者となった。だがそんな彼は、自ら制作した挑発的な文書の結果、世界史における主要な人物になろうとしていた。

1517年10月31日、ルターは鎚（かなづち）と釘を用いて一枚の紙を教区への警告としてヴィッテンベルクの城教会の横の門扉に掲示した。ラテン語で手書きされた『贖宥状の意義と効果に関する95ヶ条の論題（ディスプタティオ・プロ・デクララティオネ・ウィルトゥティス・インドゥルゲンティアルム）』は教会内部における議論の喚起を目的としたものであった。だが、それは多くの人々の心を打った。

「真理への愛、そしてその真理を探究したいという熱情から」と彼は言う、「これから記す事柄について、文学と神学の修士であり、この地の神学正教授である司祭マルティン・ルターが司会をしてヴィッテンベルクで討論を行ないたい。これに参加して直接見解を述べることができないなら、不在者として、書面で参加して欲しいと願っている」。それからルターは、彼の95ヶ条の論題をひとつひとつ挙げていく。「1．私たちの主であり、また教師であるイエス・キリストが、『悔い改めのサクラメントを受けよ（マタイ4：17）』と宣した時、イエス・キリストは信じる者たちの生涯の全てが悔い改めであることを願った……」。

この論題はカトリック教会の全当局者に攻撃を加え、聖職者の腐敗と悪弊に関する懸念を表明した。槍玉に挙げられたのは縁故主義、高利貸し、贖宥状（しょくゆうじょう）（カトリックの定義によれば贖宥とは「人が犯した「罪」に応じて教会が人に与えた「罰」のうち、そのいくらかを免除すること、特に煉獄の贖（あがな）いの軽減」であった）の販売などである。またそれは、カトリックの核となる礼拝式や信仰にも疑義を呈していた。

ルターは贖宥状の販売を取り仕切っていた司教や大司教にもこの論題の写しを送付した。多くの教会当局者が財政支援を得る手段として贖宥状販売に頼っているという事実のために、それはたとえ間接的にであっても、採り上げるのには際どい問題となっていたのである。ルターは厚かましくも、この行為は懺悔や告解の元来の意図を蹂躙するものであると主張し、またそれ以外の気まずい批判までも言い募った。

数ヶ月の内に彼の非難は多くの言語に翻訳され、ヨーロッパ中に流布した。ルターの文書は西方教会の大分裂に火を着け、それは後に宗教改革として知られるようになる。そしてルターを始め、カトリックの正統性に異議申し立てをした改革派はプロテスタントと呼ばれるようになった。

右：門扉に掲示された元来の手稿は現存しないが、2つの印刷版〈95ヶ条の論題〉——ひとつはニュルンベルク版、もうひとつはライプツィヒ版——が現存している。また、ハーヴァード大学図書館に7頁の四つ折り版が保管されている。

Amore et studio elucidande veritatis: hec subscripta disputabũtur Wittenberge. Presidente R. P. Martino Luther: Artiũ et S. Theologie Magistro: eiusdemq; ibidem lectore Ordinario. Quare petit: vt qui non possunt verbis presentes nobiscũ disceptare: agant id literis absentes. In noie dñi nostri hiesu chri. Amẽ.

1 ¶ Dominus et magister nr̃ Jesus chrs dicendo. Penitentiã agite. ꝛc. omnẽ vitam fideliũ penitentiam esse voluit.

2 ¶ Qd verbũ de penitẽtia sacramentali (id est confessiõis et satisfactiõis que sacerdotum ministerio celebratur) non põt intelligi.

3 ¶ Non tñ solam intendit interiorẽ: immo interior nulla est. nisi foris operetur varias carnis mortificationes.

4 ¶ Manet itaq; pena donec manet odiũ sui (id est penitentia vera intus) scʒ vsq; ad introitum regni celoꝝ.

5 ¶ Papa nõ vult nec põt vllas penas remittere. pter eas: quas arbitrio vel suo vel canonum imposuit.

6 ¶ Papa nõ põt remittere vllã culpã nisi declarando et approbando remissam a deo. Aut certe remittendo casus reseruatos sibi: quib⁹ ptẽptis culpa prorsus remaneret.

7 ¶ Nulli prorsus remittit deus culpã: quin simul eũ subijciat: humiliatũ in oĩbus: sacerdoti suo vicario.

8 ¶ Canones penitẽtiales solũ viuẽtibus sunt impositi. nihilq; morituris ẽm eosdem debet imponi.

9 ¶ Inde bñ nobis facit spũs sctũs in papa. excipiendo in suis decretis sp articulũ mortis et necessitatis.

10 ¶ Indocte et male faciũt sacerdotes ii: qui morituris pñias canonicas in purgatorium reseruant.

11 ¶ Zizania illa de mutanda pena Canonica in penam purgatorij. videnẽ certe dormientibus episcopis seminata.

12 ¶ Olim pene canonice nõ post: sed ante absolutionem imponebantur: tanq̃ tentamenta vere contritionis.

13 ¶ Morituri: p mortẽ omnia soluunt. et legibus canonũ mortui iam sunt habentes iure earum relaxationem.

14 ¶ Impfecta sanitas seu charitas morituri: necessario secum fert magnũ timorem: tantoq; maiorem: quãto minor fuerit ipsa.

15 ¶ Hic timor et horror: satis est. se solo (vt alia taceã) facere penã purgatorij: cum sit primo desperatiõis horrori.

16 ¶ Videnẽ infernus: purgatoriũ: celum differre: sicut desperatio: ppe desperatio. securitas differunt.

17 ¶ Necessariũ videẽ aiab⁹ in purgatorio: sicut minui horrorẽ. ita augeri charitatem.

18 ¶ Nec pbatum videẽ vllis: aut rõnibus aut scripturis. q sint extra statum meriti seu agende charitatis.

19 ¶ Nec hoc pbatũ esse videẽ: q sint de sua btĩtudine certe et secure saltẽ oẽs. licʒ nos certissimi simus.

20 ¶ Igitur papa p remissionẽ plenariã oĩm penaꝝ. nõ simpliciter oĩm. intelligit: sed a seipso tantũmodo impositaꝝ.

21 ¶ Errant itaq; indulgẽtiarũ pdicatores. ii: qui dicũt per pape indulgẽtias: hoiem ab oñi pena solui et saluari.

22 ¶ Quin nullã remittit aiabus in purgatorio: quã in hac vita debuissent ẽm Canones soluere.

23 ¶ Si remissio vlla oĩm oĩno penaꝝ: põt alicui dari. certũ est eã nõ nisi pfectissimis. i. paucissimis dari.

24 ¶ Falli ob id necesse est: maiorẽ partẽ popl̃i: per indifferentẽ illã et magnificam pene solute pmissionem.

25 ¶ Qualẽ ptãtem hʒ papa in purgatoriũ gñaliter: talem hʒ quilibet Epĩscopus et Curatus in sua diocesi et parochia specialiter.

1 ¶ Optime facit papa: q nõ ptãte clauis (quã nullã hʒ) sed per modũ suffragij dat aiabus remissionem.

2 ¶ Hoiem predicãt. qui statim vt iactus nummus in cistam tinnierit: euolare dicunt animã.

3 ¶ Certũ est. nũmo in cistã tinniente: augeri questũ et auariciã posse. suffragium aũt eccl̃ie: in arbitrio dei soli⁹ est.

4 ¶ Quis scit. si oẽs aĩe in purgatorio velint redimi. sicut de. s. Seuerino et paschali factũ narratur.

5 ¶ Nullus est securus de veritate sue cõtritiõis. multominus de cõsecutione plenarie remissionis.

6 ¶ Q rar⁹ est ṽe penitẽs: tã rar⁹ est ṽe indulgẽtias redimẽs. i. rarissim⁹

7 ¶ Dãnabunẽ ineternũ cũ suis mgr̃is: qui p lr̃as veniaꝝ securos sese credunt de sua salute.

8 ¶ Cauendi sunt nimis: qui dicũt venias illas Pape: donũ esse illud dei inestimabile: quo reconciliaẽ homo deo.

9 ¶ Gratie enĩ ille veniales: tantũ respiciunt penas satisfactiõis sacramẽtalis ab homie constitutas.

10 ¶ Non christiana predicant: qui docent. q redemptoris aĩas vel cõfessionalia: nõ sit necessaria contritio.

11 ¶ Quilibet christianus vere cõpunctus: hʒ remissionẽ plenariã: a pena et culpa. etiam sine lr̃is veniaꝝ sibi deditã.

12 ¶ Quilibet verus christianus: siue viuus siue mortu⁹: hʒ participationẽ oĩm bonoꝝ Chr̃i et Ecclesie. etiã sine lr̃is veniaꝝ a deo sibi datam.

13 ¶ Remissio tñ et participatio Pape: nullo mõ est ɔtemnẽda. q: (vt dixi) est declaratio remissionis diuine.

14 ¶ Difficilimũ est: etiã doctissimis Theolog⁊ simul extollere veniaꝝ largitatem: et contritiõis veritatẽ coram populo.

15 ¶ Contritionis veritas penas querit et amat. Veniaꝝ aũt largitas relaxat: et odisse facit saltem occasione.

16 ¶ Caute sunt venie apl̃ice pdicande. ne populus false intelligat. eas pferri ceteris bonis opibus charitatis.

17 ¶ Docendi sunt christiani. q Pape mens nõ est: redemptionẽ veniaꝝ vlla ex parte cõparandã esse opibus misericordie.

18 ¶ Docendi sunt christiani. q dans paupi: aut mutuans egenti: meli⁹ facit: q̃ si venias redimeret.

19 ¶ Quia p opus charitatis crescit charitas: ꝛ fit hõ melior. sed p venias nõ fit melior: sed tm̃modo a pena liberior.

20 ¶ Docendi sunt chr̃iani. q qui videt egenũ: et neglecto eo. dat p venijs nõ indulgẽtias Pape: sed indignationẽ dei sibi vendicat.

21 ¶ Docendi sunt chr̃iani: q nisi supfluis abundent: necessaria tenenẽ domui sue retinere: et nequaq̃ pter venias effundere.

22 ¶ Docendi sunt christiani. q redemptio veniarũ est libera: nõ precepta.

23 ¶ Docẽdi sunt chr̃iani. q Papa sicut magis eget: ita magis optat in venijs dandis p se deuotam orationem: q̃ pmptam pecuniam.

24 ¶ Docendi sunt christiani. q venie Pape sunt vtiles: si non in eas confidant. Sed nocentissime: si timorem dei per eas amittant.

25 ¶ Docendi sunt chr̃iani. q si Papa nosset exactiones venaliũ pdicatorum mallet Basilicã. s. Petri in cineres ire: q̃ edificari. cute carne ꝛ ossibus ouium suaꝝ.

1 ¶ Docendi sunt chr̃iani. q Papa sicut debet ita vellet. etiam vendita (si opus sit) Basilica. s. Petri: de suis pecunijs dare illis: a quorum plurimis quidã cõcionatores veniaꝝ pecuniam eliciunt.

2 ¶ Vana est fiducia salutis p lr̃as veniaꝝ. etiã si Cõmissarius: immo Papa ipse suã aĩam p illis impigneraret.

3 ¶ Hostes chr̃i et Pape sunt ii: qui pter venias pdicandas verbũ dei in alijs ecclesijs penitus silere iubent.

4 ¶ Iniuria fit verbo dei: dũ in codeʒ sermone: equale vel longius tẽpus impenditur venijs q̃ illi.

5 ¶ Mens Pape necessario est. q si venie (qd minimum est) vna cãpana: vnis pompis: et ceremonijs celebranẽ. Euangelium (qd maximũ est) centũ campanis: centũ pompis: centũ ceremonijs predicetẽ.

6 ¶ Thesauri eccl̃ie vñ Papa dat indulgẽtias: neq; satis noĩati sunt: neq; cogniti apud ppl̃m christi.

7 ¶ Temporales certe nõ esse patet. q nõ tã facile eos pfundũt: sʒ tm̃mõ colligunt multi concionatoꝝ.

8 ¶ Nec sunt merita Chr̃i et sctõꝝ. q: hec sp sine Papa operanẽ grãm hoĩs interioris: et crucẽ: mortẽ: infernumq; exterioris.

9 ¶ Thesauros eccl̃ie. s. Laurẽti⁹ dixit esse: paupes eccl̃ie. sʒ locutus est vsu vocabuli suo tpe.

10 ¶ Sine temeritate dicim⁹ claues eccl̃ie (merito Chr̃i donatas) esse thesaurum istum.

11 ¶ Claꝝ est enĩ. q ad remissionẽ penaꝝ et casuũ sola sufficit ptãs Pape.

12 ¶ Verus thesaurus eccl̃ie. est sacrosctm̃ euãgelium glorie et gratie dei.

13 ¶ Hic autẽ est merito odiosissimus. q: ex primis facit nouissimos.

14 ¶ Thesaurus aũt indulgentiaꝝ merito est gratissimus. q: ex nouissimis facit primos

15 ¶ Igitur thesauri Euangelici rhetia sunt: quibus olim piscabanẽ viros diuitiarum.

16 ¶ Thesauri indulgentiaꝝ rhetia sunt: q̃bus nũc piscanẽ diuitias viroꝝ.

17 ¶ Indulgẽtie: quas cõcionatores vociferanẽ maxĩas grãs. intelliguntẽ vere tales quoad questum pmouendum.

18 ¶ Sunt tamen re vera minime ad grãm dei et crucis pietatẽ compate.

19 ¶ Tenenẽ Epĩ et Curati veniaꝝ apl̃icarũ Cõmissarios cũ oñi reuerentia admittere.

20 ¶ Sed magis tenenẽ oĩbus oculis intendere: oĩbus aurib⁹ aduertere: ne p cõmissione Pape sua illi somnia pdicent.

21 ¶ Cõtra veniaꝝ apl̃icaꝝ ṽitatẽ q̃ loquiẽ. sit ille anathema ꝛ maledict⁹.

22 ¶ Qui vero contra libidinẽ ac licentiã verborũ Cõcionatoris veniarũ curam agit: sit ille benedictus.

23 ¶ Sicut Papa iuste fulminat eos: qui in fraudem negocij veniarũ quacunq; arte machinantur.

24 ¶ Multomagis fulminare intendit eos: qui p veniarũ pretextũ in fraudem sctẽ charitatis et veritatis machinanẽ.

25 ¶ Opinari venias papales tãtas esse: vt soluere possint hoiesʒ. etiã si qs p impossibile dei genitricẽ violasset. Est insanire.

1 ¶ Diximus contra. q venie papales: nec minimũ venialium pctõꝝ tollere possint quo ad culpam.

2 ¶ Q dr̃. nec si. s. Petrus modo Papa esset: maiores grãs donare posset est blasphemia in sctm̃ Petrum et Papam.

3 ¶ Dicimus contra. q etiã iste et quilibet papa maiores hʒ. scʒ Euangelium: virtutes: grãs curationũ. ꝛc. vt. 1. Co. xij.

4 ¶ Dicere. Crucẽ armis papalibus insigniter erectã: cruci christi equiualere: blasphemia est.

5 ¶ Rationẽ reddent Epĩ: Curati: et Theologi. Qui tales sermões in populum licere sinunt.

6 ¶ Facit hec licẽtiosa veniaꝝ pdicatio. vt nec reuerentiã Pape facile sit: etiã doctis vir⁊ redimere a calũnijs aut certe argut⁊ q̃stiõib⁹ laicoꝝ.

7 ¶ Scʒ. Cur Papa nõ euacuat purgatoriũ. pter sctissimã charitateʒ et summã aĩarũ necessitatẽ: vt cãm oĩm iustissimã. Si infinitas aĩas redimit. ppt pecuniã funestissimã ad structurã Basilice: vt cãʒ leuissimã

8 ¶ Itẽ. Cur pmanẽt exequie et anniuersaria defunctoꝝ: et nõ reddit aut recipi pmittit bñficia p illis instituta. cũ iã sit iniuria p redẽpt⁊ orare

9 ¶ Itẽ. Que illa noua pietas Dei et Pape. q impio et inimico pter pecuniã ɔcedũt: aĩam piã et amicã dei redimere. Et tñ pter necessitatẽ ipsius met pie et dilecte aĩe nõ redimunt eã gratuita charitate.

10 ¶ Itẽ. Cur Canones pñiales re ipa et nõ vsu: iã diu in semet abrogati ꝛ mortui: adhuc tñ pecunijs redimunẽ per ɔcessionẽ indulgẽtiaꝝ tanq̃ viuacissimi.

11 ¶ Itẽ. Cur Papa cui⁹ opes hodie sunt opulẽtissimis crassis crassiores: nõ de suis pecunijs mag⁊ q̃ paupm fideliũ struit vnã tm̃mõ Basilicã sancti Petri.

12 ¶ Item. Quid remittit aut participat Papa iis: qui p ɔtritionẽ pfectaʒ ius habẽt plenarie remissionis et participationis.

13 ¶ Item. Quid adderẽ eccl̃ie boni maioris. Si Papa sicut semel facit: ita cẽties in die cuilibʒ fideliũ has remissiões ꝛ pticipatiões tribuẽt.

14 ¶ Ex quo Papa salutẽ querit aĩaꝝ: p venias mag⁊ q̃ pecunias. Cur suspendit lr̃as et venias iam olim ɔcessas: cũ sint eque efficaces.

15 ¶ Hec scrupulosissima laicoꝝ argumẽta: sola ptãte ɔpescere: nec reddita ratione diluere. Est eccl̃iam ꝛ Papã hostib⁹ ridendos exponere et infelices christianos facere.

16 ¶ Si ergo venie ẽm spiritũ et mentẽ Pape pdicarẽtur. facile illa oĩa soluerenẽ: immo nõ essent.

17 ¶ Valeãt itaq; oẽs illi pphe: q̃ dicũt pplo Chr̃i. Pax pax. et nõ est pax.

18 ¶ Bñ agãt oẽs illi pphe: q̃ dicũt pplo Chr̃i. Crux crux. et non est crux

19 ¶ Exhortandi sunt Christiani: vt caput suũ chr̃m per penas: mortes: infernosq; sequi studeant.

20 ¶ Ac si magis p multas tribulatiões intrare celũ: q̃ p securitatẽ pacis confidant.

M.D.xvij.

ヴォルムス勅令

（1521年）

神聖ローマ帝国皇帝カール５世はドイツのヴォルムスで勅令を発布、
教会に対する批判者マルティン・ルターを異端と断罪し彼の書を禁書とした。
だがこの文書は正反対の効果をもたらし、拡大する宗教改革運動の中で、反体制派の威厳を高めた。

マルティン・ルターが95ヶ条の論題を掲げた後、教皇レオ10世は当初、この騒動はすぐに収まるだろうと見越していた。だが1520年6月、彼の顧問団はこの反抗的な修道士を公に糾弾すべきと推奨した。大勅書『主よ、お立ちください（エクススルゲ・ドミネ）』はルターが41の「過誤」を犯していると攻撃し、60日以内に撤回しなければ破門すると脅した。教皇レオはまたルターの問題のある著作の幾つかを公開の場で焚書にした。

だがルターは妥協を拒み、自らの反論を述べた小冊子を制作して教皇制を攻撃した――キリスト教会の歴史上、前代未聞の叛逆行為である。

このため彼はこの問題を審査するための帝国議会（公式審議会）に召喚された。ヴォルムス帝国議会は皇帝カール5世主宰の下、ハイルショフ庭園で開催された。

ルターが自らの見解を述べた後、皇帝の代弁者であるヨハン・エックは彼を異端と断じ、ルターの運命を決する非公開の会議が開かれた。だが結論に到達する前に有罪と死刑を予期したルターは逃亡を図った。

1521年5月25日、皇帝カール5世は「ヴォルムス勅令」として知られる正式な勅令を発し、ルターを「古えの罪深き異端を復活させんとする者」「新たな異端を創り出す者」と断じた。この文書はルターの著作を焚書とし、その財産の没収を命じた。これを以て彼は教会から追放され、逮捕が命じられ、何ぴとたりとも彼を匿ったり逃亡の手助けをすることが禁じられた。これに従わなかった者、あるいは如何なる形に於いても勅令に違反した者は「大逆罪（レズ・マジェステ）とし、われわれの大いなる憤激と共に、先に述べたあらゆる処罰を受ける」。

だがルターは教皇の権威を侮蔑し続け、最後まで態度を変えなかった。暫く身を隠した後にヴィッテンベルクに戻り、自らの宗教改革の理念に基づいた新たな教会の構築に身を献げた。また尼僧と結婚し、6人の子まで設けた。

ルターの教会は彼の地域における有力な信仰となり、その人気は広まった。その結果、世俗の権力者はヴォルムス勅令の執行は賢明ではないという結論に達した。ルター派は北ヨーロッパに拡大し、カルヴァン派を初めとするさまざまなプロテスタント宗派の種を植えた。

マルティン・ルターは1546年に死去し、その有名な文書である『95ヶ条の論題』を掲示した教会の説教壇の下に埋葬された。

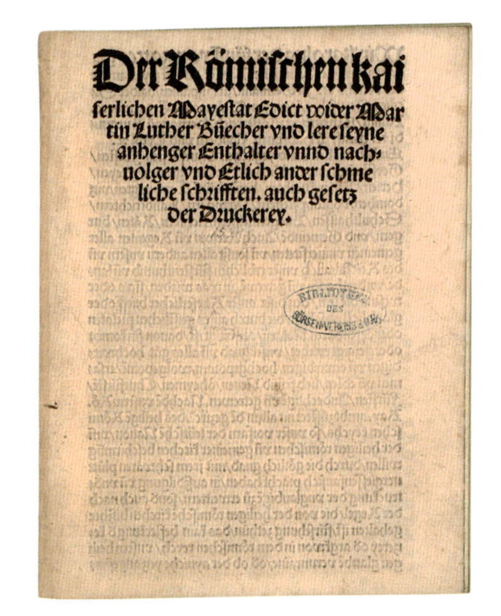
Der Römischen kai
serlichen Maiestat Edict wider Mar
tin Luther Büecher vnd lere seyne
anhenger Enthalter vnnd nach
uolger vnd Etlich ander schme
liche schrifften. auch gesetz
der Druckerey.

左：ヴォルムス勅令の題扉。この公式な通告は、カトリック教会からのルターの破門を要求した。また彼から正当な裁判を受ける権利を剥奪し、彼の教えの流布を禁じた。

Doctor Martini Luthers offen-
liche Verhör zů Worms im Reichs tag/
Red/ Vnd Widerred Am.17.tag/
Aprilis/ Jm jar 1521
Beschechen

Copia ainer Missiue/ Doctor Martinus Luther nach sei-
nem abschid zů Worms zů rugck an die Chürfür
sten/ Fürsten/ Vñ stend des Reichs da selbst
verschriben gesamlet hatt.

上：ヴォルムス帝国議会の直後に出版された「摘要版」報告書。カール5世が玉座に就き、左側にヨハン・エック、右側にルターがいる。真ん中にはルターの書が置かれている。

『マゼラン航海記』

（1522－25年）

フェルディナンド・マゼランの同船者である学者が、その画期的な世界一周の航海のありさまを記録した。
その航海によって探険家は自らの命を落とし、世界史の方向を変えた。
乗船した237人の乗組員の内、3年間の航海に耐えて生き延びたのは僅か18人であった。

フェルディナンド・マゼラン（1480－1521）はポルトガル生まれの探険家で、スペインの国王カルロス1世の命を受け、インド地域への大規模な探険へと出帆した。総計237人の船員は1519年8月、5隻の帆船に搭乗してセビーリャを発った。船員のほとんどはスペイン人だったが、ポルトガル人、イタリア人、ギリシア人、フランス人もおり、またさまざまな異なる階級の者が含まれていた。マゼランに最も近しい者の中には彼の義兄弟や年期奉公人、そしてアントニオ・ピガフェッタ（1490／91－1534）らがいた。ピガフェッタはヴェネツィアの学者で、マゼランの助手として働き、原住民との遭遇に際しては交渉役を務めることとなる。彼はまた、この探険の公式記録者でもあった。

ピガフェッタは1519－22年の世界周航の綿密な航海日誌を記し、その発見や苦難を細大漏さず記録している。マゼランは最初の史上初の世界周航の旅を成し遂げたとされることが多いが、実際にはこの航海の途上、フィリピン諸島で原住民との戦闘で殺された――ピガフェッタは深い悲しみと共にその出来事を記している。「彼らはわれらの鏡、われらの光、われらの慰め、そしてわれらの真の導き手を殺めた」。

船長の死後、残りの航海の船長を務めたのはファン・セバスティアン・エルカーノで、彼は何とかこの大役を全うした。恐怖、飢餓、病気、嵐、戦争、叛乱、殺人の悪夢を生き延びることができたのは船員の僅か7%に過ぎなかった。すっかり衰弱したエルカーノと、ピガフェッタを含む骨と皮だけの船員たちは出帆からほぼ3年後、唯一生き延びた1隻の船でセビーリャに帰還した。

多くの歴史家はマゼランの遠征を史上最高の偉業であると考えている。それはヨーロッパから西回りでアジアに到達した初めの航海であり――コロンブスが1492年の航海で辿り着けなかった地である――そして最初の世界周航の航海であった。苛酷な条件の下、4万3400マイルという驚くべき距離を航行したのである。おそらく、歴史上最も卓越した操船術の偉業と言えるだろう。

航海記録の原本は後に失われたが、1522年から1525年の間に書かれたピガフェッタの優れた記述は4つの写本版として現存している。中でも最も優れたものはフランス語で書かれたもので、章ごとに分かれ、美しい地図と豊潤な挿画が添えられている。これは現在、イェール大学のバイネッケ稀覯書写本図書館に保管されている。注目すべきことに『マゼランの最初の世界周航の報告書』が完全な形で出版されたのは18世紀末のことである。ピガフェッタの率直で読みやすい文章には、世界周航の際に探険家たちが遭遇した場所や文化の魅力溢れる記述が含まれている。この文書執筆後の彼の運命については、ほとんど判っていない。

右：ピガフェッタの航海日誌のバイネッケ蔵書版写本の1頁。ピガフェッタの『マゼランの最初の世界周航の報告書』には23枚の地図が含まれている。この図では南アメリカの南端と、マゼランに因んで名付けられたマゼラン海峡が示されている。この海峡は彼らの探険によって発見された。

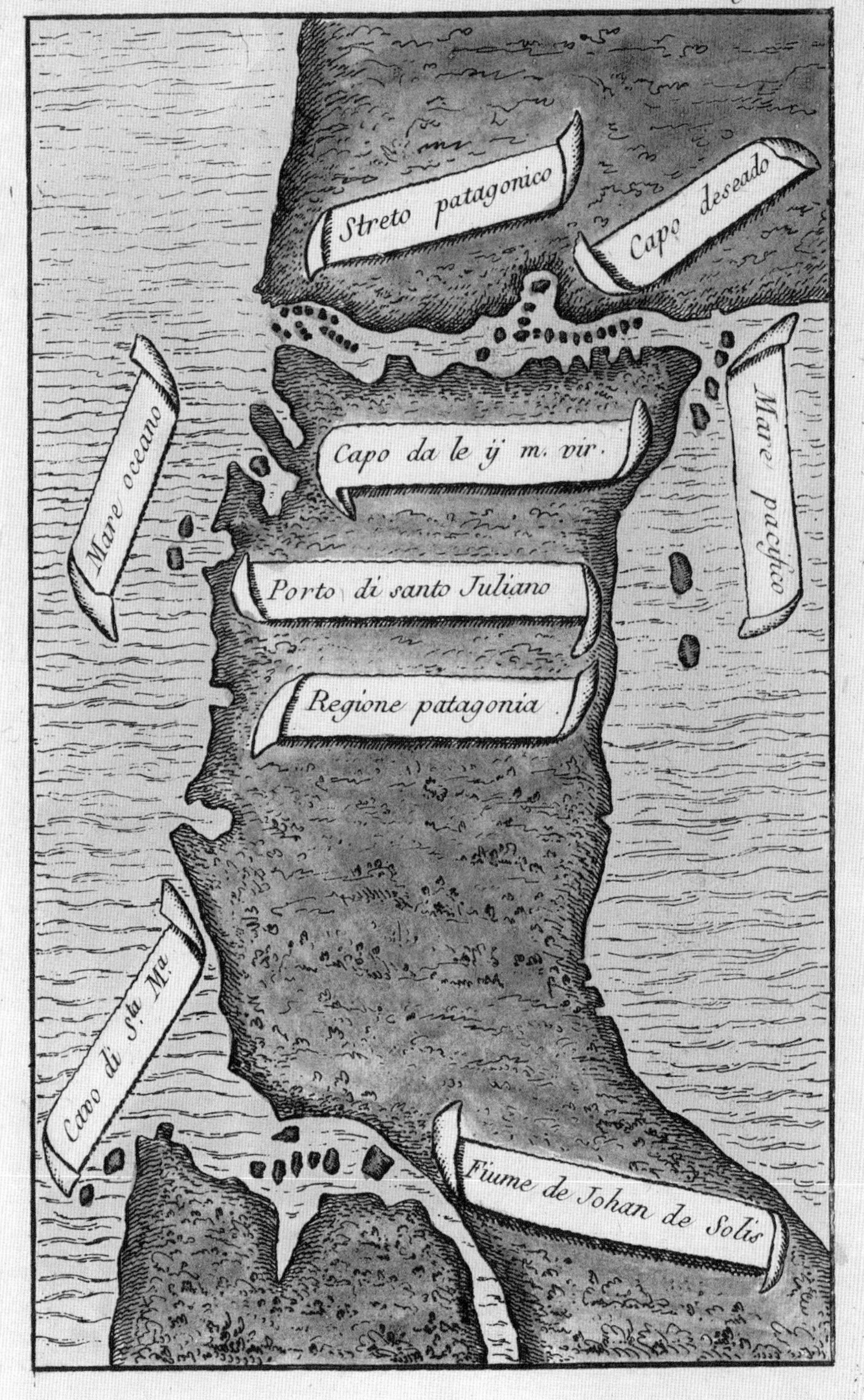
Carte enluminée I.
Page 40.
Streto patagonico
Capo deseado
Mare oceano
Capo da le ij m. vir.
Mare pacifico
Porto di santo Juliano
Regione patagonia
Cavo di Sta Ma
Fiume de Johan de Solis

『インディアスの破壊についての簡潔な報告』

(1542年)

ひとりのコンキスタドールが、南北アメリカにおける祖国の残虐な植民地政策を改悛した。
スペイン人による現地人の民族抹殺及び奴隷化の記録はインディオの絶滅を防いだが、
また別の残虐行為を招くこととなった——アフリカの奴隷貿易である。

Breuissima relacion dela destruycion delas Indias: colegida por el Obispo dō fray Bartolome de las Casas / o Casaus de la orden de Sãcto Domingo.
Año. 1552.

バルトロメ・デ・ラス・カサス(1484－1566)はスペイン生まれの植民者で、1502年にイスパニョーラ島(現在のドミニカ共和国とハイティ)に移民した。父のペドロはコロンブスの航海にも参加していた。息子はその地や西インド諸島の他の地で原住民に対する奴隷狩りと虐殺に参加した。だが目の当たりにした多くの残虐行為に圧倒され、後に告白した、「私はこの地で、生きる者がかつて見たことのない、見ることを想像もしえぬ規模の残酷を見た」。

1515年にはラス・カサスは新世界におけるスペインの活動は不法かつ不正であると確信し、このような扱いを合法化しているエンコミエンダ制を公然と批判し始めた。1523年にドミニコ会士となり、自らが直接見聞きした出来事に基づいてインディオに対する恐るべき虐待の記録を開始、これをスペインに持ち帰ると、神聖ローマ皇帝にして国王であるカール5世に直訴した。

1542年に開かれた公式の評議会で、ラス・カサスは虐待に関する情熱的な目撃譚に、根本的な改革のための徹底的な提案を添えて提示した。
「この文書を繙(ひもと)かれれば」と彼は言う、「言語を絶するようなことを企む連中が何ひとつ正当な大義や理由もなく、専ら強欲と野望に心を奪われてあの無辜(むこ)の人たちに行なっている虐殺が如何に不正極まりないか、ご理解戴けるでありましょう。そして、殿下から陛下に、かくも有害かつ忌まわしい企みの許可を願い出ている連中を断固として斥け、……厳しくその悍(のぞ)ましい申し出を葬り去るよう、懇情し、説得していただきたくお願い申し上げます」。

彼の嘆願は極めて効果的で、1542年11月20日、皇帝は〈インディアス新法〉と呼ばれる一連の法案に署名した。この法はインディオの奴隷化を禁じ、エンコミエンダ制の段階的な廃止に着手し、イスパニョーラ島、キューバ、プエルト・リコ及びジャマイカに生き残っていた少数のインディオの強制労働を免除するものであった。皇帝はまた特に暴虐な特定の植民地当局者を罷免した。だがこの改革は新世界の奴隷主からは猛烈な抵抗を受けた。

1552年にセビーリャでセバスティアン・トルヒーリョによって刊行された『インディアスの破壊についての簡潔な報告』は、征服の初期段階の間の原住民に対するスペインの虐待の暴露において新境地を開いた。この熱烈な当事者の証言はスペインの敵国や競争相手によって広く翻訳され、再版された。批評家の中には、ラス・カサスがアフリカの奴隷貿易に手を貸したと批難した者もいる——彼はかつて、西インド諸島のインディオの代わりにアフリカ人の奴隷化を提唱していた——が、最終的にはそれについても反対を明言している。今日では彼は初期の奴隷制反対者であり、普遍的人権の父の一人と広く認識されている。

Parecer de fray bar.me de las Casas

cerca de los yndios

¶ En lo q toca al remedio de los yndios de todas las yndias y
a la manera q se deve tener pa q sean xpianos y se conser
uen en las vidas y en su libertad y no los acaben de
destruir los españoles: no ay otro camino ni modo ni
orden sino q su mag.t los encorpore en su real coro
na como sus vasallos q son, quitando todas las encomie
das q estan hechas en todas las yndias y no dando
uno ni ningun yndio al español por encomienda ni
por vasallo ni en feudo ni de otra qual quiera manera
porq segun la larga y muy cierta esperiencia q se tiene
de qualquiera manera q a los españoles se den los an
de matar y destruir por sus cudicias de aver oro y riquezas
y por tanto hazer el contrario es contra la ley de dios
y gran pecado mortal, y en gravissimo perjuizio y
destruicion del patrimonio real de su mag.

cerca de la bivienda de los españoles

¶ la poblacion y bivienda de españoles en las yndias
es muy necessaria asi pa la conversion y policia de los yndios
como pa sustentar el estado y señorio de su mag.t y de los
reyes de castilla en las yndias. esta poblacion y bivienda
de los españoles en aquellos reynos y tierras se puede muy
bien hazer y sustentar sin encomiendas ni servicio de
yndios como en todas las otras partes del mundo se hi
zieron las poblaciones sin servirse de yndios porq no
se lee en ninguna escriptura q los q yvan a poblar de
tierras nuevas tyranizasen y opprimiesen a las gentes que
en ellas hallavan y se sirviesen dellas contra su
volũtad y en perjuizio y detrimento de su libertad
y de sus vidas propias y de sus mugeres y hijos: sino
fuesen tyranos y crueles y robadores como lo era
nembroth q opprimia los pobres y como hasta oy se a
hecho y haze en las yndias /. es pues la manera q en
sustentar la dicha poblacion y bivienda de los españoles se
deve tener: q su mag.t haga muchas mdes a los tales
pobladores especialmente labradores y gente trabajadora
y provechosa: dando les muchas y muy largas tierras y
aguas y montes no quitado a los yndios las q
tiene y oviere menester pa sus sementeras y sustentacion:

Phillipps MS
21242

上：バルトロメ・デ・ラス・カサスの「意見表明」は1542年にカール5世に送付された。この文書において、ラス・カサスは征服、改宗、強制労働、奴隷化を含む「新世界のインディオ」に対するスペインの政策に疑問を呈した。
左：ラス・カサス『インディアスの破壊についての簡潔な報告』表紙。

グレゴリウス暦（インテル・グラウィッシマス）

（1582年）

ユリウス・カエサルの時代から使用されていた既存の西暦に過誤のあることが突き止められると、教皇は実用的にも政治的にも極めて重要な文書を発布した。だが彼の命令はカトリック教会及び教皇領の外では何の効力も持たない――では、いつ、どのように他の者はそれに応じたのか？

教皇グレゴリウス13世に即位する前、ウーゴ・ボンカンパーニ（1502－85）は、プロテスタントの宗教改革に刺戟を受けたトリエント公会議の勧奨に従い、カトリック教会の改革を推進していた。彼の最も遠大な事業は、紀元前46年にカエサルが導入した暦の過誤を正そうとしたことである。

ユリウス暦は太陰暦よりも遙かに優れていることが証明されていたが、天文学者たちの計算で128年毎に1日ずつ遅れることが判明していた。この暦は1年を365．25日と定めていたが、その値は実際の1年よりも11分10秒長かったからである。このことは教会にとっては神学的に由々しき問題であった。なぜなら死活的に重要な祝日である復活祭の日取りは春分と月齢に基づいていたからである。グレゴリウスの顧問団は、復活祭の日取りを調整し、他の諸問題を防止するために暦から10日を省くことを要請していた。彼は2人の有力な天文学者、アロイシウス・リリウスとクリストファー・クラヴィウスに計算を依頼した。

1582年2月24日、教皇グレゴリウス13世は暦を「回復させ」、復活祭の日取りの計算にとって重要な季節の事象がその「適切な位置」に戻るようにするという勅書を出した。

この文書は、為すべきこととその理由をラテン語で正確に述べている。すなわち閏（うるう）年の数を減らして復活祭の日付を新方式に従って決定すること――「より偉大なる神の栄光のために」と。最大の実際的懸念は、この調整のために1582年10月4日の翌日が1582年10月15日になるという事実であった。

教皇の文書は教会当局にはこの計画の遂行を命じているが、世俗権力に対しては慎重な言葉遣いで、単にこのような変更を依頼、勧告もしくは推奨するに留めている。結局のところ、世俗権力には教皇に従う義理はなかったのだ。実際、幾つかの非カトリックの国々の君主は当初、その規定の採用を拒絶していた。英国議会がそれを受容したのは1750年であり、イングランドとその植民地で発効したのはさらに後の1752年のことである。

多くの英国人は政府が暦から11日を削除しようとしていると聞いて憤慨した。だがアメリカの科学者で政治家のベンジャミン・フランクリンはこの考えを支持して言った、「老人にとっては、9月2日に就寝して、9月14日まで起床しなくて良いというのは有り難いことだ」。

上：クリストファー・クラヴィウス（1538－1612）。数学者、天文学者。グレゴリウス暦の主要制作者であるアロイシウス・リリウス（1510－76）の死後、その提案の修正に尽力した。
右：大勅書の原本はヴァティカン文庫に保管されている。ラテン語の標題〈インテル・グラウィッシマス〉は、この文書の冒頭を省略したもので、「最も重大なる懸念の内に」と訳せる。

CALENDARIVM GREGORIANVM PERPETVVM.

Orbi Chriſtiano vniuerſo à Gregorio XIII. P. M. propoſitum. Anno M. D. LXXXII.

GREGORIVS EPISCOPVS

SERVVS SERVORVM DEI

AD PERPETVAM REI MEMORIAM.

NTER grauiſsimas Paſtoralis officij noſtri curas, ea poſtrema non eſt, vt quæ à ſacro Tridentino Concilio Sedi Apoſtolicæ reſeruata ſunt, illa ad finem optatum, Deo adiutore, perducantur. Sane eiuſdem Concilij Patres, cum ad reliquam cogitationem Breuiarij quoque curam adiungerent, tempore tamen excluſi rem totam ex ipſius Concilij decreto ad auctoritatem, & iudicium Romani Pontificis retulerunt. Duo autem Breuiario præcipue continentur; quorum vnum preces, laudeſq. diuinas feſtis, profeſtiſque diebus perſoluendas complectitur, alterum pertinet ad annuos Paſchæ, feſtorumque ex eo pendentium recurſus, Solis, & Lunæ motu metiendos: Atque illud quidem felicis recordationis Pius V. prædeceſſor noſter abſoluendum curauit, atque edidit. Hoc vero, quod nimirum exigit legitimam Calendarij reſtitutionem, iam diu à Romanis Pontificibus prædeceſſoribus noſtris, & ſæpius tentatum eſt, verum abſolui, & ad exitum perduci ad hoc vſque tempus non potuit; quòd rationes emendandi Calendarij, quæ à cæleſtium motuum peritis qroponebantur, propter magnas, & fere inextricabiles difficultates, quas huiuſmodi emendatio ſemper habuit, neque perennes erant, neque antiquos Eccleſiaſticos ritus incolumes (quod in primis hac in re curaudum erat) ſeruabant. Dum itaque nos quoque credita nobis, licet indignis, à Deo diſpenſatione freti in hac cogitatione, curaque verſaremur, allatus eſt nobis liber à dilecto filio Antonio Lilio artium, & medicinæ doctore, quem quondam Aloyſius eius germanus frater conſcripſerat, in quo per nouum quendam Epactarum Cyclum ab eo excogitatum, & ad certam ipſius Aurei numeri normam directum, atque ad quamcumque anni ſolaris magnitudinem accommodatum, omnia, quæ in Calendario collapſa ſunt, conſtanti ratione, & ſeculis omnibus duratura, ſic reſtitui poſſe oſtendit, vt Calendarium ipſum nulli vnquam mutationi in poſterum expoſitum eſſe videatur. Nouam hanc reſtituendi Calendarij rationem exiguo volumine comprehenſam ad Chriſtianos Principes, celebrioreſq. vniuerſitates paucos ante annos miſimus, vt res, quæ omnium communis eſt, communi etiam omnium conſilio perficeretur; illi cum, quæ maxime optabamus, concordes reſpondiſſent, eorum nos omnium conſenſione adducti, viros ad Calendarij emendationem adhibuimus in alma Vrbe harum rerum peritiſsimos, quos longe ante ex primarijs Chriſtiani orbis nationibus delegeramus: Ii cum multum temporis, & diligentiæ ad eam lucubrationem adhibuiſſent, & Cyclos tam veterum, quàm recentiorum vndique conquiſitos, ac diligentiſſime perpenſos inter ſe contuliſſent, ſuo, & doctorum hominum, qui de ea re ſcripſerunt, iudicio hunc præ cæteris elegerunt Epactarum Cyclum, cui nonnulla etiam adiecerunt, quæ ex accurata circumſpectione viſa ſunt ad Calendarij perfectionem maxime pertinere.

Conſiderantes igitur nos, ad rectam Paſchalis feſti celebrationem iuxta ſanctorum Patrum, ac veterum Romanorum Pontificum, præſertim Pij & Victoris primorum, nec non magni illius œcumenici Concilij Nicæni, & aliorum ſanctiones, tria neceſſario coniungenda, & ſtatuenda eſſe, primũ certam Verni æquinoctij ſedem, deinde rectam poſitionem xiiij. lunæ primi Menſis, quæ vel in ipſum æquinoctij diem incidit, vel ei proxime ſuccedit, poſtremo primum quemque diem Dominicum, qui eandem xiiij. lunam ſequitur, curauimus non ſolum æquinoctium Vernum in priſtinam ſedem, à qua iam à Concilio Nicæno decem circiter diebus receſſit, reſtituendum, & xiiij. Paſchalem ſuo in loco, à quo quatuor, & eo amplius dies hoc tempore diſtat, reponendam, ſed viam quoque tradendam, & rationem, qua cauetur, vt in poſterum æquinoctium, et xiiij. luna à proprijs ſedibus nunquam dimoueantur

B tur

欽定訳聖書

(1611年)

その校訂は君主の政治的な配慮に由来しており、その翻訳は委員会によって行なわれたものでありながら、欽定訳聖書は歴史上最も重要な文書のひとつであり、そして文学上の傑作でもある——まさに言語的偉業である。

エリザベス女王の死後、イングランドの玉座に就いてから間もなく、国王ジェイムズ1世（1566－1625）はハンプトン・コート宮殿において聖公会の代表者および清教徒の指導者たちに謁見した。論題は教会の教義を巡る厄介な諸問題である、

居合わせた者の中には、このスコットランド人を粗野にして短気、その舌は「大きすぎて口に収まらぬ」と感じた者もいた。だがジェイムズはまた賢明な政治家でもあり、既存の1568年版の英語版聖書の代わりに新たな翻訳版を制作してはどうかと思い立った。これによって多くの異なるプロテスタントの宗派をひとつに纏めることができれば、他の政治的目標も達成しやすくなると考えたのである。この提案は喜んで受け入れられた。

ジェイムズはこの新たな翻訳の底本をギリシア語、ヘブライ語、アラム語、ラテン語版とすることを命じ、その責務の完遂のためにオクスフォード、ケンブリッジ、ウェストミンスターから選りすぐりの定評のある学者たち47人を招いて委員会を結成させた。彼らは勤勉に仕事に当たったが、国王の意に沿うためにはここかしこで特定の意味を隠蔽する必要が生じ、その過程は翻訳であると同時に改訂の作業となった。またそれは印刷術における新たな進歩、あるいはイングランドによる植民地化と覇権を最大限に活用するのに完璧に時宜を得たものでもあった。

各作業班は底本として全く同一の、未装幀の主教聖書の1602年版を用いていた。この目的のために特別に印刷されたもので、余白に書き込まれた委員の精密な修整を具に記録し、それを後に厳密な同一の手順に従って他の委員によるものと突き合わせ、ひとつひとつ手写して行く。文法、綴り、聖句の意味などの問題は全て綿密に吟味され、それ自体が記念碑的事業となった。

委員長であるジョン・ボイス（1560－1643）による部分的な原稿が2部現存している。1608年の日付があるが、これは用いられた40部の聖書のひとつへの修整箇所を記した紙束と共に1964年に発見された。現在はオクスフォード大学に所蔵されている。

新訳の作業が行なわれたのはイングランドにおける文芸ルネサンスの時期で、ウィリアム・シェイクスピアやベン・ジョンソン、サー・フランシス・ベイコンらの作家たちがその最高傑作を世に問うていた時代だった。委員会による欽定訳聖書の最終版は、その達意の言語の使いさばきの妙において、これらの偉人たちに優るとも劣らない。

承認後、同書は王室御用達の印刷屋ロバート・バーカーの手で1611年に完全な二つ折り版聖書として出版された。高さ40cmで、未装幀版は10シリング、装幀版は12シリングで販売された。
「欽定訳」もしくは「ジェイムズ王聖書」として知られる同書は、英国の言語、文化、政治に重大な影響を及ぼした。

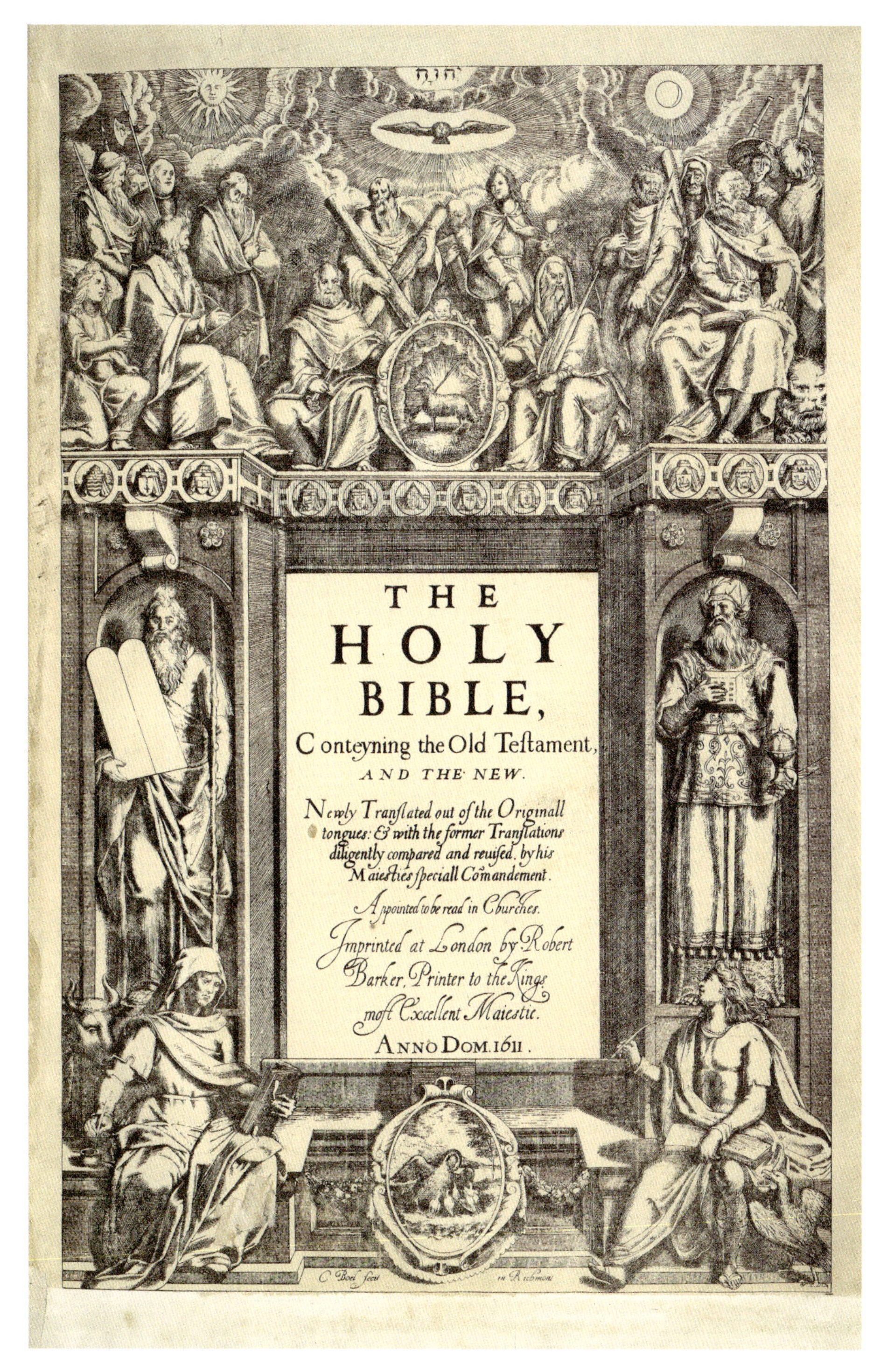

THE
HOLY
BIBLE,
Conteyning the Old Teſtament,
AND THE NEW.
Newly Tranſlated out of the Originall
tongues: & with the former Tranſlations
diligently compared and reuiſed, by his
Maieſties ſpeciall Comandement.
Appointed to be read in Churches.
Imprinted at London by Robert
Barker, Printer to the Kings
moſt Excellent Maiestie.
ANNO DOM. 1611.

C. Boel fecit in Richmont

上：英語で書かれた最初の聖書である欽定訳聖書の銅版画による題扉。三位一体（父、子、聖霊）の図解が描かれている。
左：『欽定訳聖書』の稀少な革装版。国王ジェイムズ自身の息子であるプリンス・オヴ・ウェールズ、ヘンリー・フレデリックが所有していたもの。ワシントン大聖堂稀覯書図書館蔵。

メイフラワ誓約

（1620年）

末開で無法のアメリカの地に上陸する前、メイフラワ号の乗客たちの過半数が誓約を作った。これに署名した者は「政治的な市民団体に結合」され、「植民地の全体的善に最も良く合致し都合の良いと考えられるように、公正で平等な法、条例、法、憲法や役職をつくる」――法の支配の下に共に生きるという合意である。

嵐の大西洋3000マイルを横断したメイフラワ号の航海は決して容易なものではなかった。さらに悪いことに、晩秋に北アメリカに辿り着いた時、船長はそこがケイプ・コッドであることに気づいた。勅許に記されているハドソン川河口からは遠く隔たった場所である。だがもう一度海へ出る危険を冒すよりも、船長はその地に上陸することを選んだ。

計画の変更は多くの問題を生じさせた。乗船していた102人は、次に為すべきことに関して見解が大きく分れた。41人のイングランドのピルグリム――「聖人（セイント）」を自称するカルヴァン主義分離派の家族――は、迫害を逃れるためにヨーロッパから逃げてきた人々であった。残りの者（ピルグリムは彼らを「異邦人（ストレンジャー）」と呼んだ）にはイングランドの商人、職人、熟練労働者、年季奉公人、そして4人の幼い孤児などが含まれていた。

「異邦人」の一部は、上陸さえしてしまえばもはや如何なる法にも従う必要はない、何故なら海事法もヴァージニア会社の管轄権もそこには及ばないからだ、と主張した。だから下船した瞬間、もはや如何なる法の支配下にもなくなるのだと。例えば奉公人はもはや自由の身である。そしてこの主張にはさまざまな言外の意味が含まれていた。見通しは暗澹たるものだった。

「ピルグリム」の指導者たちは何らかの代替的な政府的権力の早急な樹立の必要があると気づき、自分たちの間で文書による誓約を作成することを船上の成人男子のほぼ全員（「ピルグリム」も「異邦人」も等しく）に納得させた。「ピルグリム」はその文書の基盤を分離派教会の盟約の中にあった社会契約論の思想に置き、この合意が「開拓地のより良き秩序と維持のために……公正で平等な法」を建てるための「政治的な市民団体」を形成する、そしてこれに署名した者には「当然の服従と従順を約束する」、と謳った。

船室に押し込められた41人の成人男子がその文書に署名した。歴史家が〈メイフラワ誓約〉と命名した彼らの合意はアメリカ史上初の、そして最もよく知られた自治の表明となっている。新しい植民地を形成する少し前に署名者たちは総督選挙を行なった。その総督が死ぬと、新たな総督が選ばれて後を継ぎ、それに続く選挙の手順が定められて継続性が確立された。必要から生まれた〈メイフラワ誓約〉は、法の支配の概念と基本的な民主主義の原理の双方を体現している。

この誓約の手稿原本は亡失したが、さまざまな版の本文と署名者の一覧は後に初期の歴史資料に何度か掲載された。最も有名なものはメイフラワ号の乗客であるウィリアム・ブラッドフォードが書いたもので、『プリマス開拓地について』という彼の日誌に収録されている。彼の手書きの原稿に基づくこの日誌は1856年になって漸く出版された。ブラッドフォードの原稿はマサチューセッツ州立図書館の特別貯蔵室に収められている。

54

acte by them done (this their condition considered) might
be as firme as any patent; and in some respects more sure.
The forme was as followeth.

In ye name of God Amen. We whose names are underwriten,
the loyall subjects of our dread soveraigne Lord King James,
by ye grace of God, of great Britaine, Franc, & Ireland king,
defender of ye faith, &c.
Haveing undertaken, for ye glorie of God, and advancemente
of ye Christian faith, and honour of our king & countrie, a voyage to
plant ye first colonie in ye Northerne parts of Virginia. Doe
by these presents solemnly & mutualy in ye presence of God, and
one of another, covenant, & combine our selves togeather into a
civill body politick; for our better ordering, & preservation & fur-
therance of ye ends aforesaid; and by vertue hearof to enacte,
constitute, and frame shuch just & equall lawes, ordinances,
acts, constitutions, & offices, from time to time, as shall be thought
most meete & convenient for ye generall good of ye Colonie: unto
which we promise all due submission and obedience. In witnes
wherof we have hereunder subscribed our names at Cap-
Codd ye 11. of November, in ye year of ye raigne of our soveraigne
lord king James of England, France, & Ireland ye eighteenth,
and of Scotland ye fiftie fourth. Ano: Dom. 1620.
After this they chose, or rather confirmed Mr John Carver (a man
godly & well approved amongst them) their Governour for that
year. And after they had provided a place for their goods, or
comone store, (which were long in unlading for want of boats,
foulnes of ye winter weather, and sicknes of diverce) and begune
some small cottages for their habitation; as time would admitte
they mette and consulted of lawes, & orders, both for their
civill & military Governmente, as ye necessitie of their condi-
tion did require, still adding therunto as urgent occasion
in severall times, and as cases did require.
In these hard & difficulte beginings they found some discontents
& murmurings arise amongst some, and mutinous speeches & carriags
in other; but they were soone quelled, & overcome, by ye wis-
dome, patience, and just & equall carrage of things, by ye Gov:
and better part wch clave faithfully togeather in ye maine.
But that which was most sadd, & lamentable, was, that in 2.
or 3. monthes time halfe of their company dyed, espetialy
in Jan: & February, being ye depth of winter, and wanting
houses & other comforts; being infected with ye scurvie &

上：ウィリアム・ブラッドフォードの日誌。この有名な船の乗客による唯一の手書き版〈メイフラワ誓約〉が収録されている。
左：メイフラワの署名を描いた19世紀末の絵画。

シェイクスピアのファースト・フォリオ

（1623年）

その死から７年後、ウィリアム・シェイクスピアの最も近しかった友人である２人の役者が、彼の驚くべき遺産を保存しようと務めた。その結果として出来上がった彼の傑作戯曲の集大成を、とある鑑定人は「世界で最も綿密に編纂された本」と呼ぶことになるだろう。これがなければ、この劇作家の作品は忘れ去られていたかも知れない。

ウィリアム・シェイクスピア（1564－1616）は英語の歴史における最も偉大な作家であろう。だがその名声は、もしも彼の仲間の役者であり親友でもあった2人の人物、ジョン・ヘミングズとヘンリー・コンデルの努力がなければ、すっかり忘れ去られていただろう。2人は何年にも亘り「あまりにもかけがえのない友人にして仲間、すなわちわれらがシェイクスピアの想い出を記録するための、彼の戯曲に対するささやかな献げ物」を苦労して編纂した。ヘミングズとコンデルは長い年月を掛けて今は亡き作家の戯曲の内の36本を集め、編集した（ただしソネットや詩に関してはその限りではない）。この時点では彼の戯曲で出版されていたのは全体の半分ほどであり、しかも小さな判型で誤りも満載されていた。ある版などは、作者としてシェイクスピアの名前すら載っていなかった。だがシェイクスピア一座の管理人であったヘミングズとコンデルは、遺された彼の手書きの原稿や後見用の台本などを見ることができた。少なくとも読者はこの偉大な劇作家の作品を実際に演じられた通りに読むことができるだろうと彼らは言う、「これまでは、悪辣な詐欺師のインチキやパクリによって毀損され台無しにされた異本、盗作、海賊版などに悩まされていたものだったが」。

そして1621年、彼の友人たちはアイザック・ジャガードとエドワード・ブラントによる精細な印刷の監修を開始した。かくして『ウィリアム・シェイクスピア氏の喜劇、史劇および悲劇』は1623年に世に出た。学者たちはそれを〈ファースト・フォリオ〉と呼ぶ。最初（ファースト）に出た大判（フォリオ）の意味である。

シェイクスピアの戯曲の原本が現存しないことを考慮すると、この2人が綿密に編纂したシェイクスピアの喜劇、史劇、悲劇は、彼が舞台のために書いた元来の言葉に最も近いものと言えるだろう。〈フォリオ〉がなければ、世界は『マクベス』も『ジュリアス・シーザー』も、『アントニーとクレオパトラ』『コリオレーナス』『十二夜』『お気に召すまま』『尺には尺を』『間違い続き』『冬物語』『テンペスト』をも見ることはなかっただろう。同書の大扉に収録されたシェイクスピアの肖像（マーティン・ドルースハウトによる版画）は現存する最も権威ある似顔であると考えられ、これによって彼の顔もまた世に残されることとなった。

同書の元来の価格は未装幀版が1ポンド、装幀版が2ポンドか3ポンドで、当時においては驚くほど高価なものであった。

だいたい800部ほど印刷されたが、その内およそ30％ほどが現存している。ワシントンのフォルジャー・シェイクスピア図書館、日本の明星大学、そして大英図書館はいずれも複数所有している。世界で最も貴重な刊本のひとつであることからして、2001年にその1冊が競売に掛けられた時の落札値616万ドルも妥当であろう。この時書物鑑定人のスティーヴン・マッシーはこれを「世界で最も綿密に編纂された本」と称した。

シェイクスピアの作品は絶えず新訳され、現代の聴衆にも解りやすいものにされているが、これもまた〈ファースト・フォリオ〉なくしては不可能だっただろう。

To the Reader.

This Figure, that thou here seest put,
It was for gentle Shakespeare cut;
Wherein the Grauer had a strife
with Nature, to out-doo the life:
O, could he but haue drawne his wit
As well in brasse, as he hath hit
His face; the Print would then surpasse
All, that was euer writ in brasse.
But, since he cannot, Reader, looke
Not on his Picture, but his Booke.

B. I.

MR. WILLIAM
SHAKESPEARES
COMEDIES,
HISTORIES, &
TRAGEDIES.
Published according to the True Originall Copies.

LONDON
Printed by Isaac Iaggard, and Ed. Blount. 1623.

上：マーティン・ドルースハウトによるシェイクスピアの肖像。最もよく似ていると考えられている。シェイクスピアの友人であり、同時代人でもあったベン・ジョンソンが前頁に記しているところによれば、この版画家は「自然と格闘し、実物を凌いだ」。

『天文対話』

(1632年)

地球ではなく太陽こそが宇宙の中心であるという理論を提唱するために、当代随一の科学者は彼の議論を劇化し、教会の教義を笑い物にする機知に富んだ対話編に仕上げた。だがガリレオは最終的にはローマの異端審問の手に落ちる。

1632年の時点で、偉大なトスカーナの天文学者・数学者・哲学者のガリレオ・ガリレイ(1564－1642)は既に望遠鏡の設計や驚くべき天文学上の発見によって高い名望を獲得していた。だが、ほぼ1世紀前にコペルニクスが唱えた太陽中心説(地球ではなく太陽を太陽系の中心とする)に対する彼の支持は頑固な教会の教義とは相容れず、ゆえに彼は安全を確信できる時まで自らの結論を書き記すことを差し控えていた。彼の最も有力な支持者である枢機卿マッフェオ・バルベリーニが教皇ウルバヌス8世として選出されると、ガリレオは自分の科学的観点を表明しても迫害されることはないだろうと判断した。特に、自らの主張をユーモアで包んでしまえば。

ラテン語の代わりに母語であるトスカーナ方言を用いて、ガリレオは3人の架空の人物の間の機知に富んだ不躾な対話劇の形で500頁に上る本を書いた。3人は地球の運動、天体の構造、そして潮の満引きに関する4日に及ぶ理性的な議論を繰り広げる。この対話が行なわれたのはヴェネツィアで、そこでは潮の満引きの挙動は大きな関心事だった。「学士院会員」サルヴィアティはガリレオ自身の見解を表明する。サグレドは真実を探求する裕福な俗人で、当初はこのような問題には中立の態度だったが、やがて理性によって説得される。そしてシムプリチオは保守的なプトレマイオスとアリストテレスの信奉者で、頑固に教会の教義に固執する。プトレマイオスの宇宙論はコペルニクスが1543年に自らの理論を発表するまでは質(ただ)されることはなかったもので、太陽ではなく地球を宇宙の中心に置いている。

詩的であり、教訓的でもある共通語で語られるこの愉快な顔合わせには、偏狭かつ不合理な思想家に対する辛辣な言葉が織り交ぜられている。潮汐を主題とする対話篇の最終章は、特にカトリックの聖職者団の怒りを買った。というのもそれは教会の教義を批判し、教皇の言葉を愚者の口に語らせ、教皇を笑い物にしていたからだ。

ガリレオが教会の教義に反する作品を書いたと報された教皇ウルバヌスは激怒し、この70歳の教授を異端審問の場に引きずり出して拷問に掛けよと命じた。その後、ローマで長々と裁判が行なわれ、ガリレオは「異端の容疑」で公の場での撤回を命じられた。彼の作品と教えは禁じられ、終生自宅軟禁の判決を受けた。同署は禁書目録に載せられたが、その不穏な『二大世界体系についての対話(ディアロゴ・ソプラ・イ・ドゥエ・マッシミ・システミ・デル・モンド)』の海賊版は闇市場でベストセラーとなり、西洋思想界における最も画期的な本と見做されるようになった。

教会から辱められ名声を地に墜とされたガリレオは失明した末、1642年に死んだ。彼の裁判と撤回の記録はヴァティカン文庫に保管されている。また同書の最初の刊本は、幾つかの主要図書館にある。

右：ガリレオによるコペルニクス的宇宙図。太陽を宇宙の中心に置いている。1543年のコペルニクスの太陽中心モデルと本図との違いは、本図には木星の4つの衛星が含まれていることである。これは1610年にガリレオが発見した。

SIMP. Sia questo segnato A. il luogo del globo terrestre.

SALV. Bene stà. So secondariamente, che voi sapete benissimo, che essa terra non è dentro al corpo solare, nè meno a quello contigua, ma per certo spazio distante, e però assegnate al Sole qual'altro luogo più vi piace remoto dalla terra a vostro beneplacito, e questo ancora contrassegnate.

SIMP. Ecco fatto: Sia il luogo del corpo solare questo segnato O.

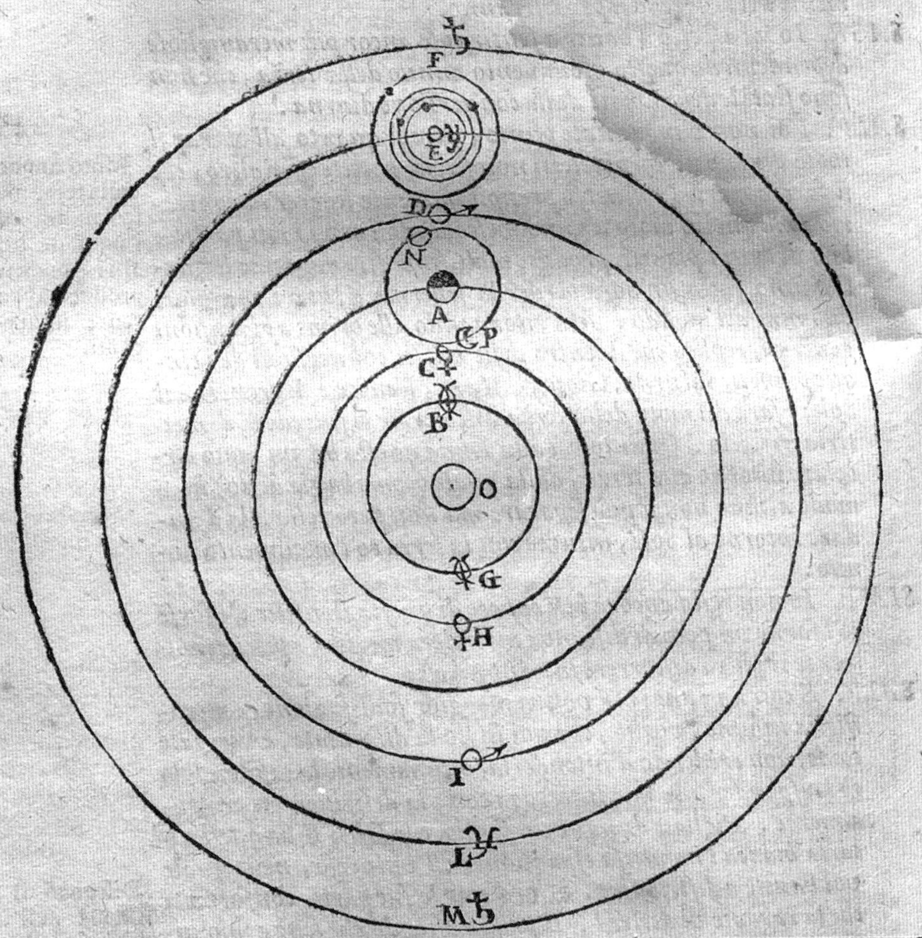

SALV. Stabiliti questi due, voglio, che pensiamo di accomodar'il corpo di Venere in tal maniera, che lo stato, e mouimento suo possa sodisfar'a ciò, che di essi ci mostrano le sensate apparenze,

チャールズ1世の処刑命令書

（1649年）

英国の議会文書館にある最も劇的な文書は、血に染まっているように見える。
血腥い清教徒革命に続く、立法府によるチャールズ１世の斬首を命ずる処刑命令書には如何にも相応しい外見である。
この命令書に署名した者の内10人は、後に復讐のため処刑される。

清教徒革命は実に20万人もの人命を奪った。オリヴァー・クロムウェルの勝利の後、清教徒はチャールズ1世が「古えの、基本的なる諸法及びこの国の国民の自由の完全なる転覆という邪悪なる企て」を為し「兵を徴収し、国内に内乱を引き起こし、遂行した」と非難した。残部議会は彼を大逆罪で裁判に掛け、息子は流罪となった。この混乱の中、裁判委員の一団が国王に死刑を宣告したが、その処刑命令書は既に書上げられており、処刑の場所と日時の部分のみが空白となっていた。結局、この判決を下した67人の委員の内59人が署名した。だがその多くは後に、生きてそれを後悔することとなる。

1649年1月30日の極寒の午後、進退窮まった王は自ら首切り台の上に身を屈めた。その態度があま

Whereas Charles Steuart

Ri: Deane

Jo: Bourchier

りにも毅然とした堂々たるものだったので、処刑人の斧がその首を斬り飛ばすと、群衆は一斉に罵った。

国王殺しの後、さらに11年に亘って戦乱の時代が続き、遂に叛逆者の政府は倒れた。そこで斬首された国王の息子チャールズ2世が、この議会による処刑命令書を参考に、復讐に着手した。この文書は43cm×20cmの羊皮紙で、封蠟（ふうろう）が捺（お）され、没食子インクで手書きされている。一部破損しているが、文字——すなわち59名の署名——は国王の執行官にとっては充分判読可能であった。

オリヴァー・クロムウェルを含む主要な叛逆者の内の3人は既に死んでいたので、その遺体が暴かれ、屍衣のまま吊られ、首は後に竿の上に曝（さら）された。逃亡していた10人は追跡され、叛逆罪を宣告され、吊され、沈められ、四つ裂きにされた。他の1人は謀殺された。19人は終身刑となった。

チャールズ1世の斬首は、イングランド人の、自分自身や国王、清教徒革命、そして祖国に対する見方を変えた。歴史家はその衝撃的な処刑が全能の君主のイメージを粉砕したと主張している。聖公会は1月30日を恒久服喪の日と定めた——1649年の血に染まった処刑命令書に記された出来事を記憶し「不自然なる叛逆、王位簒奪、神に背ける暴君にして残虐なる男、及びそれに続く悲しむべき混乱と破壊」の危険を警告するために。

現在、この命令書は上院公文書館に保管されている。学者たちは今なおその作成の次第、特にその認可と署名の日時をあれこれ考察している。

左：チャールズ1世の運命を確定し、その後のイングランド共和国の護民官としてのオリヴァー・クロムウェルの支配へと導いた文書。クロムウェルの署名が左端に見える。1660年の王政復古に続いて、この処刑命令書はこれに署名した全ての「国王殺し」を確定し起訴するために用いられた。

『サミュエル・ピープスの日記』

（1660－69年）

都会的で観察眼の鋭いロンドンっ子が、毎日秘密の日記を付けていた。
内容は自らの浮世の情事から、時代の大事件まで。
イングランド王政復古の時代の、詳細で魅力的な生活の記録。

サミュエル・ピープス（1633－1703）はロンドンの仕立屋の息子で、庶民の出ながら出世に出世を重ねてイングランドの特権階級に仲間入りした。1649年のチャールズ1世の処刑を見物し、ケンブリッジのモードリン・カレッジに学び、美食を愉しみ、ロンドンの高尚な芸術や社交界に親しんだ。パトロンを通じて幾つかの官職を得たが、その中には国王チャールズ2世とジェイムズ2世の下での王立海軍の委員会事務局長まである。ピープスは激痛の膀胱結石を初めとする病に苦しめられ、男性不妊症となった。結婚はしていたが、妻とはしばしば別居し、婚外交渉に勤しんでいた。

もしも1660年から1669年まで、英国史上でも極めて重要なこの時期にピープスが彼の生活と時代のあらゆる側面に及ぶ驚くほど詳細な日記を付けていなかったとしたら、そういったことを知る者は今日では誰もいなかっただろう。1825年に初めて公開されたピープスの日記は、歴史上、最も上質な目撃証言と見做されている。

1660年1月1日、彼は日記を付け始めた。

> 神はほむべきかな。昨年末には健康は至極良好。例の痛みが感じられるのも、冷えた時だけである。住所はアクスヤード、妻と女中のジェインと一家三人暮らし。妻は七週間月経がなく、妊娠かと思わせたが、大晦日になって始まった。

王政復古時代のロンドンを鮮明かつ直接的に観察していること、そして紳士の密やかな個人的黙想や情事を覗き込む稀な機会を提供していることの他に、ピープスの日記は当時の主要な歴史的事件を詳細かつ色彩豊かに描いていることで知られる。ロンドン大疫病（1665－66）の時、ピープスは「自分の身体、自分の匂いが気になり始めたので、巻き煙草を買い、匂いを嗅いだり、噛んだりせずにはおれなかった――そしたら不安も消えていった」という。「しかし、主よ！　通りの全ての人の表情も話も、すっかり死神に取り憑かれ、他のことはおくびにも出ない。行き交う人影もまばらで、街はまるで窮乏の底にあるようで、すっかり見放されている」。1666年9月2日早朝、ずっと遠くで火事が起きていますと女中に起されたピープスは、すわロンドン塔に駆けつけた。「ロンドン橋のそちらのたもとの家並みが全部燃え上がっており、橋のたもとの向こう側もこちら側も、果てしないほどの大火事だった」――ロンドン大火である。

日記は彼の豊かな文化活動、そして書物、音楽、演劇、科学（アイザック・ニュートンとの文通も含む）に関する嗜好も詳細に記している。「実のところ、私は我が身に多少とも快楽を許している。今が生涯でそうするのに適切な時期だと解っているのだ。私の見る限りでは、この世で繁盛している男はたいてい、金を稼いでいる間は、快楽を味わうことを忘れ、財産ができた時の楽しみにそれをとっておく。だがその時には、もう遅すぎて、折角の快楽を愉しく味わうことができないのだ」。当時の演劇の舞台に関する記述は特に明敏である。

徐々に視力を失っていったために、1669年5月31日を以て日記を辞めたピープスだが、書いた日記はきちんと保管していた。そのため、そしてその優美な文体のため、この作品は長い間、歴史家にも一般読者にも大変好まれてきた。

一種の速記法で書かれていたが、6巻に装幀された手稿は後に解読され、1825年に出版された。そ

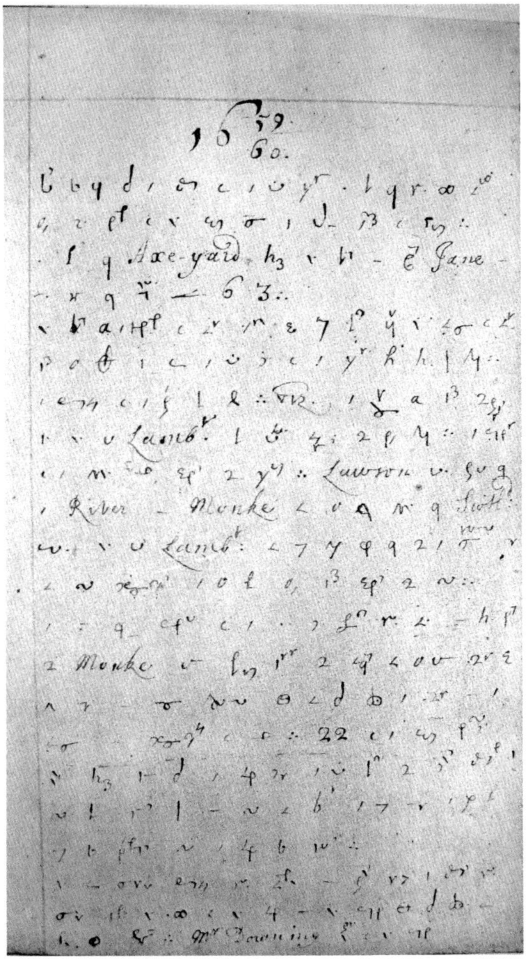

上：ピープスの日記の第1頁。1660年1月1日。速記で記され、政治や国家的行事から裁判や夫婦生活の悩みまであらゆることが記された彼の日記は、1660年代のロンドンの生活について、計り知れない洞察をもたらしてくれる。手書きの原本である6巻の革装本は、ケンブリッジのピープス文庫に所蔵されている。

の後も何度も版を重ねている。原本である手稿と最初の手写はケンブリッジのモードリン・カレッジにあるサミュエル・ピープス文庫に所蔵されている。

アイザック・ニュートン文書

(1660年代－1727年)

歴史上最大の影響力を持った科学者が、世界最大の貴重かつ独創的な学術的手記の集成を遺した。
だが何世紀もの間、そのほんの一部しか目にすることを許されていなかった。
特定の主題に関するニュートンの非正統的な考えのためである。

サー・アイザック・ニュートン（1642－1727）は人類史上に屹立する啓蒙思想の偉大な科学者・数学者・自然哲学者である。最も有名なのは万有引力の数学的説明であるが、微積分法、古典力学、光学、色彩学、その他無数の領域における業績で万人の畏敬を集めている。ニュートンに帰せられる重要な発見と発明はあまりにも多いがゆえに、彼はおそらく科学史上最高の学者と見做されている。だが彼のあまり知られていない文書の多くは、彼の業績に関する評価を紛糾させかねない、実に奇妙な主題に対する研究である。

アイザック・ニュートン文書の物語は多くの点で興味深い。ニュートンは大量の手稿、書簡、その他の文書の山を遺したが、それらは総計1000万語に及ぶと見積もられている。よく知られた彼の科学と数学における天才はかつても今も高く賞賛されている。だが彼の文書庫の大きな部分を占める錬金術、神学、編年学の項は何世紀もの間、表沙汰にされることはなかった。

その文書を見ることを許された人々の一部は、ニュートンが非正統的な分野に幅広く興味を抱いていたことを知ると、失望して去った。たとえば彼の弁論術的な聖書分析は、その「異端的」宗教観念——たとえば三位一体の否定——の追求と相俟って、多くの敬虔な信者を驚倒させた。そして錬金術を初めとする「奇妙な」概念への傾倒は、彼の科学的判断にまで疑問を抱かせた。その結果、ニュートンの膨大な文書足跡の幅広さは何世紀もの間、政治的とも言える理由で、気難しいヴィクトリア時代を通じて禁断の領域とされてきた。とある慧眼の歴史家は、ニュートンの純然たる数学的手記に気まずい神学的成分が混じっていることに気づいて驚いたが、それはおそらくニュートンの天才の学際的な本質を評価してのことではない。「私は仮説を立てない」と彼は言う、「というのは、現象から導かれぬものは仮説と呼ばれねばならないからである。そして仮説は、形而上的なものであれ形而下的なものであれ、穏在的なものであれ力学的なものであれ、実験哲学にその場所を持つことはできない」。

ニュートンはケンブリッジ大学と深い関わりを持っていた。かつてはそこで学び、後には同大学のルーカス数学講座の教授となった。ゆえに彼の数学・科学手稿の多くが彼の親族によって1872年にケンブリッジ大学図書館に遺贈されたのは驚くべきことではない。さらに、サー・アイザック・ニュートンの科学手稿のもうひとつの重要なコレクションが2000年に同大学に寄贈された。

多年に亘ってニュートン文書を取り巻いていた臆病さと検閲は、ディジタル時代を迎えて変化しつつあるようである。古典的なニュートンの業績の膨大なアーカイヴが、ケンブリッジ大学によってネット上にポストされている。もうひとつのウェブ上のイニシアティヴである、サセックス大学を基盤とする「ニュートン・プロジェクト」は、ニュートンのすべての文書の完全なオンライン版の公開を目的としている。これまでのところ、このプロジェクトは640万語ほどをアップロードした。また同プロジェクトは彼の最も重要なラテン語テキストの翻訳も手がけている。ニュートン文書は拡大を続けている。今や読者は、歴史上、最も飛び抜けた精神の全容を理解することができるのだ。

$xx + a - bbyy = 0$. x & y will be rationall by makeing $\frac{rr - ass}{2rs} = x$, & $\frac{rr + ass}{2brs} = y$. or $\frac{rr - a}{2r} = x$. & $\frac{rr + a}{2br} = y$.

$xx + byy - aa = 0$. Make $\frac{arr - abss}{rr + bss} = x$. & $\frac{2rsa}{rr + ssb} = y$.

$xx + bbeyy - aac = 0$. Make $\frac{2rsac}{crr + ss} = x$. & $\frac{rrac - ssa}{rrbbc + ssbb} = y$

$axx + bx + c + dyx + ey + fyy = 0$. Make $aaee + abbf + acdd - abde - 4aacf = m$ & $dd - 4af = n$. Then if $\sqrt{n}$ is rationall make $y = \frac{2ae - bd}{n} + \frac{r}{s} + \frac{sm}{rnn}$ [illegible]. Or if $\sqrt{m}$ is rationall make $y = \frac{2ae - bd}{n}$ & $\frac{2rrn + 2ssaa}{rrnn - 4ssaan}\sqrt{m}$ or $y = \frac{2ae - db}{n}$ & $\frac{2rrn + ss}{rrnn - ssn}\sqrt{m}$. Or if $\sqrt{-mn}$ is rationall make $y = \frac{2ae - bd}{n}$ & $\frac{4rs\sqrt{-mn}}{rrnn - ssn}$. If none of $\overset{m}{y}$ bee rationall, noe rule can bee given to make x & y rationall.

						Nauticall Questions.
			½ 360	360,000000	G	
12.	12,000000.	12.	8/15 384	381,406678	*	
11.	10,882687.	11−1/174	9/16 405	404,086406	F	Suppose a = one latitude. b = another.
10.	9.960900.	10−1/51	3/5 432	428,114581	E	c = a − b. l = their difference of longitude.
9.	8.843987.	9−1/13	5/8 450	453,571578	*	d = distance. R = Rumb from ye Meridian.
8.	8.136863.	8+1/15	2/3 480	480,542367	D	r = radius. s = sine t = tangent. cs = cosine.
7.	7.019550.	7+1/102	32/45 512	509,116882	*	Ma, Mb = Mercators Meridian line answering to the latitude a, b.
6.	5.902237.	6−2/41	3/4 540	539,[illegible]390589	C	
5	4,980450.	5−1/102	4/5 576	571,464474	B	
4	3,863137.	4−1/15	5/6 600	605,445467	*	
3	3,156413.	3+1/13	8/9 640	641,446973	A	
2	2,039100.	2+1/51	15/16 675	679,5895149	*	
1	1,117313.	1+1/174	1 720	720,000000	G	1. Of a, b, d, R.
0	0,000000.	0.				$r \times a - rb (= rc) = d \times cs\, R$.
equidistant ½ notes	Musicall halfe notes		A string divided to sound the Musicall ½ Notes.	A string divided to sound ye 12 equidistant ½ notes in an Eight		2. Of a, b, l, R. $r \times l = t\,R \times \overline{Ma - Mb}$. Or. $r \times \overline{Ma - Mb} = l \times ct\,R$.

3. If a, b, d : a, b, l : a, d, R ; a, l, R ; b, d, R : b, l, R : bee given & l : d : l : d : l : d bee sought, first find R : R : b : b : a : a by ye 1st : 2d : 1st : 2d : 1st 2d Proposition, & then l : d : l : d : l : d by ye 2d : 1st : 2d : 1st 2d : 1st proposition.

4 If a, d, l : b, d, l : d, l, R . bee given & b, or R : a, or R : a, or b. sought it cannot bee scientifically resolved.

Of triangles right lined. 1st, of a, d, e, g. $sa \times e = sd \times g$.
2dly, of a, d, e, f. $rrf = re \times csa + e \times sa \times ctd$, $rf \times td = re \times sa + e \times td \times csa$.
3dly, of a, e, f, g. $ree + rff = rgg + 2ef \times csa$.
Speciall resolutions. a e f given; d sought. $\frac{e - f}{e + f} \times ct\, \frac{1}{2}a = ct\, d + \frac{1}{2}a$.
e, f, g given; a sought. if $m = \frac{e + f + g}{2}$. $n = m - e$. $p = m - f$. $q = m - g$ ye is $\frac{r\sqrt{np}}{\sqrt{ef}} = s\,\frac{1}{2}a$. $\frac{r\sqrt{mq}}{\sqrt{ef}} = cs\,\frac{1}{2}a$. $\frac{r\sqrt{np}}{\sqrt{mq}} = t\,\frac{1}{2}a$. $\frac{r\sqrt{mq}}{\sqrt{np}} = ct\,\frac{1}{2}a$. $\sqrt{mnpq}$ = areæ trianguli.

Of sphæricall triangles.
Of b, d, e, f. $sb \times se = sd \times sf$. Speciall resolution, efg given a sought. $\frac{r \times \sqrt{sp \times sn}}{\sqrt{se \times sf}} = s\,\frac{1}{2}a$. $\frac{r \times \sqrt{sm \times sq}}{\sqrt{se \times sf}} = cs\,\frac{1}{2}a$. $\frac{r\sqrt{sn \times sp}}{\sqrt{sm \times sq}} = t\,\frac{1}{2}a$. $\frac{r\sqrt{sm \times sq}}{\sqrt{sn \times sp}} = ct\,\frac{1}{2}a$. [illegible] $= cs\,\frac{1}{2}a$, &c. $\frac{rr \times \overline{cs\,e - f - cs\,g}}{se \times sf} = sv\,a$.
$\frac{rr \times cs\,e - f - csg}{se} = sv\,a$.
$\frac{rr \times vs\,e - f - vsg}{se \times sf} = sv\,a$. ait Gunter.

2. a, d, f, given: e, g sought. $s\,\frac{a + d}{2} : t\,\frac{1}{2}f :: s\,\frac{a - d}{2} : t\,\frac{g - e}{2}$. And $cs\,\frac{a + d}{2} : cs\,\frac{a - d}{2} :: t\,\frac{1}{2}f : t\,\frac{g + e}{2}$. And $\frac{g + e}{2} + \frac{g - e}{2} = g$. $\frac{g + e}{2} - \frac{g - e}{2} = e$.

3. b, e, g given a, d, sought. $s\,\frac{e + g}{2} : s\,\frac{e - g}{2} :: ct\,\frac{1}{2}b : t\,\frac{d - a}{2}$ And $cs\,\frac{e + g}{2} : cs\,\frac{e - g}{2} :: ct\,\frac{1}{2}b : t\,\frac{d + a}{2}$. $\frac{d + a}{2} + \frac{d - a}{2} = d$. $\frac{d + a}{2} - \frac{d - a}{2} = a$.

4. a, b, d, given: f sought. make $\frac{a + b + d}{2} = m$. $m - a = n$. $m - d = p$. $m - b = q$. Then is $\frac{r\sqrt{cs\,m \times cs\,q}}{\sqrt{sa \times sd}} = s\,\frac{1}{2}f$. $\frac{rr \times \overline{cs\,a - d - cs\,b}}{sa \times sd}$ = to the versed sine of ye complement of f. tis like ye 1st speciall resolution.

5. a, d, g, e given: f, or b, sought tis ye converse of ye 2d & 3d resolution.

6. Other cases are to bee resolved by rectangled sphæricall Δs. To wch use may bee added these proportions. 1. $cs\,m : cs\,e :: cs\,n : cs\,g$.
2d, $ta : td :: sn : sm$. 3d, $cs\,r : cs\,s :: tg : te$.
4th, $s\,r : s\,s :: cs\,a : cs\,d$. &c

Gunter adds this $rl = vs\,R \times Ma$ &c $s\,R \times Ma$ &c d. to ye Nauticall problems. Tis exact enough when d is not greate.

The weight of Metalls are as 10000 gold: 7143 quicksilver; leade 6053; silver 5438: copper 4737; iron 4210: tinne 3895: water 526,3.

An Equation wants 2, 4, 6 rootes &c for every 2 4 6 termes &c wanting together. And for 1, 3, 5 termes wanting together ye next termes being affected wth ye same signes. as $x^8 + ax^7 * * - bx^4 * * * - c = 0$. wants 8 roots.

If $axxyy + bxxy + cxx + dxy + ex + f = 0$ Make $x = \frac{v}{z}$. & Then is, $avvyy + bvvy + cvv + dvzy + evz + fzz = 0$.

$1 + \frac{1}{17}$. $2 + \frac{3}{76}$. $3 + \frac{5}{32}$. $4 - \frac{3}{22}$. $5 - \frac{1}{51}$. $6 - \frac{1}{77}$.
$4 - \frac{12}{73}$ $5 - \frac{2}{460}$

上：1660年代半ばから末にかけての日付のある手記の2頁。最終的に微積分法として結実するニュートンの初期の数学的思考が示されている。彼の詳細な手記と計算は時にはたまたま手許にあった小さな紙片に書かれていた。

英語初の印刷新聞

(1665年)

当初は『オクスフォード・ガゼット』、その後本拠地を移して『ロンドン・ガゼット』となった
最初の英語の一枚刷り(ブロードシート)新聞は、newspaper という単語ができる前から読まれていた——
そして今もなお、英国政府官報として発行されている。

1665年11月7日、『オクスフォード・ガゼット』の創刊号が印刷機から出て来た。国王が特権階級の者に報せたい内容を掲載するものとして、国王チャールズ2世の認可を受けていた。彼は多くのロンドン市民を殺戮していた「大疫病」を避けるため、この新聞をロンドンの西60マイルの地で印刷させた。そしてこの創刊号には政府による「死亡統計表」が掲載され、この疫病の最新の犠牲者数が挙げられていた。印刷人に任じられたのはオクスフォード大学のレナード・リッチフェルドであった。

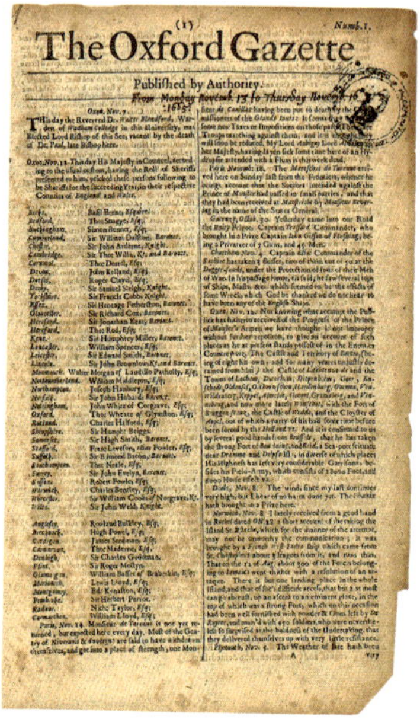
(1) Numb.1.

The Oxford Gazette.

Published by Authority.

From Monday Novemb. 13 to Thursday Novemb. 16. 1665.

Oxon, Nov. 7.

THis day the Reverend Dr. Walter Blandford, Warden of Wadham Colledge in this University, was Elected Lord Bishop of this See, vacant by the death of Dr. Paul, late Bishop here.

Oxon, Nov. 12. This day His Majesty in Council, according to the usual custom, having the Roll of Sheriffs presented to him, pricked these persons following to be Sheriffs for the succeeding Year, in their respective Counties of England and Wales.

創刊号に執筆していた著名政治家ジョセフ・ウィリアムソン曰く、同紙の出版は「それを望む商人と紳士の使用に供するため」である。最初の記事は新任オクスフォード主教の就任を報せるもので「本日、尊師ウォルター・ブランドフォード博士、すなわち本学ウォダム・カレッジの学長、本司教区主教に選任されたり。先の主教ポール博士の死去に伴う」。

ロンドンのサミュエル・ピープスは11月22日に同紙を1部入手し、日記に記している。「本日『オクスフォード・ガゼット』創刊号出来。頗(すこぶ)る見事、ニュース満載、贅言(ぜいげん)のひとつも無し」。

3ヶ月後オクスフォードのチャールズ2世はロンドンが既に還幸可能なまでに安全となったと判断し、この有益な一枚刷り新聞もまた彼と共に『ロンドン・ガゼット』として首都に移った。

見開きの一枚刷りであったこの新聞は18㎝×28㎝、両面印刷で、本文は「コラント」と呼ばれる読みやすい2段組、新聞名は最上部に日付と「勅許出版物」の但し書きと共に置かれた。週に2度、月曜日と木曜日に発行され、広く流布し——当初は隣接する街に、そして間もなく外航船で他の国々にまで——英国とその植民地を代表するニュース元となった。『ガゼット』は現代的な意味での新聞ではない——契約者に対して郵便で送付されており、一般大衆に売るために印刷されたものではなかった。1670年頃、読者の一部がそれを「newspaper」と呼び始めた。

王政府の最初の公式官報として、新聞として、『ロンドン・ガゼット』は英国情勢において特別の位置を占め、軍事行動、政治情勢、裁判の状況などに関する最も権威ある情報を提供した。1666年1月4日の記事に曰く、「バルバドス船上のニューゲイトの17名の囚人、下船して逃亡……船長、これを追跡」。

この新聞は今日まで連綿と発行され、そのバックナンバーはネット上でディジタル化されたものを見ることができる。

上:『オクスフォード・ガゼット』創刊号(1665年11月7日)。「大疫病」の「死亡統計表」が掲載されている。

Numb. 85.

The London Gazette.

Published by Authority.

From Monday, Septemb. 3. to Monday, Septemb. 10. 1666.

Whitehall, Sept. 8.

THe ordinary course of this Paper having been interrupted by a Sad and Lamentable Accident of Fire lately hapned in the City of *London*: It hath been thought fit for satisfying the minds of so many of His Majesties good Subjects, who must needs be concerned for the Issue of so great an Accident, to give this short, but true Accompt of it.

On the Second instant at One of the Clock in the Morning, there hapned to break out a Sad & Deplorable Fire, in *Pudding-Lane* neer *New Fish-Street*, which falling out at that hour of the night, and in a quarter of the Town so close built with wooden pitched houses, spread it self so far before day, and with such distraction to the Inhabitants and Neighbours, that care was not taken for the timely preventing the further diffusion of it by pulling down houses, as ought to have been; so that this lamentable Fire in a short time became too big to be mastered by any Engines or working neer it. It fell out most unhappily too, That a violent Easterly Wind fomented it, and kept it burning all that day, and the night following spreading it self up to *Grace-Church-street*, and downwards from *Cannon-street* to the Water-side as far as the *Three Cranes in the Vintry*.

The People in all parts about it distracted by the vastness of it, and their particular care to carry away their Goods, many attempts were made to prevent the spreading of it, by pulling down Houses, and making great Intervals, but all in vain, the Fire seising upon the Timber and Rubbish, and so continuing it self, even through those spaces, and raging in a bright Flame all Monday and Tuesday, notwithstanding His Majesties own, and His Royal Highness's indefatigable and personal pains to apply all possible remedies to prevent it, calling upon and helping the people with their Guards; and a great number of Nobility and Gentry unweariedly assisting therein, for which they were requited with a thousand blessings from the poor distressed people. By the favour of God the Wind slackned a little on Tuesday night, and the Flames meeting with Brick-buildings at the Temple, by little and little it was observed to lose its force on that side; so that on Wednesday morning we began to hope well, and his Royal Highness never dispairing or slackning his Personal Care, wrought so well that day, assisted in some parts by the Lords of the Councel before and behind it, that a stop was put to it at the *Temple-Church*, neer *Holborn-Bridge*, *Pie-Corner*, *Aldersgate*, *Cripple-gate*, neer the lower end of *Coleman-street*, at the end of *Basing-Hall-street*, by the *Postern*, at the upper end of *Bishopsgate street*, and *Leaden-Hall-street*, at the *Standard* in *Cornhill*, at the Church in *Fan-Church-street*, neer *Clothworkers-hall* in *Mincing-Lane*, at the middle of *Mark-Lane*, and at the *Tower-Dock*.

On Thursday by the blessing of God it was wholly beat down and extinguished; but so as that Evening it unhappily burst out again afresh at the *Temple*, by the falling of some sparks (as is supposed) upon a Pile of Woodden Buildings, but his Royal Highness, who watched there that whole night in Person, by the great Labours and Diligence used, and especially by applying Powder to blow up the Houses about it, before day most happily mastered it.

Divers Strangers, *Dutch* and *French*, were, during the Fire, apprehended, upon suspition that they contributed mischievously to it, who are all imprisoned, and Informations prepared to make a severe Inquisition thereupon by my Lord Chief Justice *Keeling*, assisted by some of the Lords of the Privy Councel, and some principal Members of the City; notwithstanding which suspicions, the manner of the burning all along in a Train, and so blown forwards in all its way by strong Winds, makes us conclude the whole was an effect of an unhappy chance, or to speak better, the heavy hand of God upon us for our Sins, shewing us the terrour of his Judgment in thus raising the fire; and immediately after, his miraculous and never enough to be acknowledged Mercy, in putting a stop to it, when we were in the last despair, and that all attempts for the quenching it, however industriously pursued, seemed insufficient. His Majesty then sat hourly in Councel, and ever since hath continued making rounds about the City in all parts of it where the danger and mischief was greatest, till this Morning that he hath sent his Grace the Duke of *Albemarle*, whom he hath called for to assist him in this great occasion, to put his Happy and Successful Hand to the finishing this memorable Deliverance.

About the *Tower*, the seasonable Orders given for plucking down Houses to secure the Magazins of Powder, was more especially successful, that Part being up the Wind, notwithstanding which, it came almost to the very Gates of it, so as by this early provision, the severall Stores of War lodged in the Tower were entirely saved: And we have further this infinite cause particularly to give God thanks that the fire did not happen in any of those places where his Majesties Naval Stores are kept, so as though it hath pleased God to visit us with his own hand, he hath not, by disfurnishing us with the means of carrying on the War, subjected us to our Enemies.

It must be observed, That this Fire happened in a part of the Town, where though the Commodities were not very rich, yet they were so bulky, that they could not well be removed, so that the Inhabitants of that part where it first began have sustained very great loss: But by the best Enquiry we can make, the other parts of the Town, where the Commodities were of greater value, took the Alarm so early, that they saved most of their Goods of value, which possibly may have diminished the loss, though some think, that if the whole industry of the Inhabitants had been applyed to the stopping of the Fire, and not to the saving of their particular Goods, the success might have been much better, not only to the Publick, but to many of them in their own Particulars.

Through this sad Accident it is easie to be imagined how many persons were necessitated to remove themselves and Goods into the open Fields, where they were forced to continue some time, which could not but work compassion in the beholders; but His Majesties Care was most Signal in this occasion, who, besides his Personal Pains, was frequent in Consulting all wayes for relieving those distressed persons, which produced so good effect, aswell by His Majesties Proclamations, and the Orders issued to the Neighbour Justices of the Peace to encourage the sending in Provisions to the Markets, which are publickly known, as by other Directions, that when His Majesty, fearing lest other Orders might not yet have been sufficient, had Commanded the Victualler of his Navy to send Bread into *Moor-Fields* for the relief of the Poor, which for the more speedy supply, he sent in Bisket out of the Sea Stores; it was found that the Markets had

Qqqq beca

上:「大疫病」が終熄すると、『オクスフォード・ガゼット』は首都に移転して『ロンドン・ガゼット』となった。その創刊号は1666年2月5日。この時まで、感染を恐れてロンドンの新聞に触れる者はなかった。

権利の章典

（1689年）

**数十年に亘る血腥い抗争の後、名誉革命における最も重要な文書は、
国王の権力に新たな制限を詳細に規定し、議会の優越を確立した国会制定法である。
それは全ての英国人が法の下に譲渡され得ない権利を持つと謳っている。**

ジェイムズ2世（イングランドにおける最後のローマ・カトリックの君主）が退位し、1688年の名誉革命の頂点にウィリアム3世とメアリ2世が共同統治者として王座に就こうとしていた時、議会の小委員会は長年に亘り英国の統治を悩ませてきた幾つかの核心的な問題を解決するための書類を起草した。

この委員会の起草した文書は、ジェイムズ2世による玉座の「抛棄」のゆえに議会はその後継者を指名し、今後はジェイムズ2世のような権力の濫用を禁じる、と宣言していた。この法律はまた、議会の権力と人民の公民権を明確化することを意図していた。これはジェイムズ2世の統治下でオランダに追放されていた啓蒙思想の哲学者ジョン・ロックが提唱した政治的観念を反映したものである。

1689年12月16日に承認された〈権利の章典〉はジェイムズ2世が犯した12の過誤を挙げ、以て議会の護持すべき権利の確立を促した。この法律は王権に特定の制限を設け、国王は法律の停止や制定、課税、平時の常設軍の設置の際に議会の承認を必要とすること、臣民は訴追されることなく国王に請願する権利を持つこと、議会は頻繁に開かれるべきであること、そしてローマ・カトリック信徒は王位継承者から排除されること、などを謳っている。

この新たな基準によれば、「過大な保釈金を要求してはならない、過大な罰金を科してはならない、不法で残虐な刑罰を加えてはならない」「陪審員は正当な方法で選ばれねばならない。また、大逆罪で訴追されたものの審理に当たる陪審員は、自由土地保有者でなければならない」そして「有罪の決定が為される前に、その者に課せられるべき罰金または没収に関して、権利の付与及び約束をすることは、全て違法であり無効である」。

新君主は〈権利の章典〉を含む議会の法への服従を誓うことを要求された。その宣誓において彼らは「われらは諸君が提案したことを感謝して受け入れる」と述べた。また、プロテスタントの教えを守ることも宣誓した。

この文書は〈マグナ・カルタ〉と並ぶ英国の権利と自由の二本柱であり、後にはアメリカ独立宣言やフランスの人権宣言、アメリカの〈権利章典〉、その他の市民的自由の陸標に大きな影響を与えた。それは英連邦の全ての諸国において今なお効力を持っている。

文書の原本はキューにある国立公文書館に所蔵されている。

18世紀の版画。「国王ウィリアム及び女王メアリが戴冠に先立って認可した権利の章典」。

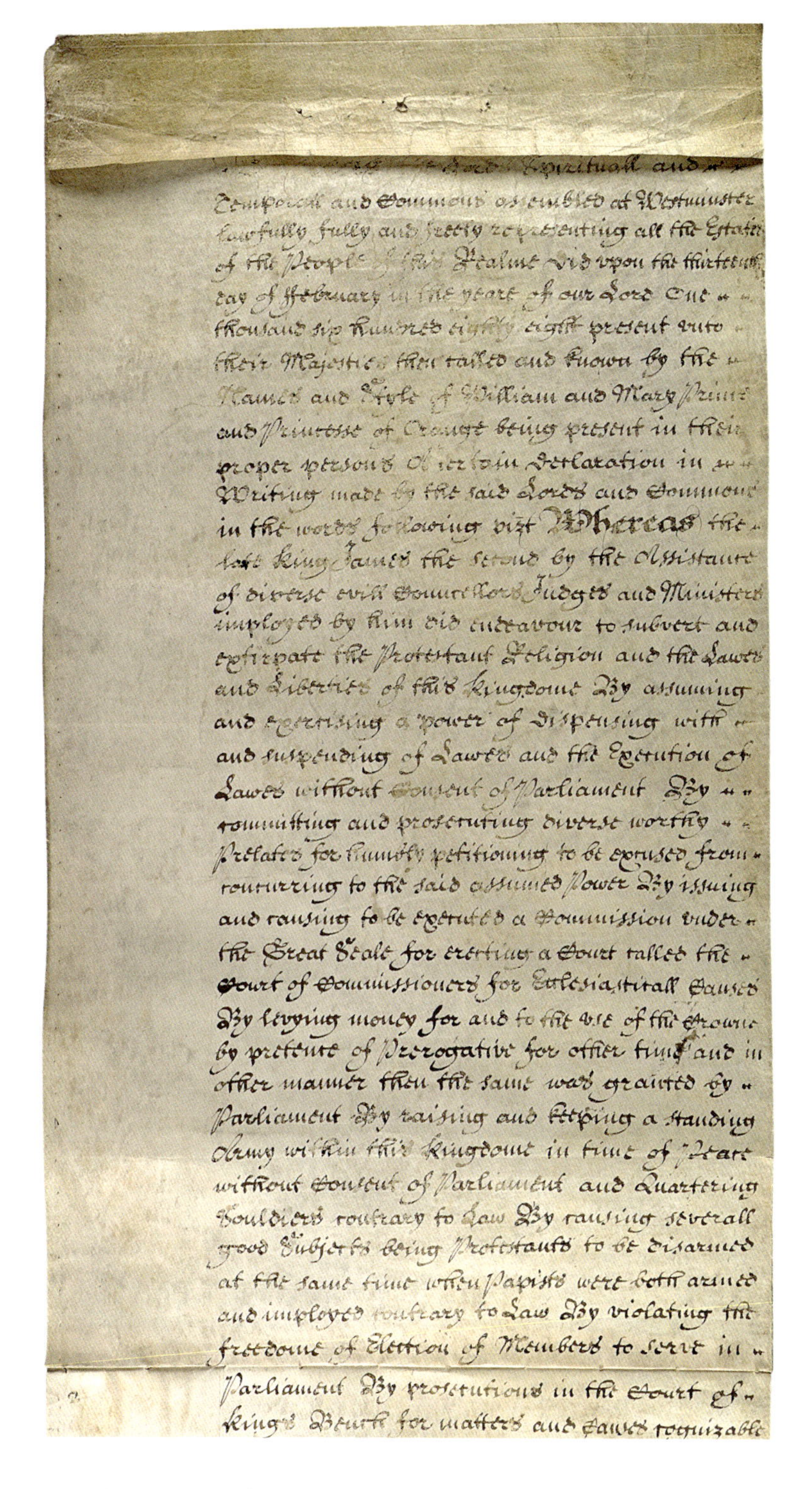
Lords Spirituall and
Temporall and Commons assembled at Westminster
lawfully fully and freely representing all the Estates
of the People of this Realme did upon the thirteenth
day of February in the yeare of our Lord One
thousand six hundred eighty eight present unto
their Majesties then called and known by the
Names and Stile of William and Mary Prince
and Princesse of Orange being present in their
proper persons a certaine Declaration in
Writing made by the said Lords and Commons
in the words following viz Whereas the
late King James the Second by the Assistance
of diverse evill Councellors Judges and Ministers
imployed by him did endeavour to subvert and
extirpate the Protestant Religion and the Lawes
and Liberties of this Kingdome By assuming
and exercising a power of dispensing with
and suspending of Lawes and the Execution of
Lawes without Consent of Parliament By
committing and prosecuting diverse worthy
Prelates for humbly petitioning to be excused from
concurring to the said assumed Power By issuing
and causing to be executed a Commission under
the Great Seale for erecting a Court called the
Court of Commissioners for Ecclesiasticall Causes
By levying money for and to the use of the Crowne
by pretence of Prerogative for other time and in
other manner then the same was granted by
Parliament By raising and keeping a Standing
Army within this Kingdome in time of Peace
without Consent of Parliament and Quartering
Souldiers contrary to Law By causing severall
good Subjects being Protestants to be disarmed
at the same time when Papists were both armed
and imployed contrary to Law By violating the
freedome of Election of Members to serve in
Parliament By prosecutions in the Court of
Kings Bench for matters and causes cognizable

上：羊皮紙に没食子インクで書かれた〈権利の章典〉は「議員特権」を確立した。これによって議会の頻繁な開催、普通選挙、議会内部の言論の自由が可能となった。

サミュエル・ジョンソン『英語辞典』

（1755年）

とある奇矯な天才が8年を費やして膨大かつ革新的な独自の辞書を編纂した。
4万語以上の単語の定義と、それを例示する無数の文例が収録されている。
それまでの歴史上、最も魅力的な英語辞書の宝典である。

18世紀半ばのロンドンで最も学識深い作家や知識人の多くが、サミュエル・ジョンソン（1709－84）を当代随一の知性の持ち主と呼んでいた。アダム・スミス曰く、「ジョンソンは現存する如何なる人間よりも多くの本を知っている」。エドマンド・バークは、もしもジョンソンが議員になれば「史上最高の演説家」になるだろうと考えていた。

財力は慎ましく、常軌を逸した凝り性の人であったジョンソンは、ロンドンの書肆から権威ある英語辞書の編纂を依頼され、そして8年以上に亘って脇目も振らずこの難行苦行に没頭した。数少ない助手の1人はジャマイカ人の元奴隷であるフランシス・バーバーであった。

この辞書に収録された4万2773語の単語には、odontalgick（「歯痛に関する」）のような、通常はほとんど使用されることの無い稀語も含まれており、また示されている定義の幾つかはジョンソンその人と同様に洒落っ気があってユーモラスである。彼の定義によれば、cough（咳）は「何らかの突発的な漿液によって引き起こされる肺の痙攣」であり、lexicographer（辞書編集者）は「辞書の書き手。決まり切った退屈な仕事をあくせくこなす人畜無害な人物であり、常に語源を追い、単語の意味を列挙することに汲々としている」。

もうひとつのジョンソンの喜ばしい発明は、単語の意味を例示するために適切な用例を――11万4000件も――用いていることである。それはシェイクスピアを初めとする500人もの著述家の作品から引用したもので、あらゆる学問領域を網羅しており、異常なまでの博覧強記の賜物と言える。

1755年に出版されたジョンソンの『英語辞典』は裕福な人にしか買えないような値段で、最初の10年に数千部しか売れなかった。だが読者は著者を「イングランド最高の文人」と讃え、彼の大作を当時の「最も偉大な学問的偉業」と呼んだ。後に低価格の縮約版が出て、こちらの方は大いに売れた。1928年に『オクスフォード英語辞典』が完成するまで、ジョンソンの宝典は一般に最高の英語辞書と見做されており、文学研究者は長年に亘り、同書を英語に関する最も影響力のある作品と考えていた。

日記や「英語辞書のための計画」などの草稿を含むジョンソンの手稿は、ハーヴァード大学のヒュートン図書館に所蔵されている。この辞典の初版本はこれまでに最高25万ドルの値が付いた。アレン・レディックは同書の原本について、*The Making of Johnson's Dictionary, 1746-1773* で詳細に記述している。

ジョンソンは他の著作でも知られており、また偉大な評伝の主題ともなった。ジェイムズ・ボズウェルの『サミュエル・ジョンソン伝』（1791）である。

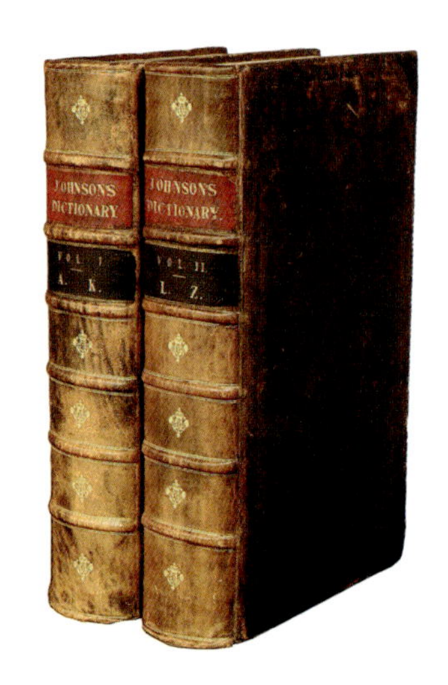

左：膨大な2巻本の大冊。高さ46㎝、重さ9kg。全2300頁。
右：初版の題扉。編纂に8年を要したこの辞書は、英語という言語を支配する法則を安定させようとするジョンソンの試みであった。曰く、英語には「解きほぐすべき難題、統制すべき混乱がある」。

A

DICTIONARY

OF THE

ENGLISH LANGUAGE:

IN WHICH

The WORDS are deduced from their ORIGINALS,

AND

ILLUSTRATED in their DIFFERENT SIGNIFICATIONS

BY

EXAMPLES from the beſt WRITERS.

TO WHICH ARE PREFIXED,

A HISTORY of the LANGUAGE,

AND

AN ENGLISH GRAMMAR.

BY SAMUEL JOHNSON, A. M.

IN TWO VOLUMES.

VOL. I.

Cum tabulis animum cenſoris ſumet honeſti:
Audebit quæcunque parum ſplendoris habebunt,
Et ſine pondere erunt, et honore indigna ferentur.
Verba movere loco; quamvis invita recedant,
Et verſentur adhuc intra penetralia Veſtæ:
Obſcurata diu populo bonus eruet, atque
Proferet in lucem ſpecioſa vocabula rerum,
Quæ priſcis memorata Catonibus atque Cethegis,
Nunc ſitus informis premit et deſerta vetuſtas. HOR.

LONDON,
Printed by W. STRAHAN,
For J. and P. KNAPTON; T. and T. LONGMAN; C. HITCH and L. HAWES;
A. MILLAR; and R. and J. DODSLEY.
MDCCLV.

独立宣言

（1776年）

啓蒙思想の言語で、トーマス・ジェファソンによって1776年6月11日から28日の間に起草された〈独立宣言〉は、自由と被治者の同意の旗の下にアメリカ人を統合することを意図した革命的憲章を発展させたもので、アメリカ東部13州に対するグレイトブリテン王国の政治的支配を正式に解消した。

1775年4月、マサチューセッツで反抗的なアメリカ移住者の集団と英国軍との間の武装闘争が開始された時点では、謀反人たちの表向きの反抗意図はあくまでも、英国の臣民としての自分たちの権利に対する明らかな侵害への抵抗という体であった。だがこの謀反が独立戦争へと進展すると、大陸会議の議員たちはその運動の憲章を作成するためにフィラデルフィアに集結した。1776年6月半ば、正式な独立を宣言するという諸州の決意を説明するための意欲的な政治的宣言を著すという課題が小委員会に課せられた。

ヴァージニア州のトーマス・ジェファソンは博識を以て聞える有能な企画家で、『イギリス領アメリカの権利に関する要約』（1774）及び『武器を取って立ち上がることの大義と必要性の宣言』（1775）の出版によって愛国的大義のために声を上げる雄弁家として名声を博し、後に〈独立宣言〉と呼ばれることになる文書起草の任に当たった。

ジェファソンの草稿は前文、序文、本文（2つの部分に分れる）、結語から成っている。前文は、「一国民が（英国との）政治的紐帯を断つ必要」を宣言し、その「大義の声明」の必要性を説く。この文書の本文は英王権に対する不満を縷々述べる一方、序文にはその最も有名な一節が含まれている——

> われわれは、自明の真理として、すべての人々は平等に創られ、造物主によって、一定の奪いがたい天賦の権利を付与され、その中に生命、自由及び幸福の追求の含まれることを信ずる。また、これらの権利を確保するために人類の間に政府が組織されたこと、そしてその正当な権力は被治者の同意に由来するものであることを信ずる。そして如何なる政治の形体と雖も、もしもこれらの目的を毀損するものとなった場合には、人民はそれを改廃し、新たな政府を組織する権利を有することを信ずる。

大陸会議は7月2日にフィラデルフィアで〈独立宣言〉を採択、7月4日に正式に宣言した。この日はアメリカの独立記念日として祝されている。ひとつの国の人民が、自らの政府を選択する権利を持つことを主張した世界初の公式な声明である〈独立宣言〉は、民主主義の歴史における重要な陸標となった。駆け出しのアメリカ国家の運命におけるその重要性に加えて、それは合衆国の外にまで途方もない影響を及ぼすことになる。中でもフランス革命中のフランスに与えた影響は甚大であった。〈合衆国憲法〉と〈権利章典〉を加えて、〈独立宣言〉は合衆国政府の設立における3大基本文書とされている——中でも、その完全な実現が最も困難なものであると。

In CONGRESS, July 4, 1776.

The unanimous Declaration of the thirteen united States of America,

When in the Course of human events, it becomes necessary for one people to dissolve the political bands which have connected them with another, and to assume among the powers of the earth, the separate and equal station to which the Laws of Nature and of Nature's God entitle them, a decent respect to the opinions of mankind requires that they should declare the causes which impel them to the separation. —— We hold these truths to be self-evident, that all men are created equal, that they are endowed by their Creator with certain unalienable Rights, that among these are Life, Liberty and the pursuit of Happiness. — That to secure these rights, Governments are instituted among Men, deriving their just powers from the consent of the governed, — That whenever any Form of Government becomes destructive of these ends, it is the Right of the People to alter or to abolish it, and to institute new Government, laying its foundation on such principles and organizing its powers in such form, as to them shall seem most likely to effect their Safety and Happiness. Prudence, indeed, will dictate that Governments long established should not be changed for light and transient causes; and accordingly all experience hath shewn, that mankind are more disposed to suffer, while evils are sufferable, than to right themselves by abolishing the forms to which they are accustomed. But when a long train of abuses and usurpations, pursuing invariably the same Object evinces a design to reduce them under absolute Despotism, it is their right, it is their duty, to throw off such Government, and to provide new Guards for their future security. — Such has been the patient sufferance of these Colonies; and such is now the necessity which constrains them to alter their former Systems of Government. The history of the present King of Great Britain is a history of repeated injuries and usurpations, all having in direct object the establishment of an absolute Tyranny over these States. To prove this, let Facts be submitted to a candid world. —— He has refused his Assent to Laws, the most wholesome and necessary for the public good. —— He has forbidden his Governors to pass Laws of immediate and pressing importance, unless suspended in their operation till his Assent should be obtained; and when so suspended, he has utterly neglected to attend to them. —— He has refused to pass other Laws for the accommodation of large districts of people, unless those people would relinquish the right of Representation in the Legislature, a right inestimable to them and formidable to tyrants only. —— He has called together legislative bodies at places unusual, uncomfortable, and distant from the depository of their public Records, for the sole purpose of fatiguing them into compliance with his measures. —— He has dissolved Represtative Houses repeatedly, for opposing with manly firmness his invasions on the rights of the people. —— He has refused for a long time, after such dissolutions, to cause others to be elected; whereby the Legislative powers, incapable of Annihilation, have returned to the People at large for their exercise; the State remaining in the mean time exposed to all the dangers of invasion from without, and convulsions within. —— He has endeavoured to prevent the population of these States; for that purpose obstructing the Laws for Naturalization of Foreigners; refusing to pass others to encourage their migrations hither, and raising the conditions of new Appropriations of Lands. —— He has obstructed the Administration of Justice, by refusing his Assent to Laws for establishing Judiciary powers. —— He has made Judges dependent on his Will alone, for the tenure of their offices, and the amount and payment of their salaries. —— He has erected a multitude of New Offices, and sent hither swarms of Officers to harrass our people, and eat out their substance. —— He has kept among us, in times of peace, Standing Armies without the Consent of our legislatures. —— He has affected to render the Military independent of and superior to the Civil power. —— He has combined with others to subject us to a jurisdiction foreign to our constitution, and unacknowledged by our laws; giving his Assent to their Acts of pretended Legislation: — For Quartering large bodies of armed troops among us: — For protecting them, by a mock Trial, from punishment for any Murders which they should commit on the Inhabitants of these States: — For cutting off our Trade with all parts of the world: — For imposing Taxes on us without our Consent: — For depriving us in many cases, of the benefits of Trial by Jury: — For transporting us beyond Seas to be tried for pretended offences — For abolishing the free System of English Laws in a neighbouring Province, establishing therein an Arbitrary government, and enlarging its Boundaries so as to render it at once an example and fit instrument for introducing the same absolute rule into these Colonies: — For taking away our Charters, abolishing our most valuable Laws, and altering fundamentally the Forms of our Governments: — For suspending our own Legislatures, and declaring themselves invested with power to legislate for us in all cases whatsoever. — He has abdicated Government here, by declaring us out of his Protection and waging War against us. — He has plundered our seas, ravaged our Coasts, burnt our towns, and destroyed the lives of our people. — He is at this time transporting large Armies of foreign Mercenaries to compleat the works of death, desolation and tyranny, already begun with circumstances of Cruelty & perfidy scarcely paralleled in the most barbarous ages, and totally unworthy the Head of a civilized nation. — He has constrained our fellow Citizens taken Captive on the high Seas to bear Arms against their Country, to become the executioners of their friends and Brethren, or to fall themselves by their Hands. — He has excited domestic insurrections amongst us, and has endeavoured to bring on the inhabitants of our frontiers, the merciless Indian Savages, whose known rule of warfare, is an undistinguished destruction of all ages, sexes and conditions. In every stage of these Oppressions We have Petitioned for Redress in the most humble terms: Our repeated Petitions have been answered only by repeated injury. A Prince, whose character is thus marked by every act which may define a Tyrant, is unfit to be the ruler of a free people. Nor have We been wanting in attentions to our Brittish brethren. We have warned them from time to time of attempts by their legislature to extend an unwarrantable jurisdiction over us. We have reminded them of the circumstances of our emigration and settlement here. We have appealed to their native justice and magnanimity, and we have conjured them by the ties of our common kindred to disavow these usurpations, which, would inevitably interrupt our connections and correspondence. They too have been deaf to the voice of justice and of consanguinity. We must, therefore, acquiesce in the necessity, which denounces our Separation, and hold them, as we hold the rest of mankind, Enemies in War, in Peace Friends.

We, therefore, the Representatives of the united States of America, in General Congress, Assembled, appealing to the Supreme Judge of the world for the rectitude of our intentions, do, in the Name, and by Authority of the good People of these Colonies, solemnly publish and declare, That these United Colonies are, and of Right ought to be Free and Independent States; that they are Absolved from all Allegiance to the British Crown, and that all political connection between them and the State of Great Britain, is and ought to be totally dissolved; and that as Free and Independent States, they have full Power to levy War, conclude Peace, contract Alliances, establish Commerce, and to do all other Acts and Things which Independent States may of right do. —— And for the support of this Declaration, with a firm reliance on the protection of divine Providence, we mutually pledge to each other our Lives, our Fortunes and our sacred Honor.

Button Gwinnett
Lyman Hall
Geo Walton.

Wm Hooper
Joseph Hewes,
John Penn

Edward Rutledge 1.

Thos Heyward Junr.
Thomas Lynch Junr.
Arthur Middleton

John Hancock

Samuel Chase
Wm. Paca
Thos. Stone
Charles Carroll of Carrollton

George Wythe
Richard Henry Lee
Th Jefferson
Benja Harrison
Thos Nelson jr.
Francis Lightfoot Lee
Carter Braxton

Robt Morris
Benjamin Rush
Benja. Franklin
John Morton
Geo Clymer
Jas. Smith
Geo. Taylor
James Wilson
Geo. Ross

Caesar Rodney
Geo Read
Tho M:Kean

Wm Floyd
Phil. Livingston
Frans. Lewis
Lewis Morris

Richd Stockton
Jno Witherspoon
Fras. Hopkinson
John Hart
Abra Clark

Josiah Bartlett
Wm Whipple
Saml Adams
John Adams
Robt Treat Paine
Elbridge Gerry
Step. Hopkins
William Ellery
Roger Sherman
Saml Huntington
Wm Williams
Oliver Wolcott
Matthew Thornton

W. J. STONE SC. WASHN

上：〈独立宣言〉の署名の中でも最も有名なものは、大陸会議議長ジョン・ハンコックのそれである。ハンコックの派手派手しい署名は一種のイコンとなり、「ジョン・ハンコック」という言葉は合衆国の口語において、「署名」の同義語となった。

『国富論』

(1776年)

初期産業革命の経済的・社会的影響を研究したスコットランドの政治経済学者にして倫理哲学者のアダム・スミスは、富の性質と原因に関する革命的な新理論を提唱した——
もしも人民が政府の干渉なしに自らを向上させることを許されさえすれば、誰もが利益を得ることになると。

18世紀後半、英国を含むヨーロッパを席捲していた主要な政治経済理論は商業主義であった。それによれば、国富は国境内に留まっている金塊と商品の量に由来している。商業主義体制には必然的に、富を生む植民他と強力な商船団の設立と国家に好ましい貿易収支をもたらす有用な国内産業の発達が伴う。そこで、競合する他国を凌ぐ力を得るために国家の経済を政府が相当程度規制することが必要となる。

だが1776年、スコットランドの倫理哲学者アダム・スミス(1723－90)は政治経済に対する新理論を提唱し、国富の定義をこれまでとは異なる、労働に基づく基準へと変えた。出版社に送る前に15年も掛けてその原稿を彫心鏤骨(ちょうしんるこつ)した末に、スミスの900頁に及ぶ大作『諸国民の富の性質と原因の研究』は1776年3月9日に世に出た。時はまさに巨大な社会的・政治的動乱の時期——啓蒙思想の酣(たけなわ)、産業革命の端緒、そしてアメリカ独立の爆発——であり、政治経済に対する彼の新たな、そして体系的な分析は、この死活的な瞬間において、近代資本主義と経済の萌芽を告げていた。

商業主義の理論とは対照的に、スミスは自由貿易こそが生産活動に対してより多くの富を創出する機会を提供することで国富を増大させると論じた。一般大衆にとっての向上の鍵とは労働の分担等の手段による生産活動、生産性、労働力の増大である、と彼は言う。自己利益を追求する活動は非道徳的であるというような伝統的なキリスト教の教義と袂を分かったスミスは断ずる、「人間の自己利益は神の摂理である」。もしも政府が自由競争への干渉を控えさえするならば、と彼は説く、市場価格は生産問題を解決し、最大効率が達成され、富は増加するであろうと。

スミスの文書はすなわち資本主義の宣言であるが、それに対する批判が全くないわけではない。「わが商人たちや製造業者たちは、高い賃銀が価格を引き上げる点で悪効果をもたらし、そのために自分たちの財貨の売れ行きが国の内外で減ってくる、と不平を鳴らしている」と彼は言う、「しかも彼らは、高い利潤の悪効果については、黙して語らないのである。彼らは、自分たちの利得の有害な高価については沈黙を守り、ただ、他人の利得についてだけ不平を言うのである」。

『国富論』はスミスの存命中に5版を重ね、彼は富と名声を得た。彼は常にその原稿を手許に置き、他の何よりも大事にしていた。だがその遺言により、原稿は1790年の彼の死に際して焼かれた——彼の理論に一致する自己利益の行為である。

同書ほどの影響力を持ち得た経済学書は数えるほどしかない。アレクサンダー・ハミルトン、デイヴィッド・リカード、トーマス・マルサスはいずれも自らの思想を研磨した主要な著作として同書を挙げている。マーガレット・サッチャーは常にハンドバッグの中に同書を忍ばせていた。同書とその理論は今もなお、常に賞賛と批判の的となっている。

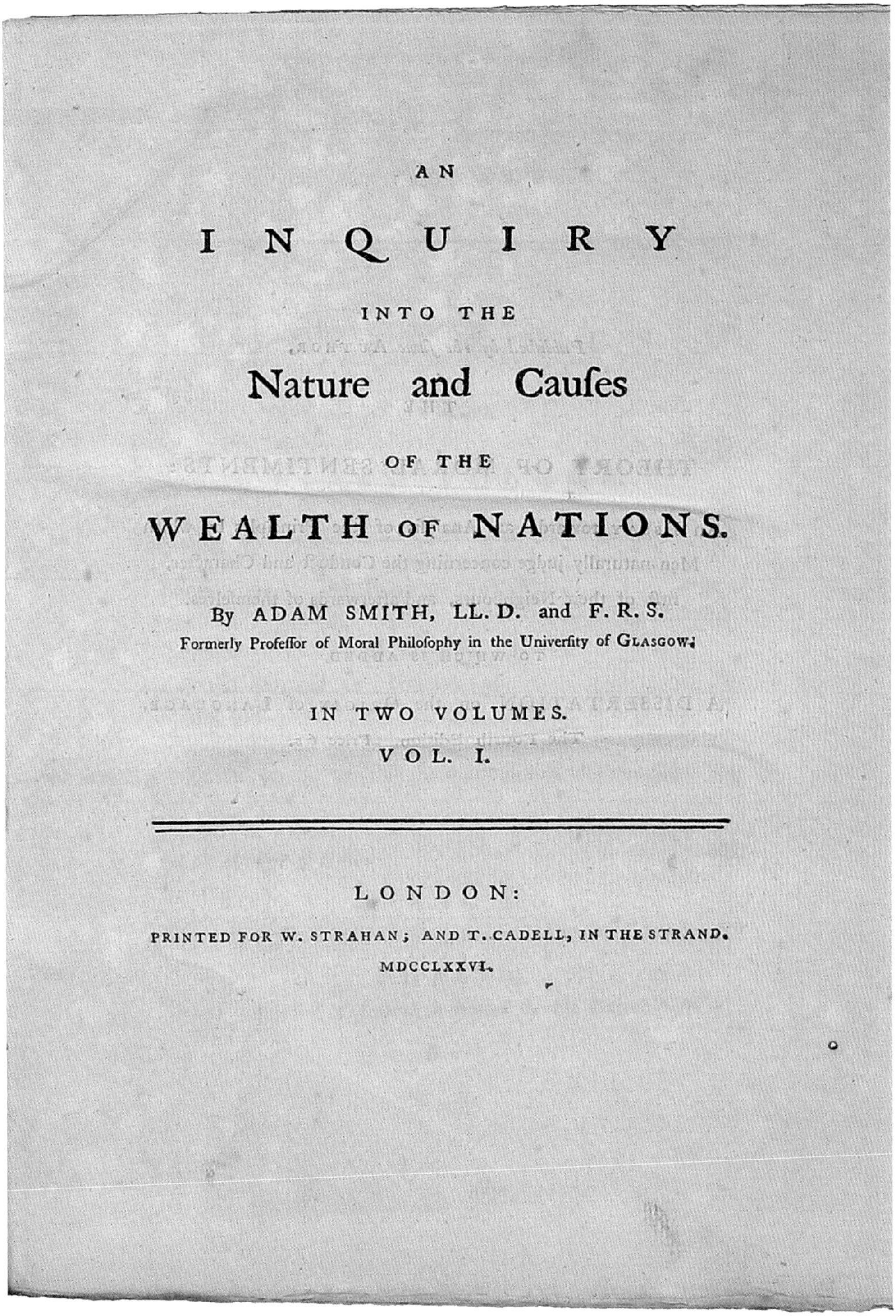

AN

INQUIRY

INTO THE

Nature and Cauſes

OF THE

WEALTH OF NATIONS.

By ADAM SMITH, LL.D. and F.R.S.

Formerly Profeſſor of Moral Philoſophy in the Univerſity of GLASGOW.

IN TWO VOLUMES.

VOL. I.

LONDON:

PRINTED FOR W. STRAHAN; AND T. CADELL, IN THE STRAND.

MDCCLXXVI.

左：自らの大作に手を置くアダム・スミス。初版は6ヶ月で売り切れた。
上：『国富論』。近代経済学の父としての著者の名声を決定づけた。初版本は現在、10万ドルで取引されている。

合衆国憲法
（1787年）

5ヶ月に及ぶ議論の末、フィラデルフィアの独立記念館で開催された連邦議会は、
55名の出席議員の内39名の署名の入った4頁の羊皮紙文書を採択した。
この新政府の施政方針を表明する〈合衆国憲法〉は、次のように始まっている。「われら人民は……」。

合衆国の歴史における最も重要な文書であり、世界を変えた主要な法政治的文書のひとつは、1787年9月17日に署名された。アメリカ独立戦争を終結させたパリ条約の4年後である。署名者の中には元来の東部13州（ロードアイランド州を除く）の代表者全員と、この会議の無力な書記官ウィリアム・ジャクソンもいた。彼はこの文書の権威を証言し、40番目の署名者となった。〈合衆国の憲法〉と題されたこの文書の目的は、各州を代表する適切な連邦政府を記述することであった。

フィラデルフィアで開かれた憲法制定会議の参加者たちは長々とした議論の末に、既存の〈連合規約〉の修整だけでは新たな国家には不十分であり、全く一から最高法規の新たな体系を構築する必要があるとの結論に達した。

その結果、出来上がった文書は全7条から成っていた。初めの3条は三権分立の原則を述べている。すなわち政府が行使する3つの権力――行政、立法、司法――である。4条から6条は連邦主義の概念と、中央政体との関係における各州の権利と責任を述べる。そして7条は憲法の批准手続きを確立している。

この憲法の施行以来、既に27条の修正条項が追加されている。その最初の10条は〈権利章典〉と呼ばれるもので、1791年に制定され、個人の自由と正義に関する特別の保護を規定し、政府の権力に制限を加えている。それ以外のほとんどは新しい公民権を定めたもので、奴隷状態から解放される権利や女性投票権などである。裁判所もまた憲法解釈の巨大かつ常に変わり続ける主体を成し、それはさらにこの文書の意味に追加され、それを合衆国が機能し続けるための「生きた文書」にしている（裁判官の中には、それを生命無きものに保ちたいとする者もいる――何世紀も前の元来の意味に凍結させるべきとする者である）。〈合衆国憲法〉は世界中の他の憲法や宣言の発展にも影響を及ぼしている。

とはいえ、国家の基本文書としての重要性にも関わらず、羊皮紙の原本は数年に亘って行方不明となり、とある出版社が1846年にようやくその所在を突き止めた。幸いな事に、1812年の米英戦争で英国がワシントンを焼き討ちした際にも破壊を免れた。1883年にはまた別の研究家が、〈国務・陸軍・海軍ビル〉の物置の床に転がっていた小さなブリキの箱の中にこの羊皮紙が丸めて突っ込まれているのを発見した。それは最終的に〈独立宣言〉と共に議会図書館に収められ、後にフォートノックスに移された。

1952年以来、この文書（別名〈自由憲章〉とも呼ばれる年）はワシントンＤＣの国立公文書館に展示されている。陳列ケース内には不活性ヘリウムガスが充填され、最適の温度、照明、湿度が保たれている。

We the People of the United States, in Order to form a more perfect Union, establish Justice, insure domestic Tranquility, provide for the common defence, promote the general Welfare, and secure the Blessings of Liberty to ourselves and our Posterity, do ordain and establish this Constitution for the United States of America.

Article. I.

Section. 1. All legislative Powers herein granted shall be vested in a Congress of the United States, which shall consist of a Senate and House of Representatives.

Section. 2. The House of Representatives shall be composed of Members chosen every second Year by the People of the several States, and the Electors in each State shall have the Qualifications requisite for Electors of the most numerous Branch of the State Legislature.

No Person shall be a Representative who shall not have attained to the Age of twenty five Years, and been seven Years a Citizen of the United States, and who shall not, when elected, be an Inhabitant of that State in which he shall be chosen.

Representatives and direct Taxes shall be apportioned among the several States which may be included within this Union, according to their respective Numbers, which shall be determined by adding to the whole Number of free Persons, including those bound to Service for a Term of Years, and excluding Indians not taxed, three fifths of all other Persons. The actual Enumeration shall be made within three Years after the first Meeting of the Congress of the United States, and within every subsequent Term of ten Years, in such Manner as they shall by Law direct. The Number of Representatives shall not exceed one for every thirty Thousand, but each State shall have at Least one Representative; and until such enumeration shall be made, the State of New Hampshire shall be entitled to chuse three, Massachusetts eight, Rhode Island and Providence Plantations one, Connecticut five, New York six, New Jersey four, Pennsylvania eight, Delaware one, Maryland six, Virginia ten, North Carolina five, South Carolina five, and Georgia three.

When vacancies happen in the Representation from any State, the Executive Authority thereof shall issue Writs of Election to fill such Vacancies.

The House of Representatives shall chuse their Speaker and other Officers; and shall have the sole Power of Impeachment.

Section. 3. The Senate of the United States shall be composed of two Senators from each State, chosen by the Legislature thereof, for six Years; and each Senator shall have one Vote.

Immediately after they shall be assembled in Consequence of the first Election, they shall be divided as equally as may be into three Classes. The Seats of the Senators of the first Class shall be vacated at the Expiration of the second Year, of the second Class at the Expiration of the fourth Year, and of the third Class at the Expiration of the sixth Year, so that one third may be chosen every second Year; and if Vacancies happen by Resignation, or otherwise, during the Recess of the Legislature of any State, the Executive thereof may make temporary Appointments until the next Meeting of the Legislature, which shall then fill such Vacancies.

No Person shall be a Senator who shall not have attained to the Age of thirty Years, and been nine Years a Citizen of the United States, and who shall not, when elected, be an Inhabitant of that State for which he shall be chosen.

The Vice President of the United States shall be President of the Senate, but shall have no Vote, unless they be equally divided.

The Senate shall chuse their other Officers, and also a President pro tempore, in the Absence of the Vice President, or when he shall exercise the Office of President of the United States.

The Senate shall have the sole Power to try all Impeachments. When sitting for that Purpose, they shall be on Oath or Affirmation. When the President of the United States is tried, the Chief Justice shall preside: And no Person shall be convicted without the Concurrence of two thirds of the Members present.

Judgment in Cases of Impeachment shall not extend further than to removal from Office, and disqualification to hold and enjoy any Office of honor, Trust or Profit under the United States: but the Party convicted shall nevertheless be liable and subject to Indictment, Trial, Judgment and Punishment, according to Law.

Section. 4. The Times, Places and Manner of holding Elections for Senators and Representatives, shall be prescribed in each State by the Legislature thereof; but the Congress may at any time by Law make or alter such Regulations, except as to the Places of chusing Senators.

The Congress shall assemble at least once in every Year, and such Meeting shall be on the first Monday in December, unless they shall by Law appoint a different Day.

Section. 5. Each House shall be the Judge of the Elections, Returns and Qualifications of its own Members, and a Majority of each shall constitute a Quorum to do Business; but a smaller Number may adjourn from day to day, and may be authorized to compel the Attendance of absent Members, in such Manner, and under such Penalties as each House may provide.

Each House may determine the Rules of its Proceedings, punish its Members for disorderly Behaviour, and, with the Concurrence of two thirds, expel a Member.

Each House shall keep a Journal of its Proceedings, and from time to time publish the same, excepting such Parts as may in their Judgment require Secrecy; and the Yeas and Nays of the Members of either House on any question shall, at the Desire of one fifth of those Present, be entered on the Journal.

Neither House, during the Session of Congress, shall, without the Consent of the other, adjourn for more than three days, nor to any other Place than that in which the two Houses shall be sitting.

Section. 6. The Senators and Representatives shall receive a Compensation for their Services, to be ascertained by Law, and paid out of the Treasury of the United States. They shall in all Cases, except Treason, Felony and Breach of the Peace, be privileged from Arrest during their Attendance at the Session of their respective Houses, and in going to and returning from the same; and for any Speech or Debate in either House, they shall not be questioned in any other Place.

No Senator or Representative shall, during the Time for which he was elected, be appointed to any civil Office under the Authority of the United States, which shall have been created, or the Emoluments whereof shall have been encreased during such time; and no Person holding any Office under the United States, shall be a Member of either House during his Continuance in Office.

Section. 7. All Bills for raising Revenue shall originate in the House of Representatives; but the Senate may propose or concur with Amendments as on other Bills.

Every Bill which shall have passed the House of Representatives and the Senate, shall, before it become a Law, be presented to the President of the

上：ペンシルヴェニア州議会の書記補ジェイコブ・シャラスは30ドルの報酬を受けて4543語に上るこの文書を「正式な書体で文字に記した」。

人間と市民の権利の宣言

（1789年）

アメリカ独立に刺戟を受け、ラファイエット将軍の率いる一群のフランス貴族が、
自由、所有、安全、及び圧制への抵抗を旨とする政治的マニフェストを書いた。
フランス革命の基盤となったテキストである。

1789年7月11日、パリは国王ルイ16世に対する武装叛乱勃発の瀬戸際にあった。アメリカ独立戦争に参加したフランス軍司令官である将軍ド・ラファイエット侯爵（1757－1834）は短い手書きの文書を新しい「国民議会」に持ち込んだ。彼は数人のフランス人と、親友である駐仏アメリカ大使トーマス・ジェファソンの助けを得てそれを書上げていた。

ジェファソンは〈独立宣言〉の主要執筆者であるのみならず、昔から〈合衆国憲法〉のための「権利章典」を唱道していた――その努力は今や実を結びつつあった、というのもジェイムズ・マディソンがその条項の幾つかを6月8日にニューヨークでお披露目していたからである。ジェファソンとラファイエットは、ジェファソンがパリにいた時にフランスのための同様の選択肢について話し合っていたのである。

フランスの〈人間と市民の権利の宣言〉はルソー及びモンテスキューの概念の多くを体現している。そしてアメリカの〈独立宣言〉及び〈憲法〉と同様、「人の譲りわたすことのできない神聖な自然的権利」と市民が拠って立つこのとできる「簡潔で争いの余地のない原理」を規定する。

全17条の第1条が「人は、自由、かつ、権利において平等なものとして生まれ、生存する」との教義である。この文書は「社会的差別は、共同の利益に基づくものでなければ、設けられない」「すべての政治的結合の目的は、人の、時効によって消滅することのない自然的な諸権利の保全にある」と宣言する。そしてこれらの諸権利とは「自由、所有、安全および圧制への抵抗である」。主権は個人にではなく、国民に存する。「自由とは、他人を害しないすべてのことをなしうることにある」、そして法律は「社会に有害な行為しか禁止する権利をもたない」。「法律は、一般意思の表明であ」り、全ての市民は政治に参加する力を持つ。恣意的な逮捕や投獄は非合法である。容疑者は有罪を宣告されるまでは推定無罪とされる。人はその意見や宗教観によって処罰されることはない。「すべての市民は、法律によって定められた場合にその自由の濫用について責任を負うほかは、自由に、話し、書き、印刷することができる」。政府の支出は平等に分担せねばならない。市民は全ての官吏に対して行政について報告を求める権利を持つ。法の支配と権力の分立はいずれも死活的に重要である。そして所有は、「神聖かつ不可侵の権利」と定められている。

この宣言は1789年8月26日に「国民議会」によって採択され、革命時のフランスにおける基本文書にして、新憲法のための第一歩となった。手書きの原本はルーヴルに保管されている。

右：〈人権宣言〉を描いたジャン=ジャック・フランソワ・ル・バルビエの1789年の絵画。この文書の最も幅広く複製された版である。

DÉCLARATION
DES DROITS DE L'HOMME
ET DU CITOYEN,
Décretés par l'Assemblée Nationale dans les séances des 20, 21
23, 24 et 26 aoust 1789, acceptés par le Roi
PRÉAMBULE
LES représantans du peuple Francois, constitués en assemblée nationale, considérant que l'ignorance, l'oubli ou le mépris des droits de lhomme sont les seules causes des malheurs publics et de la corruption des gouvernemens ont résolu d'exposer, dans une déclaration solemnelle, les droits naturels, inaliénables et sacrés de lhomme: afin que cette déclaration constamment présente a tous les membres du corps social, leur rappelle sans cesse leurs droits et leurs devoirs, afin que les actes du pouvoir legislatif et ceux du pouvoir exécutif, pouvant être a chaque instant comparés avec le but de toute institution politique, en soient plus respectés; afin que les reclamations des citoyens, fondées désormais sur des principes simples et incontestables, tournent toujours au maintien de la constitution et du bonheur de tous.
EN conséquence, l'assemblée nationale reconnoit et déclare en presence et sous les auspices de l'Etre suprême les droits suivans de l'homme et du citoyen.
ARTICLE PREMIER
LES hommes naissent et demeurent libres et égaux en droits; les distinctions sociales ne peuvent être fondées que sur l'utilité commune.
II.
LE but de toute association politique est la conservation des droits naturels et inprescriptibles de l'homme; ces droits sont la liberté, la propriete, la sureté, et la résistance à l'oppression
III
LE principe de toute souveraineté réside essentiellement dans la nation, nul corps, nul individu ne peut exercer d'autorité qui n'en emane expressement.
IV
LA liberté consiste a pouvoir faire tout ce qui ne nuit pas à autrui Ainsi, l'exercice des droits naturels de chaque homme, n'a de bornes que celles qui assurent aux autres membres de la société la jouissance de ces mêmes droits; ces bornes ne peuvent être déterminées que par la loi
V.
LA loi n'a le droit de défendre que les actions nuisibles a la société, Tout ce qui n'est pas défendu par la loi ne peut être empêché, et nul ne peut être contraint à faire ce qu'elle n'ordonne pas.
VI.
LA loi est l'expression de la volonté générale; tous les citoyens ont droit de concourir personnellement, ou par leurs représentans, à sa formation; elle doit être la même pour tous, soit qu'elle protege, soit qu'elle punisse, Tous les citoyens étant égaux a ses yeux, sont également admissibles a toutes dignités, places et emplois publics, selon leur capacité, et sans autres distinction que celles de leurs vertus et de leurs talens
VII.
NUL homme ne peut être accusé, arreté, ni détenu que dans les cas déterminés par la loi, et selon les formes qu'elle a prescrites, ceux qui sollicitent, expédient, exécutent ou font exécuter des ordres arbitraires, doivent être punis; mais tout citoyen appelé ou saisi en vertu de la loi, doit obéir a l'instant, il se rend coupable par la résistance.
VIII.
LA loi ne doit établir que des peines strictement et évidemment nécessaire, et nul ne peut être puni qu'en vertu d'une loi établie et promulguée antérierement au délit, et légalement appliquée.
IX.
TOUT homme étant présumé innocent jusqu'à ce qu'il ait été déclaré coupable, s'il est jugé indispensable de l'arrêter, toute rigueur qui ne serait pas nécessaire pour s'assurer de sa personne doit être sévérement réprimée par la loi.
X.
NUL ne doit être inquiété pour ses opinions, mêmes religieuses pourvu que leur manifestation ne trouble pas l'ordre public établi par la loi.
XI.
LA libre communication des pensées et des opinions est un des droits les plus precieux de l'homme; tout citoyen peut dont parler écrire, imprimer librement; sauf à répondre de l'abus de cette liberté dans les cas déterminés par la loi.
XII.
LA garantie des droits de l'homme et du citoyen nécessite une force publique; cette force est donc instituée pour l'avantage de tous, et non pour l'utilité particuliere de ceux a qui elle est confiée.
XIII.
POUR l'entretien de la force publique, et pour les dépenses d'administration, une contribution commune est indispensable; elle doit être également répartie entre les citoyens en raison de leurs facultées
XIV.
LES citoyens ont le droit de constater par eux même ou par leurs représentans, la nécessité de la contribution publique, de la consentir librement, d'en suivre l'emploi, et d'en déterminer la quotité, l'assiette, le recouvrement et la durée.
XV.
LA société a le droit de demander compte a tout agent public de son administration.
XVI.
TOUTE société, dans laquelle la garantie des droits n'est pas assurée, ni les séparation des pouvoirs déterminée, n'a point de constitution
XVII.
LES proprietés étant un droit inviolable et sacré,
peut en être privé, si ce n'est lorsque la nécessité publique, légalement constatée, l'exige evidemment, et sous la condition d'une juste et préalable indemnité.
AUX REPRESENTANS DU PEUPLE FRANCOIS

女性と女市民の権利宣言

(1791年)

フランスの高邁な〈人間と市民の権利の宣言〉と新憲法は
いずれも女性の権利を無視していると憤慨した勇気ある女権作家にして活動家が、
平等な取り扱いを求める自らの過激な宣言を出した。革命政府はどのように応えたのか?

フランスの「国民議会」が女権論者の要求にも関わらず、市民的・政治的平等を女性にまでは拡張しえなかったのを見て、女優にして劇作家・小冊子出版者であるオランプ・ド・グージュ(1748－93)は、さらに主張を強めていかねばならぬと決意した。

フランス南西部の小市民の家に生まれ、後に未亡人となったド・グージュはとある裕福な男と恋愛関係となり、この人物から奴隷制反対を初めとする危険な政治的主張のための活動の支援を受けた。これによって彼女は多くの政治的小冊子や社会問題を扱う戯曲などを執筆することが可能となり、それによって万人のための人権を唱道した。

フランス革命及びフランス社会において女性が果してきた重要な役割からして、ド・グージュは革命政府の、男のみからなる体制が女性の権利に背を向けていることに失望した。彼女を初めとする女権論者は、投票権、婚姻における両性の平等、虐待された女性の離婚権等の火急の問題について行動を起したいと願った。

そこで1791年、ド・グージュは危険を顧みず、簡明な声明〈女性と女市民の権利宣言〉を出版し、男たちが割愛したことを宣言した。のみならず、「国民議会」に対して、直ちに自分の宣言を法制化せよと要求した。ド・グージュの辛辣な主張は神聖にして侵すべからざる〈人間と市民の権利の宣言〉を捩(もじ)ったもので、同じような啓蒙思想の論証を用いて革命政府の女性に対する旧態依然たる不平等な待遇を暴露する——当時の危険な状況からすれば、異常なまでに大胆な行動である。

その痛烈な序文において、ド・グージュはフランスの不幸と腐敗の原因を、女性とその権利に対する抑圧に求める。先の宣言と同様の体裁で、彼女は権利の一覧をひとつひとつ検討し、その言語を性的に平等なものに変えていく。

たとえば第1条は、こう宣言する——「女は、自由なものとして生まれ、権利において男と平等である」。第6条はこう規定する——「女を含むすべての市民は、法律の前に平等であるから、その能力にしたがって、かつ、その徳行と才能以外の差別なしに、等しく、すべての位階、地位および公職に就くことができる」。

煽動的な後記において、ド・グージュは女性たちに呼びかける、目覚めよ、そして貴女方もまた〈人間と市民の権利の宣言〉で述べられた権利を持つと悟れと。「女はフランス革命から何を得たか」と彼女は問う、「この革命は、全ての女が自らの嘆かわしい状況を、そして社会において奪われた権利を十全に認識して初めて奏功するのだ」。

彼女の要求とは裏腹に、「国民議会」は直ちに彼女の勇気ある宣言を法制化することはなかった。それどころか、「恐怖時代」の下でオランプ・ド・グージュは「不自然な女」として有罪を宣告され、1793年11月に断頭台へ送られた。彼女が提唱した権利は1946年、〈フランス第4共和制憲法〉においてようやく許された。

右:オランプ・ド・グージュの女権の声明は、1789年の〈人権宣言〉に基づいている。彼女はフランス革命の不平等な女性の扱いに異議を唱え、〈人権宣言〉に正面から取組んで、その言語を男女平等なものにした。「男よ」と彼女は問う、「あなたは正義たり得るのか?」。

lumières et de sagacité, dans l'ignorance la plus crasse, il veut commander en despote sur un sexe qui a reçu toutes les facultés intellectuelles; il prétend jouir de la révolution, et réclamer ses droits à l'égalité, pour ne rien dire de plus.

DÉCLARATION DES DROITS DE LA FEMME ET DE LA CITOYENNE,

A décréter par l'Assemblée nationale dans ses dernières séances ou dans celle de la prochaine législature.

PRÉAMBULE.

Les mères, les filles, les soeurs, représentantes de la nation, demandent d'être constituées en assemblée nationale. Considérant que l'ignorance, l'oubli ou le mépris des droits de la femme, sont les seules causes des malheurs publics et de la corruption des gouvernemens, ont résolu d'exposer dans une déclaration solemnelle, les droits naturels, inaliénables et sacrés de la femme, afin que cette déclaration, constamment présente à tous les membres du corps social, leur rappelle sans cesse leurs droits et leurs devoirs, afin que les actes du pouvoir des

femmes, et ceux du pouvoir des hommes pouvant être à chaque instant comparés avec le but de toute institution politique, en soient plus respectés, afin que les réclamations des citoyennes, fondées désormais sur des principes simples et incontestables, tournent toujours au maintien de la constitution, des bonnes moeurs, et au bonheur de tous.

En conséquence, le sexe supérieur en beauté comme en courage, dans les souffrances maternelles, reconnaît et déclare, en présence et sous les auspices de l'Etre suprême, les Droits suivans de la Femme et de la Citoyenne.

ARTICLE PREMIER.

La Femme naît libre et demeure égale à l'homme en droits. Les distinctions sociales ne peuvent être fondées que sur l'utilité commune.

I I.

Le but de toute association politique est la conservation des droits naturels et imprescriptibles de la Femme et de l'Homme: ces droits sont la liberté, la propriété, la sûreté, et sur-tout la résistance à l'oppression.

I I I.

Le principe de toute souveraineté réside

A 4

ルイジアナ買収

（1803年）

偶然の幸運により、幼い合衆国はナポレオンから北アメリカにある広大なフランス植民地を
破格の値段で買い取ることでその国土を2倍にできる状況にあった――
だがジェファソン大統領の前代未聞の購買文書は、最高裁と議会を説得することができるのか？

1801年の就任後間もなくの頃、新大統領トーマス・ジェファソンが直面した国家安全保障と貿易に関する大問題のひとつが、ミシシッピ川流域、特にニューオリンズ港の戦略的重要性であった――当時、そこは合衆国ではなく、フランスの植民地だったのだ。

ナポレオンが密かに北アメリカにおけるフランス植民地帝国の復活を目論んでいることを知ったジェファソンは、その地域を巡る将来的な紛争は何としてでも避けねばならぬと願った。特に、アメリカの生得の友邦にして同盟国でもあるフランスが絡むとあらば、尚更である。

そこで彼はパリの駐仏公使ロバート・リヴィングストンに命じて、ミシシッピ川下流の広大な領域の買収を交渉し、もしそれが駄目ならアメリカの航行の自由と物資貯蔵権に関する不可逆的保証をフランスから受け取るようにと命じた。ジェファソンはまた友人であるジェイムズ・モンローを全権公使としてフランスへ派遣し、ニューオリンズと西フロリダを200万ドルから1000万ドルで買収する交渉に当たらせた。

フランスに到着したモンローは、ナポレオン――ハイチの血みどろの奴隷反乱における敗北に茫然とし、来たるべき英国との戦争を予期していた――が既に北アメリカ帝国の野望を抛棄し、他の必要に備えて資金を獲得することを優先しているということを知った。交渉が開始されると、アメリカ側は驚倒した。合衆国はフランス領ルイジアナ全域に対して幾ら支払う用意があるか、とフランス側の方から訊ねてきたからだ。

直ぐさま合意が成立した。〈譲渡協定〉から〈ルイジアナ買収合意書〉と呼ばれる正式な文書が作成され、2度の会議が設けられて、この取引の経済的側面が論じられた。協定は1803年4月30日にパリで、フランスの市民フランソワ・バルベ・マルボワとリヴィングストン及びモンローによって調印された。

ニューオリンズ港と両フロリダに1000万ドルを支払う代わりに、合衆国はミシシッピ川から西へロッキー山脈にまで広がる82万8000平方マイル以上の莫大な土地を、1500万ドルで収得することとなった。この地域は西ヨーロッパの大部分よりも大きく、事実上、この国の領土を2倍にした。それも1エーカー当り僅か4セントの値段で。

この取引の文言が海路ワシントンに到着するまで数週間掛り、7月4日にようやくこの措置は発表された。

新たな国の憲法にはこのような買収に関する条項は無かったため、ルイジアナ買収条約は慎重に吟味の上で、最終的に最高裁判所長官のジョン・マーシャルによって是認され、上院の承認を受けた。下院もまたその歳出を承認し、遂にアメリカ史上最大の非暴力的領土獲得が決裁された。

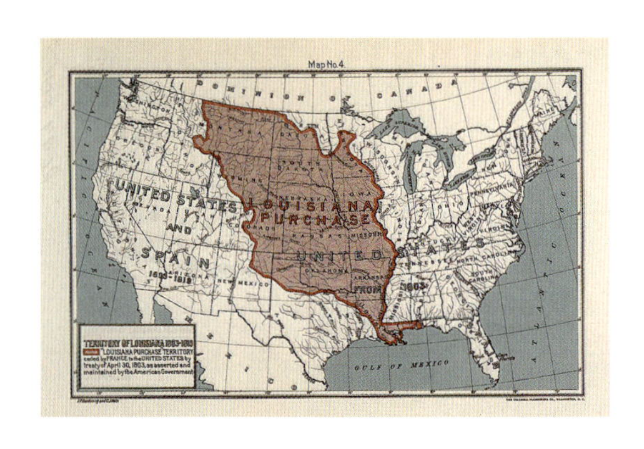

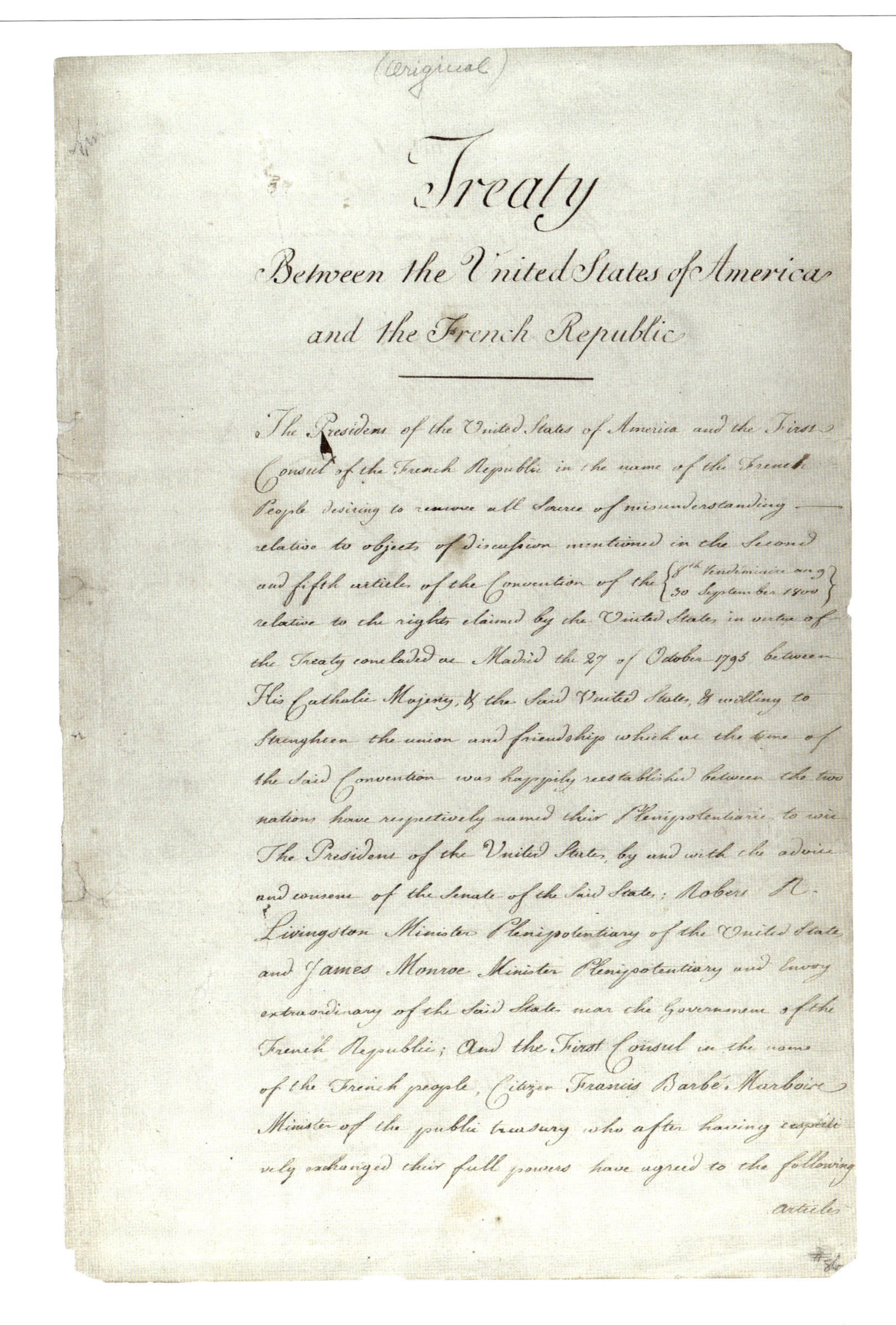

(Original)

Treaty

Between the United States of America and the French Republic

The President of the United States of America and the First Consul of the French Republic in the name of the French People desiring to remove all Source of misunderstanding relative to objects of discussion mentioned in the Second and fifth articles of the Convention of the {8th Vendémiaire an 9 / 30 September 1800} relative to the rights claimed by the United States in virtue of the Treaty concluded at Madrid the 27 of October 1795 between His Catholic Majesty, & the Said United States, & willing to Strengthen the union and friendship which at the time of the said Convention was happily reestablished between the two nations have respectively named their Plenipotentiaries to wit The President of the United States, by and with the advice and consent of the Senate of the said States; Robert R. Livingston Minister Plenipotentiary of the United States and James Monroe Minister Plenipotentiary and Envoy extraordinary of the Said States near the Government of the French Republic; And the First Consul in the name of the French people, Citizen Francis Barbé Marbois Minister of the public treasury who after having respectively exchanged their full powers have agreed to the following articles

上と左：ルイジアナ買収を示す地図。条約によって確保された領土は、今日のルイジアナ、アーカンソー、オクラホマ、ミズーリ、カンザス、コロラド、アイオワ、ネブラスカ、ワイオミング、モンタナ、南北ダコタの各州。

メリウェザー・ルイスの経費一覧

(1803年)

ウィリアム・クラークと共に遥か太平洋を目指して西へ向かう画期的な大陸横断の探険に出る前、ジェファソンの子分は購入のために議会の承認を得なければならない装備と補給品の詳細な一覧を作成した。見積額の3分の1近くは「インディアン贈答品」であった。

ルイジアナ買収への最後の交渉がまだ行なわれていた時、大統領ジェファソンはもうひとつの大胆不敵な計画を進めていた――こちらは、地図すらない北アメリカ大陸のミシシッピ川から西の広大な荒野を探険しようというものである。1802年の秋、彼は自分の秘書で弟子であるメリウェザー・ルイス(1774－1809)に白羽の矢を立て、この探険隊の隊長に任命した。天文学、航海術、測量術、地理学、植物学、動物学、機械工学、生物学、医学、文学、政治学に芸術までの専門訓練を受けたルイスは、暗号の使い方の手解(てほど)きまで受けており、その活動を列強に知られることなく大統領と密かに通信することができた。

ルイスは探検中の綿密な記録を取るように命じられており、まず手始めに、この任務のための連邦政府の補助金を獲得するために、経費の見積を作成する必要があった。荒野を行軍する1人の司令官と10人から12人の兵士の装備と補給品の総額を彼は計算した。

その詳細な勘定報告は衣服、銃、弾薬、衣料品、キャンプ用品、科学機器などを含めて総額2500ドルに及び、その内の696ドルが「インディアン贈答品」となっていた。これは、この任務が当時は未知であった西部のネイティヴ・アメリカンの諸国と開かれた外交関係を結ぶ上で極めて重要であることをジェファソンが認識していたことを示している。それにより、英国やフランス、スペイン以上に彼らと友好的に交易することを願ったのである。大統領はルイスに言った、「今や、君が通過する国の人に報せることが時宜を得ているだろう……これを以てわれらは、彼らの父となり友となることを」。

ネイティヴ・アメリカン事情についてはあまり理解していなかったジェファソンは、そのためには昵懇(じっこん)な関係を確立するための儀式的な贈答をすることが必要だろうと考えた。だが、どのような歓迎を受けるかは全く解らない。ルイスの贈答品一覧には懐中鏡、縫針と糸、火打金、鋏(はさみ)、ガラス玉、絹のスカーフ、象牙の櫛、巻煙草、トマホーク、ナイフ、釣針など、相手の気を惹いて感謝されるだろうと思われる品々が含まれていた。

1803年に議会の承認を得て、ルイスとウィリアム・クラーク大尉がこの探険の責任者に正式に任命され、隊は「発見隊(コー・オヴ・ディスカヴァリー)」と命名された。遠征は1804年5月にミシシッピ川を出発し、ひたすら西進してロッキー山脈を越え、1805年11月7日に太平洋を望んだ。それから彼らは1806年9月23日にミズーリ州セントルイスに帰還した。この時点では、成果は功罪相半ばとみられていた。一方で彼らは大陸横断の実現可能性を証明し、2ダース以上の土着の民族と遭遇、土地の法的所有権のために彼らの存在を確認して地図に記すことに成功した。だが一方で、広大な西部を容易に航行可能な水路を発見するという任務には失敗したためである。

ルイスは1809年に銃傷によって死んだ。戦争省に対して書いた手形の支払を再請求しに行く途上だった。それが自殺か他殺かは判明していない。

メリウェザー・ルイスの記録は、国立公文書館に保管されている。

右:この初期の購入品一覧(上)において「インディアン贈答品」に割り当てられた116.68ドルが、ルイスの最終的な支出一覧では696ドルに跳ね上がっている。ルイスはこの探険に出発する前、30ガロンの「強アルコール葡萄酒」(ブランデー)をフィラデルフィアで購入した。これは彼の隊員の主要飲料――120ガロンのウィスキー――とは別口である。

√ Mathematical Instruments	√ 412.95
√ Arms, Ammunition & accoutrements . .	√ 182.08
√ Medicines &c	√ 94.49
Clothing	√ 317.73
√ Provisions &c	√ 366.70
	√ 669.50
√ Indian Presents (see below) . . .	~~653.84~~
	√ 116.68
√ Camp Equipage	~~118.30~~
	~~2145.79~~
~~Indian Presents additional~~	~~15.67~~
	~~2,161~~.66
	~~2160.13~~
	~~1.53~~
	2160.14

Israel Whelen Esqr
for Capt Lewis — Philadª June 1st 1803
Bot. of David Jackson

30 Gallons Strong Spt. Wine	@ 2.33⅓	$ 70
6 Iron Bound Kegs	1.20	7.20
		$ 77.20

Duplicate, Recieved the above articles

Meriwether Lewis
Captn 1st US Regt Infty

ナポレオン法典

（1804年）

ナポレオン・ボナパルトは封建制度を廃止し、宗教的寛容を涵養し、
ヨーロッパ中の他の自由主義的改革を規定する包括的な民法典を作成した。
ローマ法とフランス革命の原理に基づくこの法典は、世界史上、最も影響力を持つ法規のひとつとなった。

フランス軍司令官にして政治指導者ナポレオン・ボナパルト（1769－1821）は1799年から1815年までのヨーロッパ情勢を支配し、その期間のほとんどにおいて広大且つ成長途上の帝国の主権者を務めた。彼の野望、現場主義、細部への注目は、フランス法体系の抜本的改革にまで及んでいた。フランス法は、アンシャン・レジームにおいて長い間、さまざまな諸問題に侵蝕されていた。例えば特権に基づく裁判所が過剰にあるために裁判所の管轄権がしばしば重複し、そのために裁判の進行は極めて遅く、法外な費用が掛ったため、甚だしい不法が罷り通っていた。

この状況に対処するため、ナポレオンは専門家から成る委員会を指名、2年以上に亘ってこの問題を議論させた。ナポレオン自ら親しく多くの会合に参加し、古代ローマ法に関する深い造詣と実務能力によって法学者たちを驚嘆させた。

その結果、新しく包括的な〈フランス民法典（コード・スィヴィル・デ・フランセ）〉、別名〈ナポレオン法典〉が1804年3月21日に施行された。彼が自らフランス皇帝となることを宣言する直前のことである。

ユスティニアヌスによる6世紀のローマ法の集大成やその他の資料に範を取り、〈ナポレオン法典〉の包括的構造は極めて合理的で、宗教的内容が欠落している。またフランス革命の理念である自由、平等、博愛をも明確なフランス語で採り入れていた。フランス革命を踏まえ、封建主義や王家の特権の痕跡は見かけ上は廃止された。〈ナポレオン法典〉は法を適切に適用するために先ずそれが正式に公布され成立されることが必要であると定めていた。もはや秘密法は終った。遡及法（エクス・ポスト・ファクト）は無効化された。そして法の適用を正当かつ公正に行なうための法手続が求められた。

とは言うものの、〈ナポレオン法典〉に関する全てが進歩的であったわけではない。〈ナポレオン法典〉はまた、夫を家庭の支配者とし、妻や子に対する優越を認めることで夫権を強化していた。そして両性の同意による離婚の廃止は事実上、フランスの女性にとっては重大な退歩であった（1802年のサン＝ドマングの叛乱にも関わらず、彼は既に恐ろしい黒人奴隷制度をフランス植民地に復活させていた）。

だがナポレオンはこの新たな法が帝国中に流布したことを喜び、後にこう述べた。「ワーテルローは余の40年の勝利の記憶を払拭するだろう。だがそれでも払拭し得ぬものは、余の〈法典〉である。それは永遠に不滅である」。

〈ナポレオン法典〉の原本はドイツ・シュパイヤーのプファルツ歴史博物館にある。

下と右：ナポレオンの重厚な大冊は3つの書に分かれ、全2281ヶ条から成る。その内の1570ヶ条は所有に関するものである。彼は法の中に、フランス革命が約束もしくは実践したものを採り入れた。封建主義や王家特権は見かけ上、廃止された。

CODE CIVIL

DES

FRANÇAIS.

ÉDITION ORIGINALE ET SEULE OFFICIELLE.

À PARIS,

DE L'IMPRIMERIE DE LA RÉPUBLIQUE.

AN XII. — 1804.

ロゼッタ・ストーンの解読

(1822年)

有名なロゼッタ・ストーンに彫られた謎の神聖文字を、
何かに取り憑かれたように10年以上も研究した末、
若きフランス人はその国を代表する学術機関の長に、驚くべき書簡を送りつけた。その暗号を解読したと。

10歳の時、ジャン＝フランソワ・シャンポリオン（1790－1832）はナポレオンのエジプト遠征の話に夢中になった。ピラミッドに、ヨーロッパ人が誰ひとりとして解読に成功していない奇妙な古代の神聖文字。奇妙な絵文字に飾られた古物の展示を見に行った彼は、いつの日か自分こそがこの謎を解き明かし、暗号を解読するのだと心に誓った。

1810年代、シャンポリオンはイングランドの博識家トーマス・ヤングの厳格な経験主義の作業に肉薄していた。ヤングはロゼッタ・ストーンの研究に基づくエジプトの神聖文字に関する自説を発表していた。ファラオの時代に遡るこの古代の碑文は、1799年にフランス兵によってナイル・デルタで発見されたものであった。だが、見たところ3つの言語で書かれているらしいこの長大な碑文を解読しようとする試みは、ヤングを初め、誰にも成し遂げられていなかった。シャンポリオンはその暗号の解読を決意した。

1822年9月14日、パリにいたシャンポリオンは、神聖文字が表音文字であることを示す死活的に重要なブレイクスルーを成し遂げた。彼は「やったぞ！（ジュ・ティアン・ラフェール）」と叫ぶや、その場で失神した。

彼は直ちにフランスの「碑文・文芸アカデミ」の総裁に、自分の発見を報告する書簡を送った。9月27日、シャンポリオンはアカデミの満員の部屋で、8頁の文書を読み上げた。「私は確信しています」と彼は言う——

> ギリシアやローマの固有名詞の音を示すのに使われたのと同じ神聖文字／表音文字的記号が、ギリシア人のエジプト到達よりも遙か以前に彫られた神聖文字のテキストにも採り入れられているのです。そしてそれらはその遠い昔の時代に、ギリシア語やローマ語の下に彫られたカルトーシュの中のそれと、既に同じ音もしくは発音を表していたのです。

その直後、シャンポリオンは44頁の小冊子の中で自分の発見を公表した。そこには4枚の図版が含まれていた。彼の業績は、紀元前196年に遡るロゼッタ・ストーンが国王プトレマイオス5世の名の下に公示された法令を3つの言語で記したものであることを示す契機となった。一番下のテキストは古代ギリシア語、中間は民衆文字（エジプト語）、一番上は古代エジプトの神聖文字で書かれていたのである。この石には基本的に同じテキストが3種の言語で書かれており、その内のひとつ（古代ギリシア語）は読むことができたので、これが残り2つの失われた言語を解読する鍵となった。

この発見により、シャンポリオンは「神聖文字解読の父」として知られるようになった。彼の論文の原本はフランスはフィジャックのシャンポリオン博物館に展示されている。

右：シャンポリオンの音声表。ロゼッタ・ストーン解読の鍵。神聖文字がエジプトの言語の音を記録するものであったことを示している。彼の発見は古代エジプトの言語と文化に関するわれわれの理解の基盤となった。

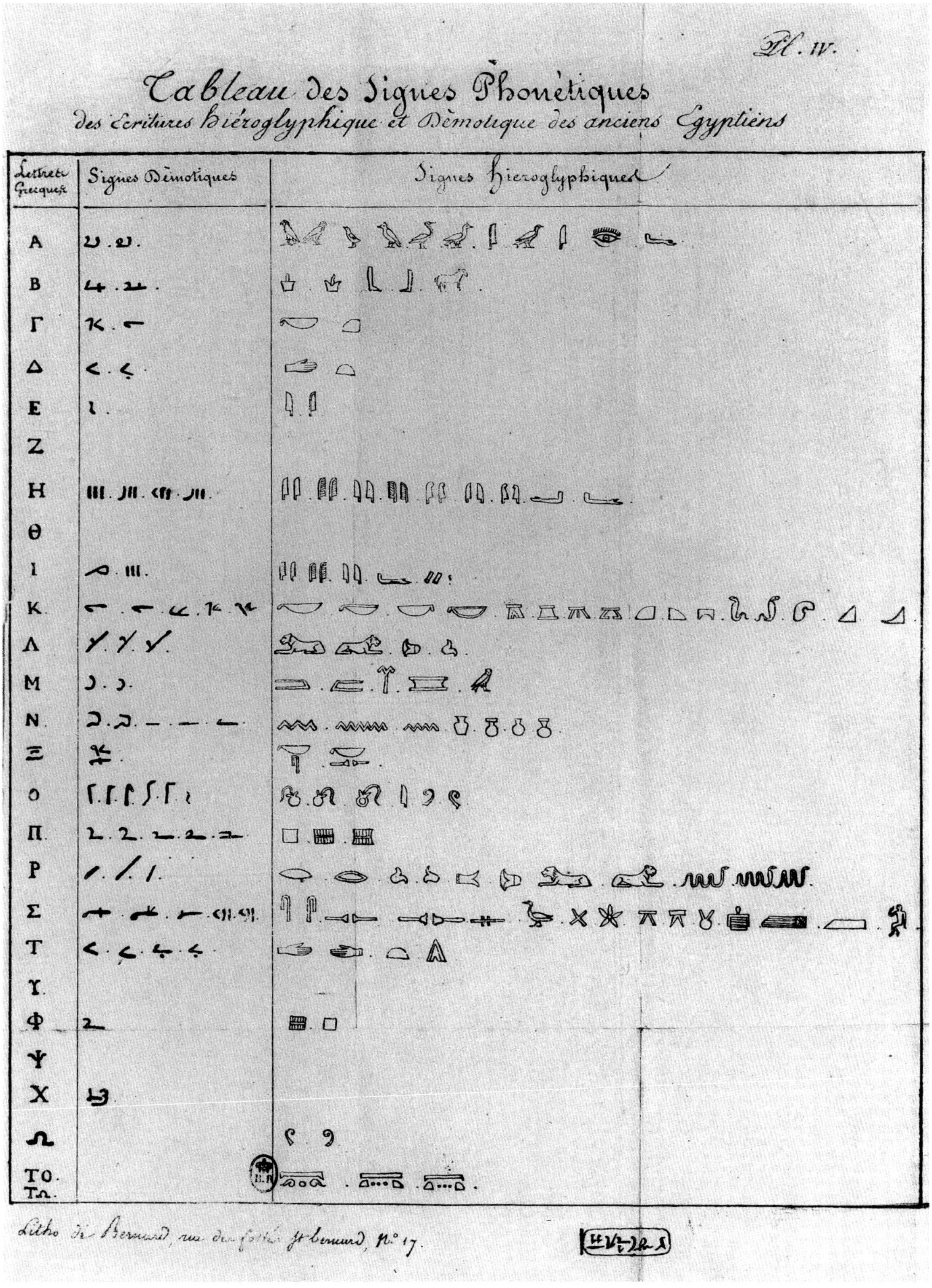
Pl. IV.
Tableau des Signes Phonétiques
des Écritures hiéroglyphique et Démotique des anciens Égyptiens
Lettres Grecques
Signes Démotiques
Signes hiéroglyphiques
Α
Β
Γ
Δ
Ε
Ζ
Η
Θ
Ι
Κ
Λ
Μ
Ν
Ξ
Ο
Π
Ρ
Σ
Τ
Υ
Φ
Χ
Ψ
Ω
ΤΟ.
Τω.
Litho de Bernard, rue des fossés St Bernard, N° 17.

世界最初の写真

（1826年）

才気煥発なフランスの発明家が、10年以上に及ぶ艱難辛苦の末、
「ヘリオグラフ」と名付けた手法によって生き写しの画像を永続的な記録に捉える方法を発明した。
現存する彼の最古の作品は工房の窓から外の風景を写したもので、世界最初の写真画像とされている。

ジョセフ・ニセフォール・ニエプス（1765－1833）は独創的なフランスの発明家で、さまざまな驚くべき機械装置を発明した。例えばピレオロフォール（世界初の内燃機関）、水力機関である水汲み用の「マルリの機械」、そして愉快な速歩機（ヴェロシペード）（初期の自転車）などである。長年に亘る彼の興味は太陽光線を捕えたいという夢と、当時世に出たばかりの石版芸術の技法を発展させたいという願いに集中していた。彼は芸術家ではなかったが、このような研究はもしも上手く行けば大きな商業的潜在力を秘めていると考えていた。

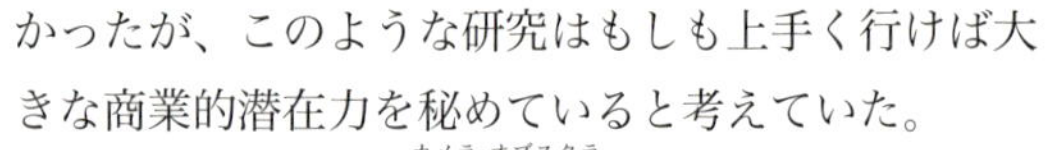

1816年4月、彼は暗箱（カメラ・オブスクラ）を用いて小さな画像を塩化銀を塗布した紙の上に捉えようと試みた。わくわくする実験だったが、結果は奇妙なものとなった。本来ならば最も明るくなるはずの部分が最も暗くなり、暗い部分が明るくなったのだ――現在のわれわれの言う陰画（ネガ）である――そしてその像はすぐに消えてしまった。他の感光性の素材や手法を変えながら数えきれぬほど実験を重ねた末に、1822年、彼は銅版画を「ユデアの土瀝青（ビチューム・ド・ジュデ）」を塗布したガラス板の上に置いて複製することに成功した。その達成は至って初歩的なものに過ぎなかったが。

4年後のとある陽光溢るる春の日、シャロン＝シュル＝ソーヌの田舎屋敷ル・グラで、ニエプスは8時間に及ぶ実験を行なった。用いたのは、白目（エタン）板の上に像を捉えるためにパリの眼鏡屋シャルル・シュヴァリエに造らせた特製のカメラである。綿棒を用いてその板に「ユデアの土瀝青」の乳剤を塗布した。この皮膜をラヴェンダー油で洗浄すると、明るく照らされた部分が硬化するが、暗い部分はラヴェンダー油と白色ワセリン（テルペンチン）の溶剤で被膜が洗い落とされる。その結果、光が土瀝青によって、暗い影は露出した白目として定着し、恒久的な陽画となる。

この時、白目の上に残されたものは、彼の高い工房の窓から見た景色の像だった。左側に鳩小屋があり、梨の木の背後に枝越しの空が見える。中心には納屋の傾斜した屋根がはっきりと見え、右手にはもうひとつの家の袖が見える。

ニエプスはこれは大発明だと確信し、この発明を「ヘリオグラフ（太陽で描かれたもの）」と名付けた。だが、それで金儲けすることはできなかった。1833年に彼が死ぬと、彼の手記は仲間のルイ＝ジャック＝マンデ・ダゲール（1787－1851）の手に渡った。銀板写真法（ダゲレオタイプ）の創始者である彼が、そこにさらなる改良を加えた。1839年、この新たな芸術は「写真（フォトグラフ）」と呼ばれるようになった。

一方、ニエプスの1826年の画像の原本は1952年に再発見され、歴史家ヘルムート・ゲルンスハイムはニエプスこそ写真の発明者であり、『ル・グラ窓外の光景』は現存する最古の写真と認定した。その原版はオースティンはテキサス大学のランソム・センターにある。

左：現存する最初期の銀板写真法による自撮り。1839年、フィラデルフィアの写真家ロバート・コーネルアス撮影。
上：現存する最古の写真。1826年、ジョセフ・ニセフォール・ニエプス撮影。フランスはル・グラの撮影者の工房の窓からの眺め。
下：ルイ・ダゲールによる1838年のパリのブルヴァール・デュ・タンプルの写真。人間が写っている最古の写真とされる。

奴隷制廃止法

（1833年）

奴隷の叛乱と奴隷制廃止主義者の煽動に押されて、議会は遂に、幾つかの例外と利害関係通告はあったものの、大英帝国内の奴隷制を非合法化した。この法律には莫大な補償の条項が含まれていた。だがそれは奴隷に対するものではなく、奴隷主に対するものであった——すなわち彼らの財産に対する賠償である。

1807年に議会が国際的奴隷貿易を禁ずるまでに、英国の船は300万人以上のアフリカ人を奴隷として運び、奴隷制は植民地で大発展していた。1772年の訴訟によってグレイトブリテン王国での奴隷制は終了し、大英帝国での奴隷貿易は1807年に途絶えたが、ますます盛んになる反奴隷制運動はそれ以外のあらゆる地域での英国の奴隷制廃止を要求していた。

奴隷の抵抗と叛乱がこの不穏な状態をさらに煽った。1831年のジャマイカのクリスマス季にサム・シャープという奴隷説教師が島のサトウキビ畑で平和な抵抗運動を行なったところ、それが拡大して完全な暴動となった。ジャマイカの農園主は何とかこの叛乱を制圧したが、何百人もの奴隷と14人の白人が死んだ。これを見た廃止主義者はさらに運動を過激化させた。

この熱狂に対して英国議会は2件の調査を行ない、その結果として『英国の全植民地において奴隷制を廃止し、解放された奴隷の勤勉を促進し、かつ従来これら奴隷の労務を受ける権利を有した人々に補償を与えるための法律』が可決された。この法律は1833年8月に国王の裁可を受け、1834年8月1日に発効した。

実際問題として、この反奴隷法は6歳以下の奴隷を解放したに過ぎなかった。それ以上の年齢の者には「徒弟」という新たな名称が与えられ、その奴隷状態は2段階を経て徐々に廃止されることとなった。最初の徒弟制は1838年に終了し、最後の（例外的）徒弟制は1840年に廃止された。全ての「徒弟」は、その徒弟期間が終了するまで元の所有者への奉仕を継続する。法律の文言で言えば、「これらの人々が解放され、自由にされることは、正しくかつ時宜に適することである」。

奴隷主にとって死活的な条文では、その「財産」を失う者に対する補償の問題を扱っている。この法律によって英国政府はその資産の損失に対し、登録済所有者への補償として2000万ポンドの起債を認めた。この賠償総額は驚くなかれ政府の年間支出の40％に上ったが、元奴隷やその子孫には1ペニーも支払われることはなかった。

同法はまた、議会償還に関して補償を受けた者の名前を一覧化することを規定していた。その記録によれば、何百もの裕福な英国人家族がその支払によってさらに大幅に裕福になったことが判る。償還を受けた者の中にはエクセター主教ヘンリー・フィルポッツ、ジョン・グラッドストーン（19世紀の首相ウィリアム・グラッドストーンの父）、英国首相デイヴィッド・キャメロンの祖先などがいた。

文書原本の記録は英国国立文書館に保管されている。農園主の氏名と彼らが受けた補償のデータベースは、ユニヴァシティ・カレッジ・ロンドンに保管されている。

左：奴隷制廃止運動の主要人物であるウィリアム・ウィルバーフォースは1833年7月に死んだ。同法が国王の裁可を受ける1ヶ月前であった。

ANNO TERTIO & QUARTO

GULIELMI IV. REGIS.

****

C A P. LXXIII.

An Act for the Abolition of Slavery throughout the *British* Colonies; for promoting the Industry of the manumitted Slaves; and for compensating the Persons hitherto entitled to the Services of such Slaves. [28th *August* 1833.]

WHEREAS divers Persons are holden in Slavery within divers of His Majesty's Colonies, and it is just and expedient that all such Persons should be manumitted and set free, and that a reasonable Compensation should be made to the Persons hitherto entitled to the Services of such Slaves for the Loss which they will incur by being deprived of their Right to such Services: And whereas it is also expedient that Provision should be made for promoting the Industry and securing the good Conduct of the Persons so to be manumitted, for a limited Period after such their Manumission: And whereas it is necessary that the Laws now in force in the said several Colonies should forthwith be adapted to the new State and Relations of Society therein which will follow upon such general Manumission as aforesaid of the said Slaves; and that, in order to afford the necessary Time for such Adaptation of the said Laws, a short Interval should elapse before such Manumission should take effect: Be it therefore enacted by the King's most Excellent Majesty, by and with the Advice and Consent of the Lords Spiritual and Temporal, and Commons, in this present Parliament assembled, and by the Authority of the same, That from and after the First Day of *August* One thousand eight hundred and thirty-four

All Persons who on the 1st August 1834 shall

10 Y

上：この法律は、「東インド会社の占有する領地、セイロン島もしくはセントヘレナ島」を例外としていた。それらの地においては、1843年のインド奴隷法まで奴隷制が継続した。

自然淘汰に関する チャールズ・ダーウィンのノート

（1837－59年）

最初にこの課題に取り組んでから22年、そして彼が「自然淘汰」という言葉を造語してから17年、英国の博物学者は遂にその進化論の出版に漕ぎ着けた。文書は、彼の思考がどのように進展したのかを示し、彼自身の進化の文書足跡を提供している。

英国の博物学者にして地質学者チャールズ・ダーウィン（1809－82）は、最新の発見を記録していたノートを開く時、しばしば野外観測や熟考の内容を書き留めていた。彼の強力な新概念の最初の表現は、昂奮（こうふん）に溢れていた。

たとえば1837年7月半ば、彼の人生を一変させた5年に及ぶビーグル号の航海から帰還した直後、当時28歳だったこの科学者は進化に関する思考の萌芽を象徴する抽象的な木のようなスケッチを描き、「私は考える」という言葉を添えている。彼はそれを〈種の変異に関する第1ノート〉（ノートブックB）の36頁に記した。

1838年9月、人間の人口が生存のための手段と能力以上に増大するという統計的証拠とされるものを示したトーマス・マルサスの有名な『人口論』を読んでいた時、ダーウィンは異なる植物種の間の生存競争との類似点に気づいた。彼の〈種の変異に関するノートD〉の135e頁に、「10万の楔のような力」が、良く適応した植物の変種を「自然の経済の間隙」に押し込み、生き残った者がそのより強い性質を子孫に伝えるのに対して、劣った変種は滅びるのみ、と書いた。

1842年の鉛筆スケッチで、ダーウィンは「淘汰の自然な方法」という言葉を書き、後に別の書き込みで「自然淘汰」という言葉を造語した。これらの日々の書き込みは、ダーウィンが長い間に自然淘汰の理論を発展させて行きながら、準備が整うまでその結果を公表することを差し控えていた顚末を記録している。学者たちは今なお、何故彼が待機していたのか、その理由をあれこれ考えているが、明らかに彼は過去数多の天文学者や科学者が新たな概念を提唱したために迫害に苦しんできたことを認識していた。また、自分の新説が聖書の創造説をそのまま採り入れた多くの宗教権力を激怒させるだろうということも認識していた。

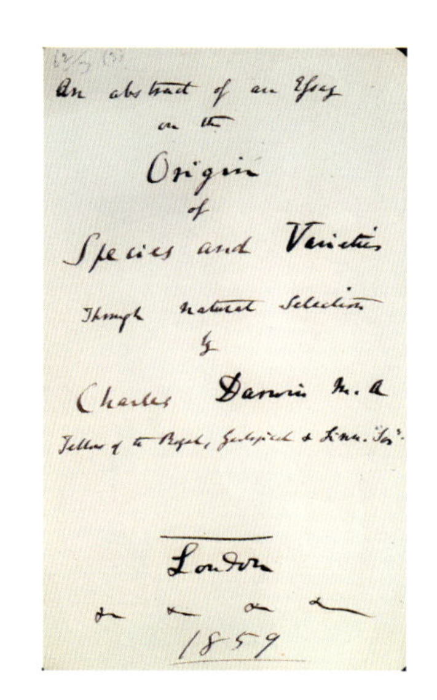

遂にチャールズ・ダーウィンの進化論は、1859年11月24日に『自然選択による種の起源』と題して出版された。「どんな軽微な変異も有用であれば保存されていくというこの原理を、それと人間の選択の力との関係を表すために、私は『自然選択』の語で呼ぶことにした」と彼は言う。この作品はほとんどの読者にとっては新鮮で革命的なものに見えたが、彼にとっては何も目新しいものではなかった。彼は長年に亘ってそれについて考え続け、そして今や50歳になっていた――既に当初の昂奮はとっくに落ち着いていたのである。だが彼の思考は科学者たちの世界観を変えた。「しばしばハーバート・スペンサー氏が用いる適者生存という表現は」と彼は言う、「より正確で、時には同等に適切である」。

ダーウィン文書はケンブリッジ大学に保管されており、今日ではDarwin Onlineを通じて閲覧できる。

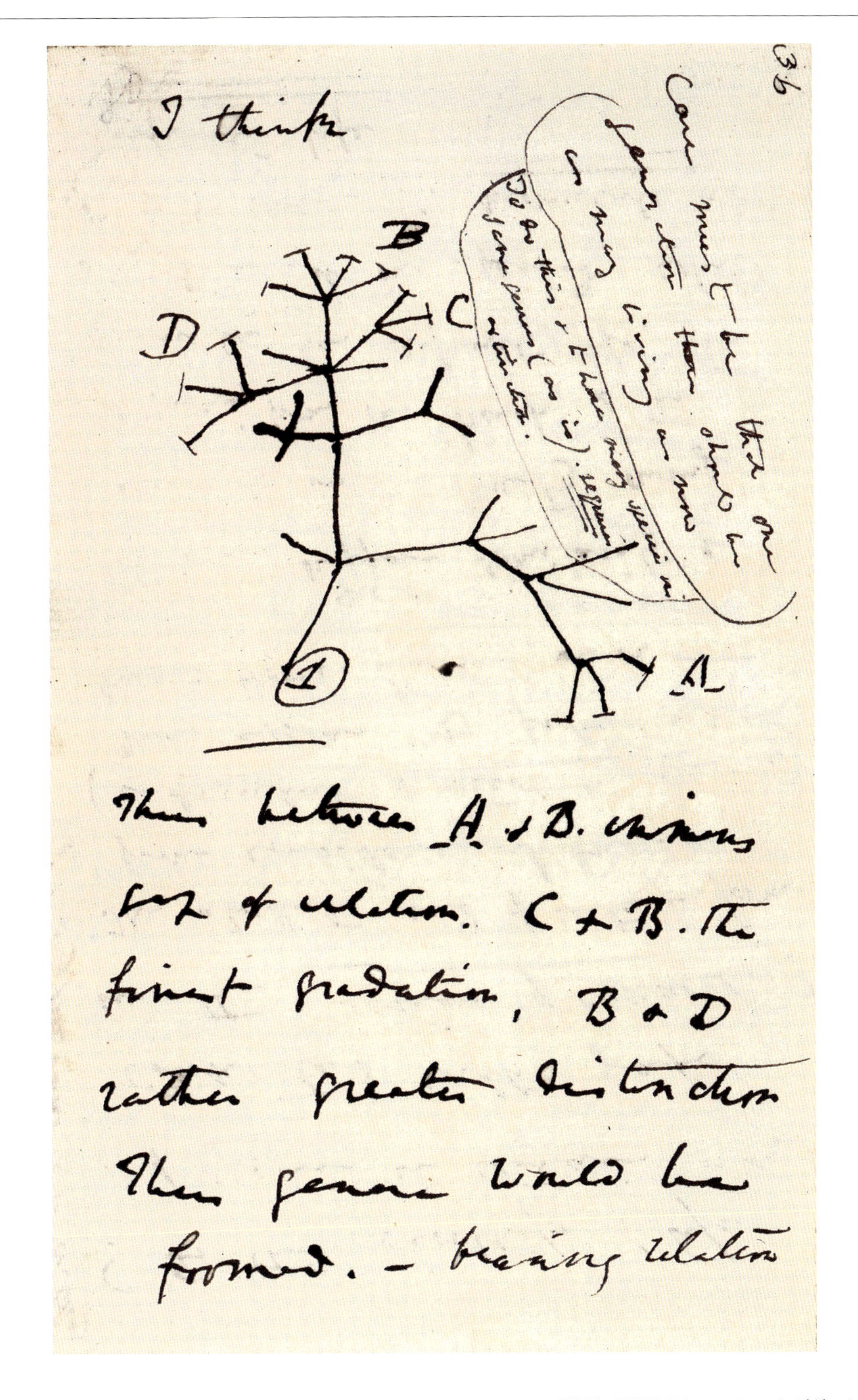

上と左：『種の起源』（1859）の手書き原稿と、〈ノートB〉のアイコン的スケッチ。系統樹の原型を示している。これがダーウィンによる自然淘汰説の基盤となった。

世界最初の電報

(1844年)

サミュエル・F・B・モールスによる電報の開発は暗礁に乗り上げていたが、この男鰥の発明家に恋した若い少女が彼の希望に再点火し、また世に知られるメッセージ文を提案した。それは世界最初の電報として送信された。

1843年の時点で既に、才能ある肖像写真家サミュエル・F・B・モールス（1791－1872）は革命的な新式通信システムのアイデアを実現せんものと10年以上の時間を費やしていた。電気を用いてメッセージ信号を遙か彼方まで電線を通じて届けようというものである。助手のアルフレッド・ヴェイル、学友ヘンリー・エルズワースらと共に取り組んでいたこの独学の科学者は、目的達成のために必要な資金と技術的支援を得んものと苦闘していた。「1837年恐慌」を初めとする様々な困難は、彼の努力の足を引っ張った。数えきれぬ障害を克服した末に、モールスは議会に3万ドルの支援を要請した。それがあればワシントンから40マイル彼方のボルティモアまで頭上式の電信線を引くことができる。遂に彼は下院を通じて歳出承認予算を得たが、上院で会期の閉会時刻が迫る中、予算案はずっと棚晒しにされてしまい、彼はすっかり疲労困憊して生きる意欲も奪われた。3月3日、会期終了まであと数時間となって、遂に意気阻喪した彼は懐中に1ドルの有り金も持たぬまま、自らの破局を受け入れて上院会議場を立ち去った。

だがエルズワースは最後の土壇場に何とかその立法措置への賛同を訴えかけ、大統領ジョン・タイラーは直ちに署名して法律として制定させていた。上機嫌のエルズワースは、朝食の席でこのことを家族に報せた。17歳になる娘アニーが、モールスがニューヘイヴンに帰る前に彼を驚かせる役目を引き受けた。特許事務所で非常勤の複写係をしていたアニー・エルズワースは、昔からこの52歳の男鰥を尊敬しており、密かに恋心を抱いていたのである。そこで彼女は、仕事へ向かうついでにこの吉報を届ける役目を喜んで引き受けたのであった。モールスは大いに感謝し、この電信で最初に送るメッセージにあなたが選んだ言葉を使う栄誉を授けましょう、と言った。

1884年5月24日。彼女はモールスに『民数記』23章23節の言葉を与えた。「神の造り給ひしもの」。連邦議会議事堂の旧連邦最高裁判所執務室に設けられた局から、モールスはボルティモアのマウント・クレア駅のアルフレッド・ヴェイルに向けて、自ら考案したトンツー式の信号でそれを送信した。このトンツーは、符号化された電気インパルスとなって、光の速さで電線を駆けた。

ボルティモアの電信局でヴェイルは信号を受け取り、それを機械が紙テープ上のトンツーに変換した。彼はそれを、それぞれに対応するアルファベット文字に翻訳した。こうして作られた文書は実験の成功を証明し、世界を変える新たな高速長距離通信の始

This sentence was written from Washington by me at the Baltimore Terminus at 8h 45 min A.M. on Friday May 24th 1844, being the first ever transmitted f

W h a t h a t h G

まりとなった。設置費用も比較的安価で使いやすいことが証明された電信は、国中の局を繋ぐこととなる。

だが、この最初の成功はほとんど注目されなかった。その日、モールスがワシントンから最初の電報を送信した時、その場に居合わせたのは僅か15人だった。そしてそれを伝える唯一の新聞記事も、3日後にボルティモアで出たに過ぎなかった。アニー・エルズワースのテキストへの言及はなかった。

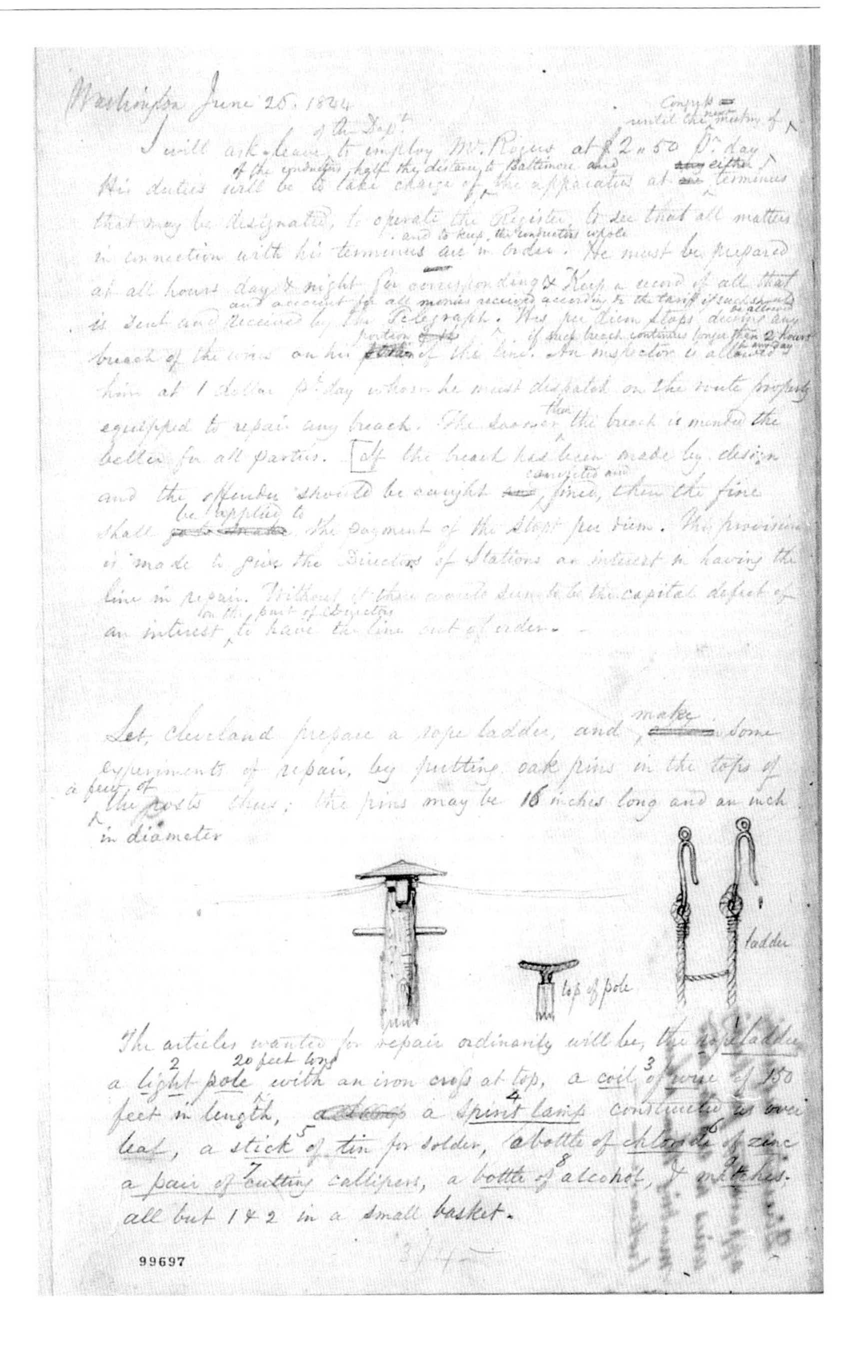

Washington June 25. 1844

I will ask leave of the Dept. to employ Mr. Rogers at $2.50 pr. day until the meeting of Congress.
His duties will be to take charge of the conductors half the distance to Baltimore and of the apparatus at either terminus that may be designated, to operate the Register, to see that all matters in connection with his terminus are in order, and to keep the conductors whole. He must be prepared at all hours day & night for corresponding & keep a record of all that is sent and received by the Telegraph, and account for all monies received according to the tariff if such is allowed. His per diem stops during any breach of the wires on his portion of the line, if such breach continues longer than 2 hours. An inspector is allowed him at 1 dollar pr. day whom he must dispatch on the route properly equipped to repair any breach. The sooner the breach is mended the better for all parties. [If the breach has been made by design and the offender should be caught convicted and fined, then the fine shall be applied to the payment of the Stopt per diem. This provision is made to give the Directors of Stations an interest in having the line in repair. Without it there would seem to be the capital defect of an interest on the part of Directors to have the line out of order. —

Let Cleveland prepare a rope ladder, and make some experiments of repair, by putting oak pins in the tops of a few of the posts thus; the pins may be 16 inches long and an inch in diameter

The articles wanted for repair ordinarily will be, the rope ladder, a light pole 20 feet long with an iron cross at top, a coil of wire of 150 feet in length, a spirit lamp constructed as over leaf, a stick of tin for solder, a bottle of chloride of zinc a pair of cutting callipers, a bottle of alcohol, & matches. all but 1 & 2 in a small basket.

99697

左：モールスの電信受信機の図。1844年。
右：モールスによる頭上式電信柱のスケッチ。1844年のノートより。同年の書簡の中でモールスは彼の新型通信装置に関する注意書を挙げている。「パルチザン的な輩に、あなたが送信する情報を与えないように特に注意してください」。彼の警告は今日のインスタント・メッセージやソーシャル・メディアの時代にもそのまま当て嵌まる。
下：世界初の電報、1844年5月24日金曜日午前8時45分にワシントンからボルティモアに送信された。

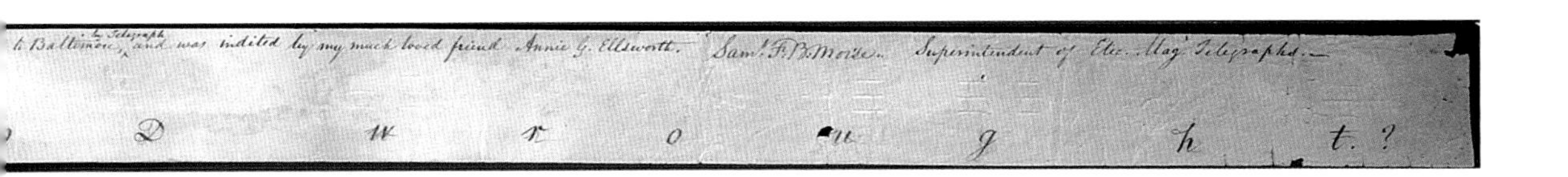

to Baltimore, and was indited by my much loved friend Annie G. Ellsworth. Saml. F. B. Morse. Superintendent of Elec. Mag. Telegraphs. —

D w r o u g h t. ?

『共産党宣言』

（1848年）

２人の若きドイツの哲学者が書いた１万2000語の小冊子は、
歴史と政治経済学に関する求心的な新解釈を提唱していた――そして後の世界を席巻する運動の基盤を形成した。
「万国の労働者よ団結せよ！」

「在来一切の社会の歴史は、階級闘争の歴史である」と『共産党宣言』は喝破する。同書は1847年後半に2人の若いドイツの知識人にして闘士、カール・マルクスとフリードリヒ・エンゲルスが書いた短い趣意書であり、最初にドイツ語版 *Manifest der Kommunistischen Partei* として1848年2月にロンドンで出版された。それが世に出て、両者がイングランドから即座に追放された直後、両者はケルンで新聞の編集を務めながら、不幸な1848年の革命に参加した。

『宣言』の最初の英語版は2年後に登場し、それから30年の間にドイツ語、ロシア語、フランス語、英語のさまざまな版が出版された。アメリカでの最初の出版は1872年で、マルクスが『ニューヨーク・デイリー・トリビューン』の海外通信員を辞めてから10年後のことだった。この作品が最大の読者を獲得し、全世界で多数の共産主義革命を引き起こすのは20世紀になってからのことである。

両者の分析によれば（ほとんどはマルクスが、何かに取り憑かれたかのように僅か6週間で書いた）、歴史における現在進行中の階級闘争の本質は生産の主要な形体の性質に従って展開する。ゆえに、農耕社会では階級闘争は土地を持つ者と農地で働く者の間で行なわれる――地主対農奴である。マルクスとエンゲルスは産業革命の間に第3の階級――ブルジョワジー――が出現し、生産手段を私有したと断定する。一方、プロレタリアート（労働者階級）は自らの労働力以外、何も私有していない。「今日、ブルジョアと対立しているすべての階級の中で」と彼は言う、「ただプロレタリヤのみが真実の革命階級である」。

マルクスはブルジョワジーが発達させた生産様式のために、「資本主義」という言葉を造語した――それは利潤追求の体制であり、常に拡大を強いられ、それを「生産の絶えざる革命、あらゆる社会状態の不断の動揺」によって行なう。『共産党宣言』は資本主義の透徹した分析と、このような経済体制はいずれは社会主義によって、そして究極的には共産主義によって取って代わられる、と予言する。

「諸君は、我々が私有財産を廃絶しようというのに驚いている」と彼は言う、「しかし諸君のこの現在の社会において、人口の十分の九は既に私有財産を失っているではないか。そしてそれが（少数者のために）存在しているのは、実にそれがその十分の九のために存在していないからではないか」。

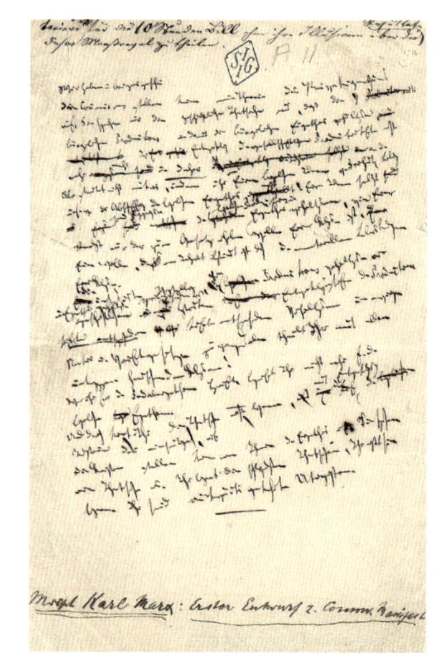

同書は幾つかの短期的要求を掲げている。たとえば土地所有の廃止、国家による生産手段の接収、強度の累進所得税、無料の公教育と児童労働の廃止。

この原稿の原本は、マルクスの狂乱した筆跡の1頁以外は発見されていない。それはモスクワのとある書庫に保管されている。

Manifest

der

Kommunistischen Partei.

Veröffentlicht im Februar 1848.

Proletarier aller Länder vereinigt Euch!

London.

Gedruckt in der Office der „Bildungs-Gesellschaft für Arbeiter"
von J. E. Burghard.

46, LIVERPOOL STREET, BISHOPSGATE.

上と左：『共産党宣言』初版。ドイツ語で書かれ、ロンドンで印刷された。原本で残存しているのはマルクスの手書きの１頁のみ。

ロジェの『英語語句宝典』
(1852年)

必要な時にいつでも適切な言葉を見つけ出す一助とするために、
英国人の碩学（せきがく）が独自の分類体系を発明し、47年後にそれを自らの「宝典」として出版した。
以来この作品は版を重ね、何百万という著述家たちのための標準的な便覧となった。

ピーター・マーク・ロジェ（1779－1869）は才気煥発な英国の医師で碩学である。家族がそうであったように、彼はしばしば鬱病の発作に悩まされていた。それはひとつには、若き日に彼の愛する伯父が目の前で喉を掻き切って自殺したというトラウマ的事件に起因するものであった。だが彼は非常に大きな業績を挙げ、1815年には王立協会のフェローとなり、20年以上に亘って同協会の事務局長を務めた。彼はまた、多くの高い役職に就いていた。

さまざまな主題に関する無数の科学論文を書いたロジェは、一時たりともぼんやり座っていることのない人物であり、また道を踏み外さぬよう、憂鬱から逃れるように、絶えず強迫的に一覧表を作っていた。索引、目録、型録を編纂し、さまざまな種類の図表を分類することに取り憑かれていた彼は、特にカロルス・リンナエウスの動物学的分類体系に影響を受けた。

知識に対する癒しがたい渇望と、仕事に対する尽きせぬ欲求に突き動かされていたロジェは、常に自分が書き表したいものに対して正確な言葉を使うことに腐心していた。この責務の一助として「私自身の欠陥を補うために」1805年に彼は自らの目録作成作業を拡張し、自分の単語の意味一覧を管理できるような体系を作り始めた。必要な時に適切な言葉を効率的に見つけ出すためである。彼は一年間、情熱的にこの企画に没頭し、完成した原稿を「語句宝典（シソーラス）」と読んだ。宝物庫や倉庫を表すギリシア語の単語に由来する言葉である。

それから44年間、ロジェはしばしばこの自ら考案した類義語の分類体系を参照し、それが執筆に頗る有益であることを見出した。70の坂を越えた頃、その出版を引退後の事業にしてはどうかと娘に示唆され、彼は応諾した。

3年後の1852年、ロジェは『観念の表現を容易にし、文章作成を助けるために分類整頓された英語語句宝典』を出版した。同書には1万5000語が収録されていた。ロジェはそれらを同義語とは考えていなかった。何故なら彼によれば、あらゆる単語は独自の意味を持つからである。だがその内に、ロジェの名前自体が多くの読者にとって同義語を意味するようになってしまった。

同書は数えきれぬほど増補再版され、学生、教師、そしてあらゆる分野の著述家にとって標準的な便覧となった。最新版には25万語以上が収録されており、数百万部が今も現役で使用されている。

ロジェの原稿のコレクションは、イリノイ州のカーペレス写本文庫にある。

THESAURUS

OF

ENGLISH WORDS AND PHRASES,

CLASSIFIED AND ARRANGED

SO AS

TO FACILITATE THE EXPRESSION OF IDEAS

AND ASSIST IN

LITERARY COMPOSITION.

BY PETER MARK ROGET, M.D., F.R.S., F.R.A.S., F.G.S.

FELLOW OF THE ROYAL COLLEGE OF PHYSICIANS;

MEMBER OF THE SENATE OF THE UNIVERSITY OF LONDON;

OF THE LITERARY AND PHILOSOPHICAL SOCIETIES ETC. OF MANCHESTER, LIVERPOOL, BRISTOL, QUEBEC, NEW YORK, HAARLEM, TURIN, AND STOCKHOLM.

AUTHOR OF

THE "BRIDGEWATER TREATISE ON ANIMAL AND VEGETABLE PHYSIOLOGY," ETC.

"It is impossible we should thoroughly understand the nature of the SIGNS, unless we first properly consider and arrange the THINGS SIGNIFIED."—Ἔπεα Πτερόεντα.

LONDON:

LONGMAN, BROWN, GREEN, AND LONGMANS.

1852.

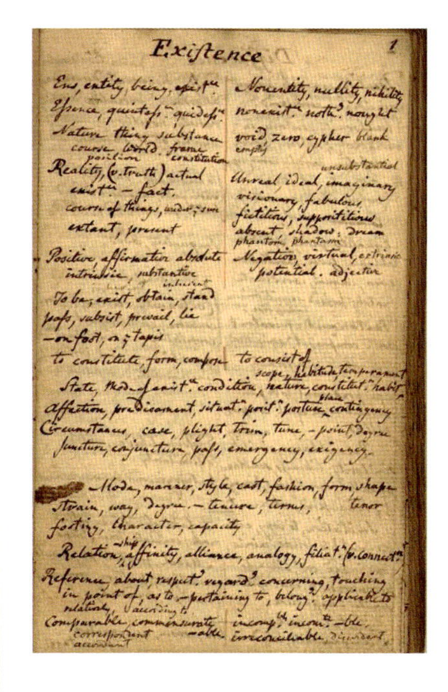

Existence

左：ロジェ、1860年代初頭撮影。『英語語句宝典』出版から10年ほど後。この企画に対する勤勉な作業により、成人後の彼を冒した鬱病の発作が緩和された。

上左：ロジェ手書きの同義語一覧。1805年に編纂が始まり、個人的な言葉の宝庫として、彼の「観念の表現を促進」した。

上右：初版への序文で、ロジェは『英語語句宝典』の出版のために余暇の全てを費やしたと述べている。「王立協会の事務局長の職務を退いて以来、私は多くの余暇に苦しめられることとなった……そこで私はひとつの事業に乗り出すことにし、最後の3年か4年ほどはそれに没頭することができた」。

ジョン・スノウのコレラ地図

（1854年）

独立心旺盛な医師が、経験的な手法を用いて死病コレラ大発生の根源を突き止め、これによって、ある種の病が感染する方法に関する革命的な手法が生み出された。彼の発見は即座に公衆衛生学に圧倒的な変化をもたらし、救命のための新たな学問である「疫学」が確立されることとなった。

19世紀中葉のロンドンは一連の致命的なコレラの流行に襲われ、罹患した者は「死蒼」と呼ばれる状態に陥った。当時の科学的知見はその原因として悪天候から悪臭、果ては貧困まで、ありとあらゆるものを挙げたが、真の病因や効果的な治療法は不明のままだった。

ジョン・スノウ（1813－58）は経験主義的志向の英国の医師で、その画期的な研究は麻酔学や衛生学などの分野での公衆衛生の向上を目的としていた。科学的な研究の結果、彼は当時支配的であった「瘴気」説に疑念を抱くようになった。これは腺ペストやコレラなどの病気の原因を「悪い空気」とする説である。そこで自宅に程近いロンドンのソーホー地区がまたしてもコレラの死の波に襲われた時、スノウは病の発生場所や経路に関する詳細な証拠を集め始めた。

事情聴取、有能な推理、図表と地図を用いて患者の位置に関するデータを逐一記録していった彼は、すぐにブロード・ストリートの井戸のポンプに注目した。「ほとんど全ての死亡例が、そのポンプから短距離の場所で生じていた」と彼は言う。ソーホー全域でコレラが大発生したわけではなく、ただブロード・ストリートのポンプを使ってい者だけに発生しているという事実を確認したのだ。

後の調査によって、そのポンプが汲上げていた井戸は古い汚物溜から僅か3フィートの所に掘られたものであり、そのために飲み水の中に致死性のバクテリアが漏出していたことが判明した。

スノウは自らの発見に、ソーホーで記録された死者の発生場所を示す地図を添えて公開した。それは疑わしいポンプの周辺に集中していた。この一目瞭然の結果を見て、遂に当局は問題のポンプの閉鎖を決断、これによって疫病は終熄した。水を原因とする病気というスノウの発見により、ロンドンの公共上下水道体系は抜本的に改革され、それによって世界中の他の都市でも急速に同様の発展が生じた。

スノウは卒中によって早逝したが、彼の業績は生き続けた。今日、「近代疫学の父」として知られる彼はまた、データ・マッピングとデータの可視化という新分野に対して基本的な貢献をしたと認められている。

スノウの初期のコレラ文書は広く出版されている。

ジョン・スノウはその先駆的な業績により、死後多くの賞賛を受けた。彼を記念して、ブロード・ストリート（現在のブロードウィック・ストリート）にはポンプの像が建てられ、近隣のパブは彼の名を採っている。

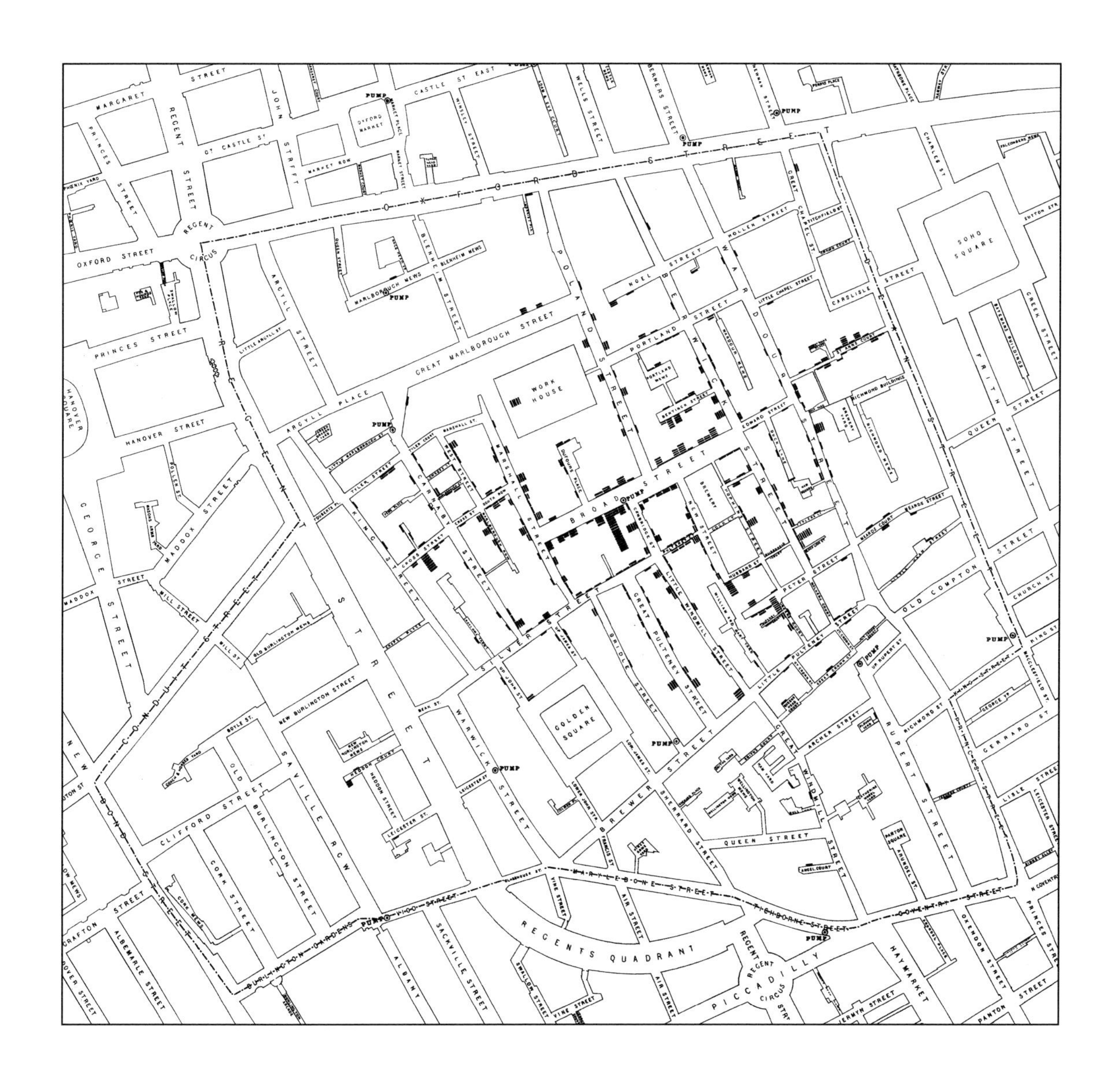

上:スノウの地図。コレラに関係した死の多くがブロード・ストリートの井戸のポンプ周辺に集中していることを示している。彼は結論した、「この研究の結果は、すなわち、上記の井戸のポンプの水を飲む習慣を持っていた人々を除いては、ロンドンのこの地区におけるコレラの特定の大発生もしくは流行は存在しなかったということである」。

世界最初の地下鉄網

(1854－63年)

とある予言者的な改革者が、ロンドンに出入りする公共輸送の向上の必要性に気づいた。
人で溢れ返る都市の下に地下鉄道を通そうという彼の熾烈なキャンペーンは、
彼の死後数ヶ月目に遂に実現した。

250万人以上の人口を抱えるロンドンは1850年代までに世界初のメガロポリスに成長した。古代にテムズ川沿いに築かれた中核部分から、遠く離れた郊外にまで広がる、強大な帝国の中枢である。国際通商の座として、それは地球上で最も豊かであると同時に最も過密な都市であり、車道は25万人以上の通勤者と馬によって毎日のように渋滞し、その馬は水溜まりと煤の間に何トンもの落とし物をしていた。往復の交通は悪夢以外の何ものでもなかった。

生まれながらのロンドンっ子チャールズ・ピアソン（1793－1862）は勤勉な中産階級の一員で、1816年に公務員となり、生涯に亘ってさまざまな社会事業に携わってきた。年老いて、産業革命前のこの都市がどんなものだったを懐かしむようになると、彼は街路を清潔にする方法を探求し始めた。鉄道はまだ比較的新しいものだった――最初の都市間蒸気機関車、すなわちリヴァプール＝マンチェスター鉄道が操業を開始したのは1830年のことに過ぎない――が、ピアソンはシティ・オヴ・ロンドンの事務弁護士となっていた1845年には既に未来のための全く新しい無煙公共交通機関を夢見ていた。

1854年、彼は重要な研究報告書を書き、この都市の過密状況の原因は増大する「移動人口」の交通の統制が貧弱であるためであると論じた。1854年の北メトロポリタン鉄道法が「国王の裁可」を得られるよう尽力すると同時に、彼はまた都市の金融の中枢から北西へ向かうメトロポリタン鉄道の建設のための資金調達計画を立て、必要な費用を100万ポンドと見積もった。

地下鉄道の建設にはさまざまな手法が採用された。ある区域では都市の下にトンネルを掘った。ある地域では既存の構造物を均すという方法が用いられた。路床のための深い塹壕を掘り、その後にそれを覆って、将来的に鉄道の上に建物を建てる余地としたのである。掘削作業の間には多くの事故、崩落、洪水、その他の不運な出来事はあったものの、この技術的偉業は1861年には概ね完成し、最初の試運転が行なわれた。全路線を運行する最初の試乗会は1862年5月に、著名な乗客たちを乗せて行なわれた。中には大蔵大臣ウィリアム・グラッドストーンもいた。

1863年1月9日の開業式の翌日からメトロポリタン鉄道は一般開業し、その蒸気機関車はパディントン－ファリンドン・ストリート間を、3万8000人の乗客を乗せてガス灯に照らされた木造の客車を牽引した。

世界初の地下鉄道は響き渡るような成功を収め、最初の12ヶ月で950万人、2年目には1200万人の乗客を運んだ。

キングスクロス周辺のメトロポリタン鉄道の建設を描いた版画。

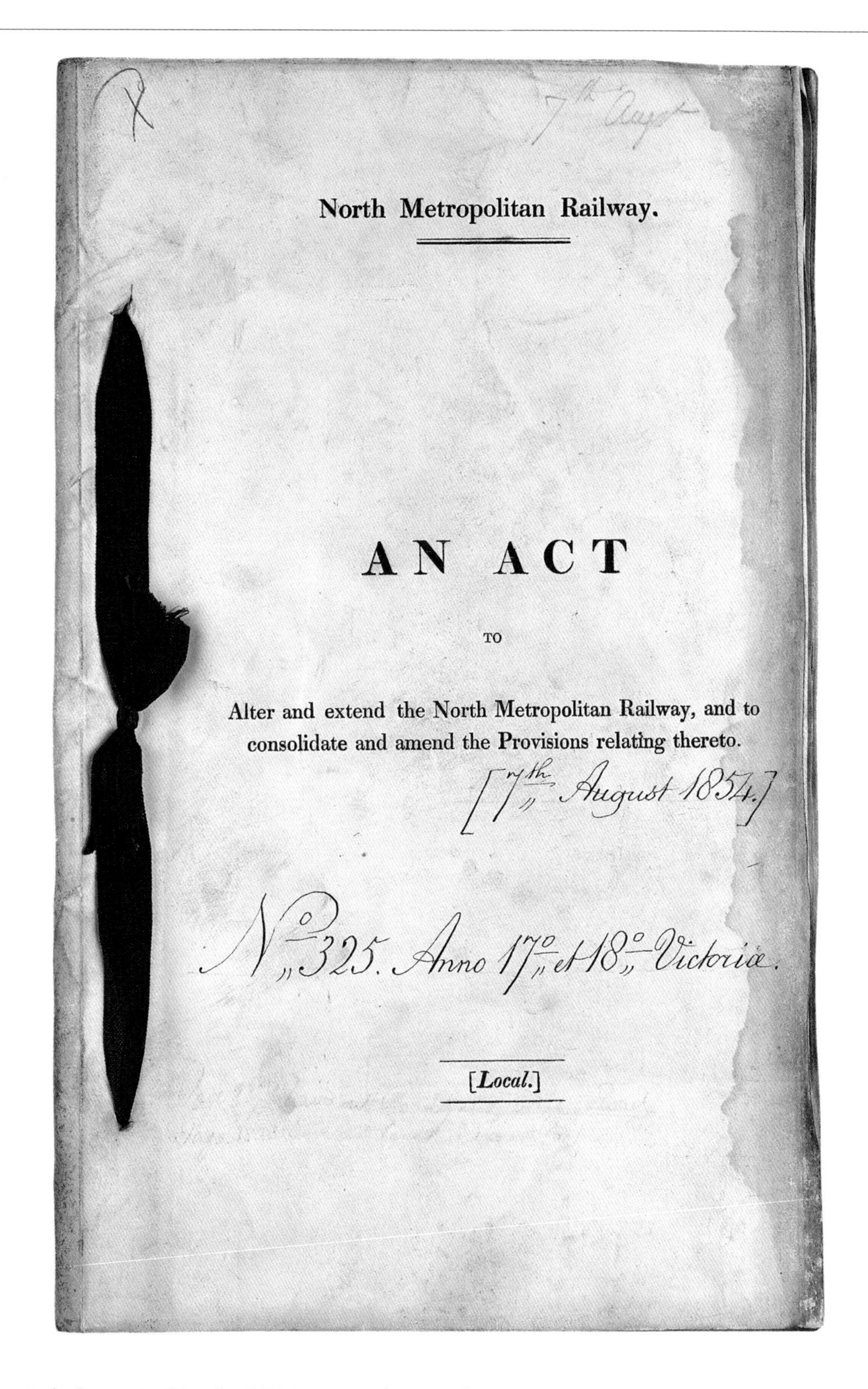
North Metropolitan Railway.

AN ACT

TO

Alter and extend the North Metropolitan Railway, and to consolidate and amend the Provisions relating thereto.

[7th August 1854.]

No 325. Anno 17o et 18o Victoriæ.

[Local.]

上：チャールズ・ピアソンは、最初の地下鉄網を開通させた〈北メトロポリタン鉄道法〉の草稿を手伝った。だが彼はその計画の完成を見ることなく、1862年9月に水腫で世を去った。1854年のこの法の原本はロンドンの議会文書庫に保管されている。

サムター要塞電報

（1861年）

チャールストン湾で砲撃を受けた要塞の司令官がワシントンの陸軍長官に急報を送信し、駐屯隊の降伏を伝えた。それは南部連合国が合衆国に対して攻撃を仕掛けたことを意味していた。かくして南北戦争が勃発した。

サウスカロライナ州の合衆国からの離脱、そしてエイブラハム・リンカーンの大統領就任に続いて、暫定南部連合国軍准将ピエール・G・T・ブーリガードは、チャールストン湾のサムター要塞を包囲、合衆国駐屯隊に降伏を要求した。

この反乱軍は完全武装の1万人で、対する守備隊は劣悪な装備の兵が僅か68人、食料や補給物資も乏しかった。だが要塞の司令官である合衆国陸軍少佐ロバート・アンダーソンは敗北を認めることを拒んだ。

4月12日金曜日午前4時30分、南部連合国の中尉はジェイムズ島の2門の10インチ攻城迫撃砲列に命令を下し、合衆国の要塞に初撃を発砲、長時間に及ぶ連続砲撃が開始された。午前7時頃、サムター要塞の副司令官アブナー・ダブルデイ大尉は、自らの銃では目標まで到達しないことを知りつつ、最初の反撃の一斉射撃を放った。南部連合国の砲撃は34時間に亘って続いた。

抵抗は無益であり、緊急の増援も受けられぬと悟ったアンダーソンは、4月13日午後2時30分に降伏の白旗を揚げた。翌日、彼は撤退を許され、北へと逃亡した。

可及的速やかに、すなわち4月18日午前10時30分、アンダーソンはサンディフック沖の蒸気船バルティック号からワシントンの合衆国陸軍長官サイモン・キャメロンに電報を送り、一部始終を報せた。「サムター要塞36時間ニ亘リ死守シタルモ、兵営既ニ完全ニ焼尽セリ、正門焼亡ス。後部城壁損失甚大ナリ。弾薬庫炎ニ包囲サレ、熱ノタメ扉封鎖ス」。

この文書の重要性はすぐに明らかとなった。南部連合国の国務長官ロバート・トゥームズは言った、「かの要塞への砲撃はこれまで世界が目にしたことのない大規模な内乱の嚆矢となろう……」。電報を受けて、リンカーン大統領は7万5000の義勇兵を糾合し、議会を招集した。砲撃は連邦軍の大義のための吶喊（とっかん）となった。

砲撃は結果的に連邦国側の兵士の僅か2人を殺し、2人を負傷させたに過ぎず、南部連合国側の損耗は皆無だったが、この事件は類を見ぬまでに凄惨な内戦となった南北戦争の緒戦となった。

サムター要塞電報の原本はワシントンDCの国立文書庫に保管されている。

1861年4月15日、すなわちロバート・アンダーソン少佐の降伏から48時間後のサムター要塞。南部連合旗が要塞内の破壊された構造物の空高く翩翻と翻る。

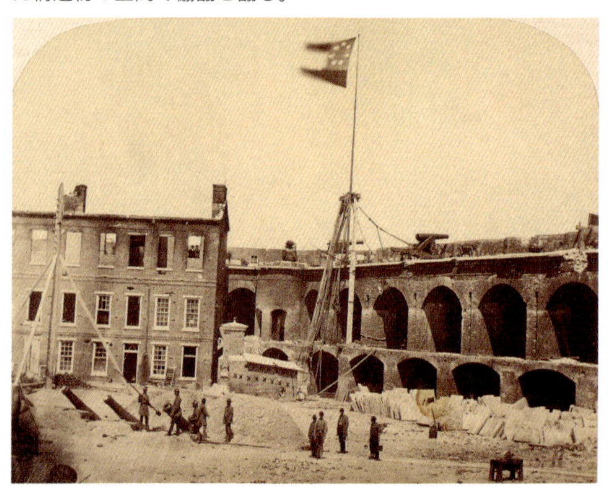

S.S.BALTIC.OFF SANDY HOOK APR.EIGHTEENTH.TEN THIRTY A.M. .VIA
NEW YORK. . HON.S.CAMERON. SECY.WAR. WASHN. HAVING DEFENDED
FORT SUMTER FOR THIRTY FOUR HOURS UNTIL THE QUARTERS WERE EN
TIRELY BURNED THE MAIN GATES DESTROYED BY FIRE.THE GORGE WALLS
SERIOUSLY INJURED.THE MAGAZINE SURROUNDED BY FLAMES AND ITS
DOOR CLOSED FROM THE EFFECTS OF HEAT .FOUR BARRELLS AND THREE
CARTRIDGES OF POWDER ONLY BEING AVAILABLE AND NO PROVISIONS
REMAINING BUT PORK.I ACCEPTED TERMS OF EVACUATION OFFERED BY
GENERAL BEAUREGARD BEING ON SAME OFFERED BY HIM ON THE ELEV
ENTH INST.PRIOR TO THE COMMENCEMENT OF HOSTILITIES AND MARCHED
OUT OF THE FORT SUNDAY AFTERNOON THE FOURTEENTH INST.WITH
COLORS FLYING AND DRUMS BEATING.BRINGING AWAY COMPANY AND
PRIVATE PROPERTY AND SALUTING MY FLAG WITH FIFTY GUNS. ROBERT
ANDERSON.MAJOR FIRST ARTILLERY.COMMANDING.

上:サムター要塞電報。南北戦争初の戦闘を記録する。この電報を受けた大統領リンカーンは7万5000の義勇兵を糾合し、議会を招集した。

奴隷解放宣言

(1863年)

1863年1月1日を期して、大統領エイブラハム・リンカーンは連邦政府に叛旗を翻している地域に居住する全ての奴隷の解放を宣言した。奴隷解放宣言は奴隷制を非合法化したわけではない。南北戦争は奴隷解放の戦いであって、南部連合国は連邦への侵略を償わねばならないとの宣言であった。

奴隷制の問題は建国の時点から合衆国を悩ませていたが、国は概ねその問題を避けて通り、各州の判断に一任していた。だが南北戦争はその葛藤を焦眉の急とした。1862年9月、アンティータムの戦いで連邦が勝利すると、主として南部の叛逆軍に対する軍事戦略上の理由で、大統領エイブラハム・リンカーンは最後通牒を出す決定を下した。曰く、1863年1月1日までに叛乱諸州が連邦に復帰せぬ限り、「その人民が合衆国に対する叛逆状態にあるいずれかの州」において、「奴隷とされているすべての者は、同日をもって、そして永遠に、自由の身となる」。

文言こそ包括的だが、それには憲法上の権威はなく、1世紀以上に及ぶ法と伝統の価値を破棄するものであったので、〈奴隷解放宣言〉は多くの点で制限を抱えていた。またそれは連邦から離脱した州にしか効力は無く、忠実な境界諸州にいた42万5000人の奴隷は黙殺された。さらに、既に北軍の支配下に入っていた南部連合国の地域はあからさまに免除していた。最も重要な点は、それが約束した自由は連邦軍の勝利如何に懸っていたことである。

〈奴隷解放宣言〉は合衆国における奴隷制を終結させたわけではないが、350万の奴隷の自由を宣言することで連邦の大義に倫理的根拠を与え、この戦争の性質を根本的に変えた。南部連合国が応諾を拒否することで、連邦軍のあらゆる進撃は自由の領域の拡大と同義となったのである。この宣言はまた、アフリカ系アメリカ人の男たちの連邦陸軍及び海軍への入隊を促し、これによって被解放者が解放者となることができるようになった。終戦までに、ほとんど20万に上る黒人の陸海兵士が連邦と自由のために戦った。

連邦の戦いは自由の戦いであると主張することにより、〈奴隷解放宣言〉は南北戦争とリンカーン大統領の政策の双方の意味を定義した。

5頁に及ぶこの文書の本文は、元来、赤と青の細いリボンで纏められていた。さらにこの文書は、他の宣言と共に大部に纏められ、長い間、国務省に保管されていた。共に纏められていた他の文書と共に、1863年1月1日の〈奴隷解放宣言〉は1936年に合衆国国立公文書館に移された。

連邦が南北戦争に勝利すると、修正13条の条文によって遂に合衆国全土で奴隷制度は終結した。奴隷制の最終的終焉への主要な先駆者として、〈奴隷解放宣言〉はアメリカにおける人間の自由に関する最も偉大な文書のひとつとなっている。

〈奴隷解放宣言〉印刷版。ブロードサイドや小冊子として広く複製された。多色刷りの記念印刷版が、『ハーパーズ・ウィークリー』や『フランク・レスリーズ・イラストレイテッド・ニューズペイパー』に掲載された。

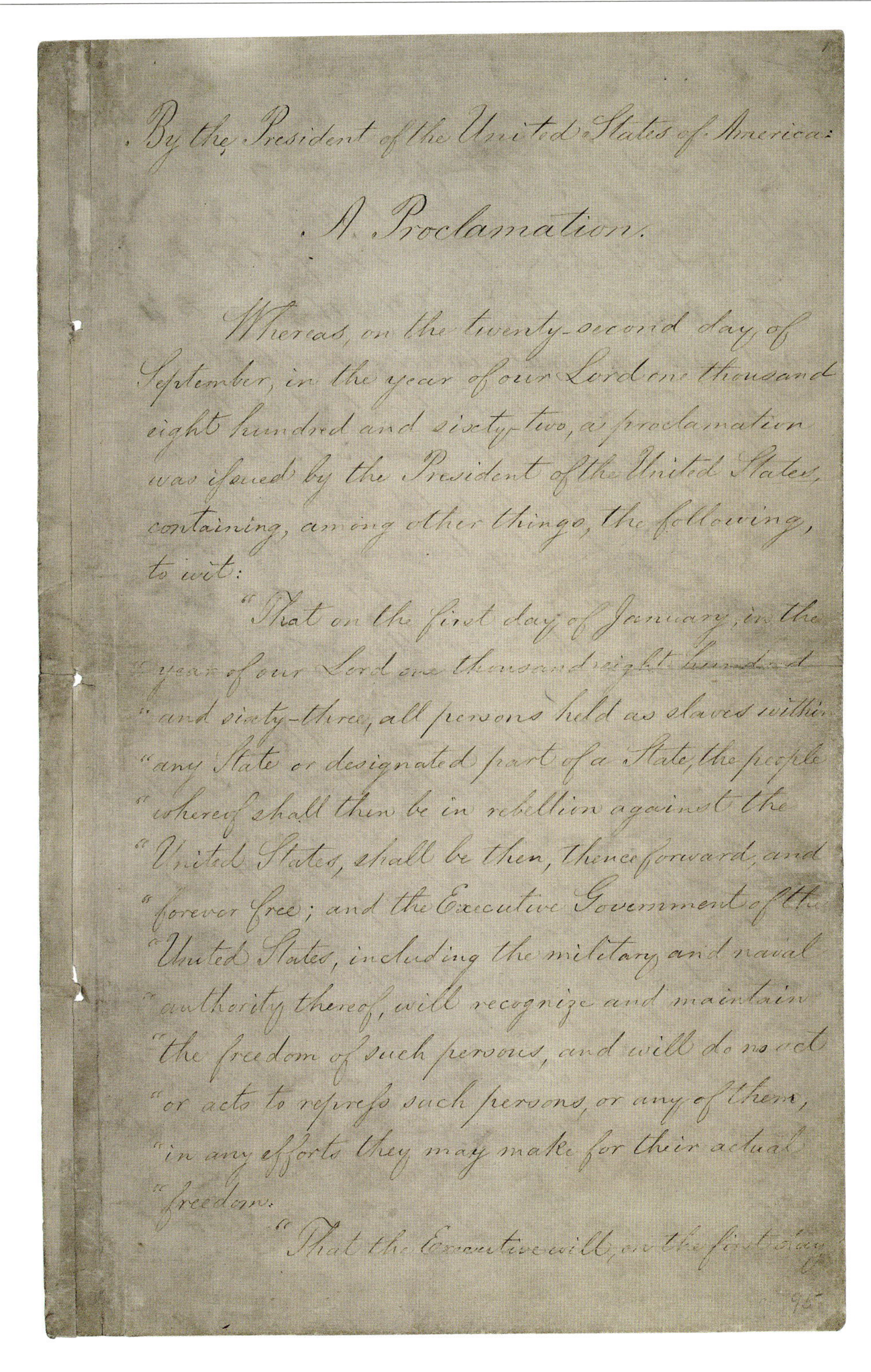
By the President of the United States of America:

A Proclamation.

Whereas, on the twenty-second day of September, in the year of our Lord one thousand eight hundred and sixty-two, a proclamation was issued by the President of the United States, containing, among other things, the following, to wit:

"That on the first day of January, in the "year of our Lord one thousand eight hundred "and sixty-three, all persons held as slaves within "any State or designated part of a State, the people "whereof shall then be in rebellion against the "United States, shall be then, thenceforward, and "forever free; and the Executive Government of the "United States, including the military and naval "authority thereof, will recognize and maintain "the freedom of such persons, and will do no act "or acts to repress such persons, or any of them, "in any efforts they may make for their actual "freedom.

"That the Executive will, on the first day

95

上：1863年1月1日付の〈奴隷解放宣言〉原本。ワシントンＤＣの国立文書庫に保管されている。

アラスカ購入小切手

（1868年）

皇帝との長きに亘る交渉の末、合衆国は北アメリカにあるロシアの凍てついた広大な領土を
1エーカー当り2セントで買収したが、一部のアメリカ人はアラスカにそれほどの価値があるだろうかと疑念を抱いた。
だがその小切手は、良く言われるようにずっと郵送中だった——1年以上に亘って。
〔訳注：「小切手は郵送中」は支払が滞っている際の常套的な言い訳〕

帝政ロシアは圧倒的な資金不足に困窮していた。それはひとつには英国との間のクリミア戦争（1853－56）の膨大な戦費のためである。皇帝の弟もまた、ロシアはその植民地のひとつ——アラスカとして知られる凍てついた広大な土地——に将来英国がカナダを経由して侵略した場合、これを守り切ることができないのではないかと懸念していた。そこで1857年、ロシアはこの60万平方マイルの領土を合衆国に売却する旨を打診し始めた。

アメリカ人はこの土地の、実入りの良い海豹毛皮産業に惹かれた——さらに、再び北アメリカに領土を獲得するという考えも気に入った。

だが取り立てて何の進展もないまま数年が過ぎた。その後、南北戦争も過ぎた頃に、ロシアの駐米大使エドゥアール・ド・ステークルは国務長官ウィリアム・スワードとの交渉を再開した。夜を徹した交渉の末、話し合いは1867年3月30日午前4時に終った。合衆国とロシアの取引は成立した。

購入価格は720万ドル、すなわち1エーカー当り約2セントに設定された。1867年4月9日、上院はこの協定を37対2で可決した。

1867年10月、ロシアとアメリカの高官たちがシトカの総督公邸に集結し、公式の移譲式を開催した。兵士が行進し、祝砲が火を噴き、ロシア国旗が降ろされて星条旗が掲げられた。

だがこの歳出予算はまた下院の承認を得る必要があり、それは1868年7月14日になって漸く113対48で可決された。

ド・ステークルを受取人とする720万ドルの小切手が発行されたのは、1868年8月1日であった。

アメリカ人は、ロシアが使っていたアレウト語の地名を選んだ。「アリャースカ」である。この購入により、合衆国には58万6412平方マイルの処女地が加えられた——テキサス州の2倍の広さであり、人口はおよそ7万、そのほとんどはイヌイットとアラスカ原住民で、数千人ほどのロシア人毛皮商がいた。

この取引は賛否両論だった。反対者たちはこれを「スワードの愚行」「スワードの氷箱」と呼んでいたが、1896年に莫大なクロンダイク金鉱脈が発見されると、ほとんどの批判者もアラスカはカネになると確信した。突如としてスワードは偉人となった。

アラスカは1912年に合衆国の準州となり、1959年1月3日に州となった。その戦略的重要性が初めて認識されたのは日本軍がアリューシャン列島に進出した第二次世界大戦の時である。その軍事的価値は後に、合衆国とソヴィエトの関係が緊張を迎えた冷戦時にさらに高まった。

右：アラスカ購入小切手と720万ドルの領収書。アラスカは1700年代初頭からロシアが領有していたが、1868年に合衆国に売却された。この購入を批判する者は当初、これを「スワードの愚行」と呼んでいたが、1896－99年のクロンダイク・ゴールドラッシュにより、アラスカのアメリカ領土への編入は価値あるものとなった。

Dft. No. 9759 TREASURY WARRANT No. 927
$7,200,000
TREASURY OF THE United States
Washington August 1 1868
AT SIGHT, Pay to Edward de Stoeckl Envoy Extraordinary
or order Seven Million Two Hundred Thousand DOLLARS
PAID AUG 1 1868 TREASURER
Treasurer of the United States
No. 9759 Registered Aug
Treasurer U.S.
New York
American Bank Note Co. New-York.
Register of the Treasury.

The undersigned, Envoy Extraordinary and Minister Plenipotentiary of His Majesty the Emperor of all the Russias, do hereby acknowledge to have received at the Treasury Department in Washington Seven Million Two hundred thousand dollars (: $7.200.000:) in coin, being the full amount due from the United States to Russia in consideration of the cession, by the latter Power to the former, of certain territory described in the Treaty entered into by the Emperor of all the Russias and the President of the United States on the 30th day of March 1867.

Washington, August 1st 1868.

Stoeckl.

『戦争と平和』

(1869年)

とあるロシアの伯爵が、史上空前の大部の書物の原稿を執筆した。だが、猛(たけ)り狂ったような草稿を解読できるのはその妻だけ。彼女は7度に亘って草稿を書き直し、遂に決定稿が完成した時にはその長さは50万語を超えていた。多くの批評家はそれを、世界文学における最も偉大な叙事詩的小説と呼ぶ。

レフ・トルストイ伯爵(1828－1910)は長い年月を掛けて、自分が生まれる前の時代を舞台にした文学作品を書上げた。その始まりは皇帝アレクサンデル1世治下の1805年、終りは1813年で、これは1812年のナポレオンによる惨憺(さんたん)たるロシア遠征の直後に当たる。

このロシアの巨匠は書庫やその他の資料を忍耐強く渉猟し、自らのクリミア戦争への従軍経験の詳細も採り入れ、内容を可能な限り現実的に描き出した。また5つのロシア貴族家に関する綿密な虚構を創り出し、彼らを現実のナポレオン戦争の血みどろの出来事に巻き込んだ。

本作は著者による大量の架空の登場人物を、ナポレオン自身を含む160人もの現実の登場人物に絡ませている。歴史的年代記でもあり、小説でもあるこの上質な詩のような物語は、ロシア語のみならずフランス語の会話によって彼自身の独自の哲学を語らせている。

だがトルストイの酷すぎる悪筆は、しばしば彼自身にすら判読不能なほどであった。それを解読できる唯一の人物は、疲れを知らぬ彼の妻ソフィア・トルスタヤ(1844－1919)であった。彼女は彼の写字生兼編集者を務めた。伝記作家アンリ・トロワイヤは後に、彼女は「荒々しくのたくる線、互いに衝突し合う訂正、余白に漂う謎めいた吹出、何頁にも亘って延々と続く厄介な追加に満ち満ちたこの妖術師の魔道書を解読するという」「ヘラクレスの難業」を成し遂げたと述べている。彼女は草稿の全ての頁を原稿に書き起こし、無数の書き直しに忍耐強く付き合ったのである。

最初の草稿は1863年に完成し、その最初の抜萃(ばっすい)は2年後、『1805』と題されて雑誌に掲載された。その後も連載が続いたが、トルストイは物語に満足せず、また中断無しの版を望んだので、彼とソフィアは1866年から1869年までの間に全体を何度も書き直した――まさに記念碑的な作業である。

遂に最終版が1869年に『戦争と平和』として出版された。その登場はイワン・ツルゲーネフ、フョードル・ドストエフスキー、ギュスターヴ・フローベール、ヴィクトル・ユゴーを初めとする当代の文豪たちから傑作として迎えられたが、一部の批評家は当初は気に入っていなかった。だがその評価は時と共に高まっていった。

1910年の死に際して、トルストイは途轍もなく大量の紙を残した。原稿は16万5000枚、書簡は1万通に上る。彼の最高傑作である『戦争と平和』は今も文学史上の金字塔であり、数えきれぬほど舞台化・映画化されている。

アントン・チェーホフ(左)とトルストイ。チェーホフはトルストイの業績を畏怖している。「文学にトルストイがいる時、作家たることは容易であり、喜ばしい…… [彼が―引用者注] 万人にとって十分なことを成し遂げてくれるから」。この心情は報われなかった。トルストイはかつてチェーホフに言った、「あのな、君の戯曲は嫌いだ。シェイクスピアは酷い作家だったが、私の思うに、君の戯曲はあれより酷い」。

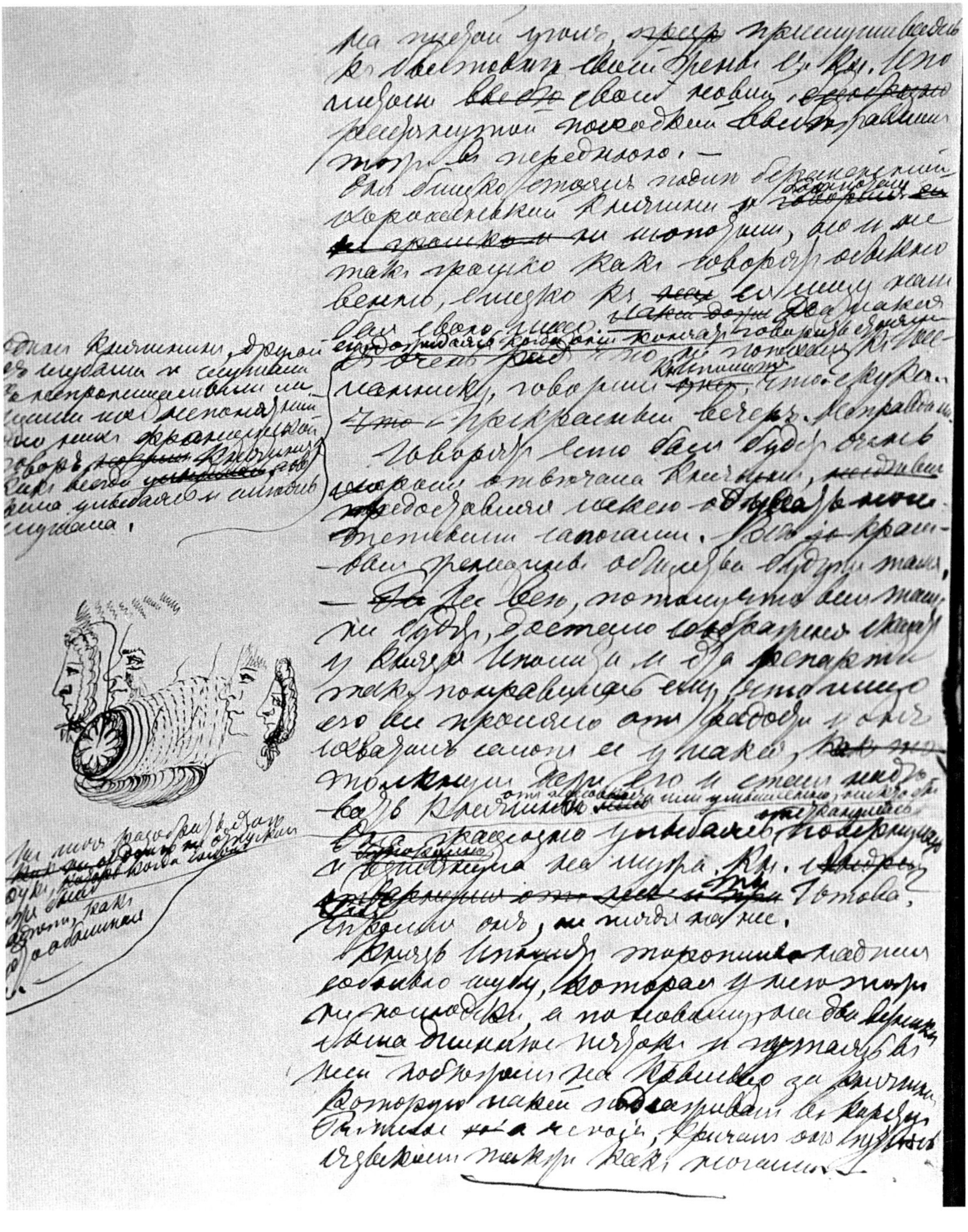

上：『戦争と平和』の原稿の1頁。トルストイの手書きの草稿を忍耐強く文字に書き起こしたのは妻のソフィア。

蓄音機

(1878年)

幼い頃に聴力のほとんどを失った多産な発明家が、彼の言う「話す機械」の発明のために数え切れないほどの実験を繰り返した。特許出願書類によれば、この新装置は「人声オヨビソノ他ノ音声ヲ永続ナル符号ニ記録シ、ソノ符号ヨリ後ニソノ音声ヲ翻訳再生セシメ、以テ再ビ聞クコトヲ可能ナラシムル」。

1877年、狂乱の発明家トーマス・アルヴァ・エディソン（1847－1931）はニュージャージー州メンローパークの研究所で、電信と電話を通じた音声通信の向上を目指す終わりなき実験を繰り返していた。

ここから彼は、錫箔膜（すずはくまく）を施した円筒に人間の声の音声を記録する機械の制作を思い立った。その構想は、吹込み口に向かって話しながら機械の把手を回すと、その声の音の振動が針を揺らし、その振動が録音針によって円筒に刻まれて独自の印象を残し、後にその音を再生することができる、というものであった。

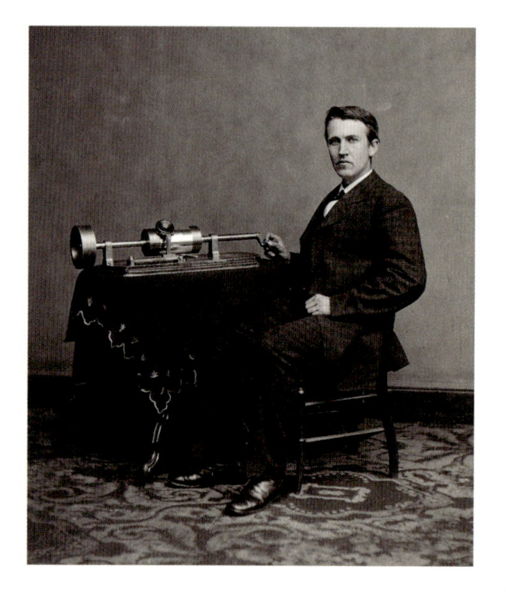

エディソンはお抱え機械工のジョン・クルージと共同でこの装置の開発に当たった。機械を組上げると、発明家はこの新しい機械の把手を回しながら、頭に浮かんだ言葉を録音した。そしてその機械が、彼の特徴的な声そのままに録音を再生するのを聞いて驚愕した。「メリーさんのひつじ、メエメエひつじ、メリーさんのひつじ、まっしろね……」。「人生でこれほど面喰らったことはない」とエディソンは後に語った。「誰もが仰天していた」。

1877年12月24日にこれを一般公開した後、彼は合衆国特許局に「蓄音機（フォノグラフ）」と名付けた装置の申請書を提出した。ギリシア語で「音を書く」という意味の言葉である。申請書の中で彼はこう述べている。「余ガ一連ノ長キニ亘ル実験ノ末ニ発見シタルハ、振動板モシクハソノ他ノ、人声ニテ可動スル物体ハ、稀ナル例外ヲ除キ、コレマデ予想サレタル如ク、重ネ合ハサレタル振動ヲ産マズシテ、各振動ハ分離独立シ、故ニ人声ノ音声ヲ記録シ、再生スルコトヲ可能ナラシムルモノ也」。

エディソンは1878年2月19日、蓄音機によって合衆国特許第200521号を取得した。この特許は特定の方式――音溝方式――によって錫箔膜の円筒に音を記録するとしている。その後、蓄音機には数々の変更と改良が加えられた。例えば錫箔膜の円筒の代わりに蠟管を用いることなどである。だがエディソンの基本的なアイデアは直ぐさま、近代の録音音楽産業を生み出した。

その長い経歴の間に、エディソンは白熱電球、活動写真機を初めとする多数の重要な発明を成し遂げたが、最終的に彼はこの蓄音機こそ最大のお気に入りとして、自らの「ベイビー」と呼んだ。12歳の時以来、鳥の囀（さえず）りを聴く能力を喪失していた彼は、音を首尾良く記録して再生した世界初の人間になったことにはとりわけ満足している、と語った。

上：最新の発明を誇らしげに誇示するエディソン。1878年の写真。
右：エディソンは1878年2月19日、「蓄音機すなわち話す機械」によって合衆国特許第200521号を取得した。

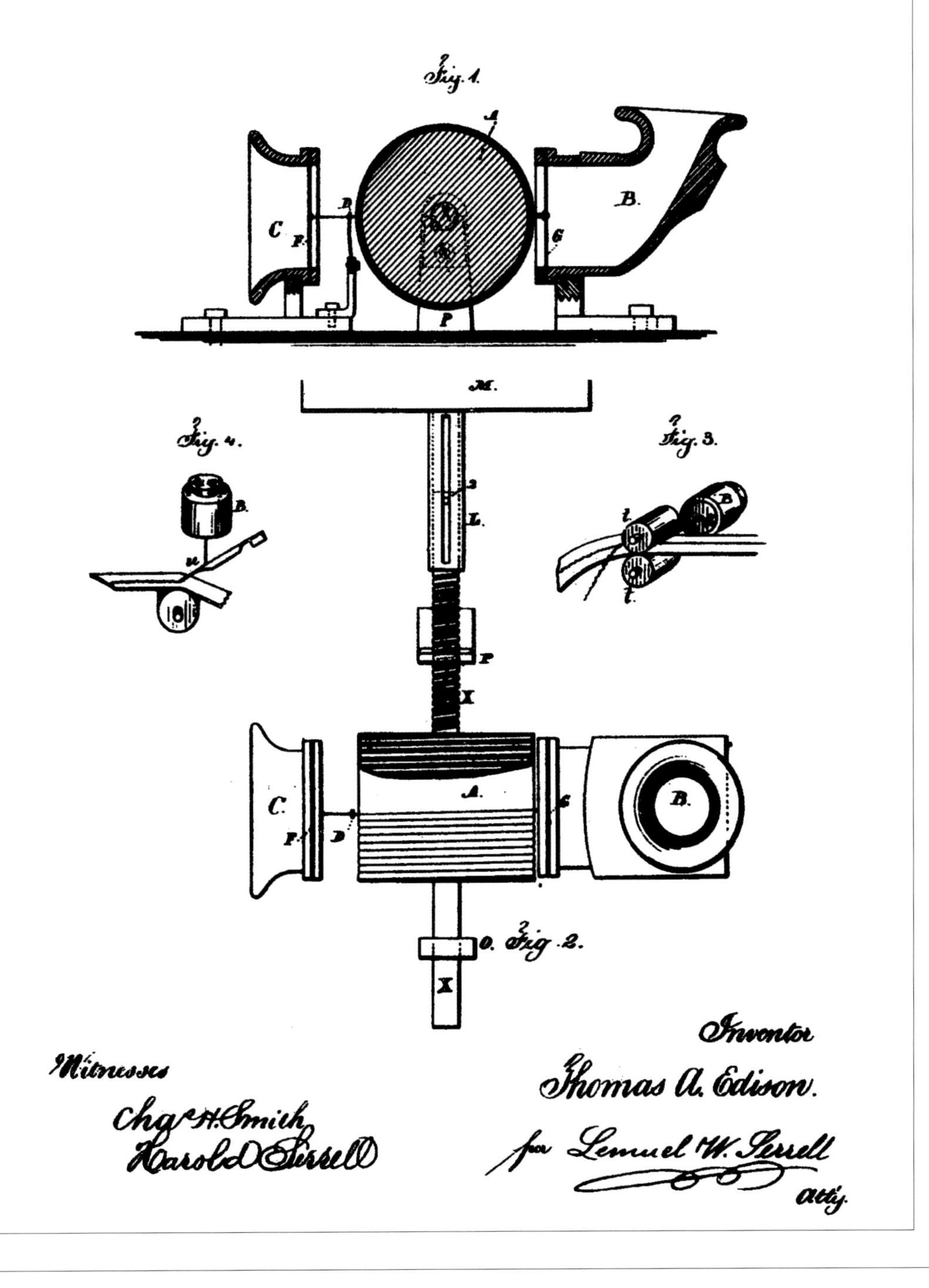
T A. EDISON.
Phonograph or Speaking Machine.
No. 200,521.
Patented Feb. 19, 1878.
Fig. 1.
Fig. 2.
Fig. 3.
Fig. 4.
Witnesses
Chas H. Smith
Harold Serrell
Inventor
Thomas A. Edison.
per Lemuel W. Serrell
atty.

『夢判断』
(1899年)

とあるオーストリアの神経科医が夢の独自研究を行ない、それによって人間の無意識の領域深くへと分け入った。出版社に修正済み校正刷りを送付後、著者は手書き原稿や草案を処分してしまった。僅かに残された貴重な文書は、「一生に一度しか訪れない」洞察に光を当てている。

医師ジークムント・フロイト（1856－1939）は長年に亘り、人間の最深奥の思考と欲望への扉としての夢に興味を抱いていた。例えば1889年、彼は父の死に続く最近の夢を書き留めている。「この夢は、だから、通常遺された家族に現れる自己批難の傾向の結果なのです」。このヴィーンの医師はまた、自らの患者に夢を明かすよう求め、それを分析していた。

当時、教養あるヨーロッパ人のほとんどは夢に心理学的重要性など無いと考えていた。だがフロイトは1895年、オーストリアのベルヴューで夏期休暇を取っている時、大胆不敵な新しい分析法についてあれこれ思案していた。

1899年、彼はこの主題についての研究書をドイツ語で出版した。題して、『夢判断（ディ・トラウムドイトゥンク）』。この灰色の表紙のモノグラフは「無意識」を含む彼の複雑な夢判断の理論を世に問うていてた。フロイトによれば、あらゆる夢は「願望充足」の形式か、もしくは何らかの内的葛藤を解決しようとする試みである。彼は夢の起源はしばしば、その夢に先立つ日の出来事にあると推論した――「昼間の残遺」と彼が呼ぶ出来事である。この作品はまた、それ以外にも多くの新たな概念を導入した。例えば「圧縮」（多重の意味を持つ概念）や「抑圧」などである。彼の理論の中でもとりわけ議論の的となったのは性に関するものだった。例えば子供は異性の親と性的関係を持ちたいという抑圧された欲望を持つ、などである（「オイディプス・コンプレクス」）。

当初はほとんど売れず、受け取った印税は僅か209ドルに過ぎなかったが、フロイトは自らの理論こそ画期的なものであると確信し、自分の最初の洞察について次のように述べている。「いつかこの家に次のように書いてある大理石盤を見ることになるだろう。『1895年7月24日、この家で、夢の秘密がジークムント・フロイト医師に啓示された』と」。にも関わらず、この作品に対する興味はあまりにも低く、初版が売り切れたのはようやく8年後のことであった。

長い期間を掛けてフロイトは、その進化し続ける理論に合わせてしばしばこの書を改訂した。英訳の際、英国の出版社ジョージ・アレン＆カンパニーは幾つかの性的言及を削除するように求め、彼は渋々ながらこれに応じた。1920年代までには『夢判断』は精神分析における極めて重要な著作と見做されるようになっていた。

校正後、フロイトは最初の原稿を破棄したが、後の原稿や書簡の多くは米国議会図書館のジークムント・フロイト文庫に保管されている。彼の予言通り、彼がその重大な理論を孵化（ふか）させた場所に、後に記念碑が建てられることとなった。

上と右：書き物机のフロイトと『夢判断』初版。1900年と印刷されているが、実際には1899年11月4日に配本された。

DIE

TRAUMDEUTUNG

VON

DR. SIGM. FREUD.

»FLECTERE SI NEQUEO SUPEROS, ACHERONTA MOVEBO.«

LEIPZIG UND WIEN.

FRANZ DEUTICKE.

1900.

Verlags-Nr. 676.

タイタニック沈没

（1912年）

1912年4月14日の夜、世界最大かつ最も贅沢な船の狭苦しい通信室は、阿鼻叫喚の信号の渦と化していた。
2人の若い電信員が、絶望的な救難信号を嵐のように乱れ打ちする――
氷山と衝突した不沈船が、今にも沈まんとしていたのだ。

当時最大、かつ最高級の船であったRMSタイタニックは長さ270mと23㎝、最大幅28mと15㎝、竜骨の底から船橋の頂までの高さは32mであった。最も高い位置には4線式マルコーニ式500kHzのアンテナが水面からの高さ75mの2本のマストの間に張られ、世界最強の通信器具の一翼を担っている。それは250マイルの有効動作範囲が保証され、それが夜間には2000マイルにも及ぶのだった。

その狭い無線室には2人の無線技士、25歳のジャック・フィリップスとその副官である22歳のハロルド・ブライドがいて、航行上の通信と乗客のための電信の両面で活発な通信の遣り取りに従事していた。それらは凍てつく北太平洋でのこの優美な豪華客船の処女航海の間、ずっと授受されていた。

だが4月14日の午後11時40分頃、ニューファンドランド島の南南東沖370マイル程の地点を航行中、同船は氷山と衝突し、全てが激変した。その後の2時間に及ぶ現存する通信文はその夜の出来事の劇的なリアルタイムの記録となっている。

無線技士たちは、船長から職務を解かれてもなお持ち場に残り、船が沈没する3分前まで悲惨な信号を送信し続けた。脱出直前のブライドの最後の通信は操舵室が浸水したことを報告している。その後、彼は凍てつく波から引き上げられ、何とか一命は取り留めた。だがフィリップスは殉職し、その遺体も発見されなかった。そしてその後、彼は批判にされされることとなった。衝突前、カリフォルニアン号の無線技士が彼に氷原の接近を警告したのにも関わらず、フィリップスはこう応えていたことが判明したのだ、「やかましい！　今手が離せないんだ、ケープ岬と通信中なんでな」。

この沈没により、乗客乗員1595名が死んだ。救助されたのは僅か745人。その理由のひとつは同船が人数分の半分しか救命ボートを用意しておらず、そのほとんどが女子供用に回されたからである。新聞によれば、船客の中で最も裕福なカーネル・ジョン・ジェイコブ・アスター4世は身重の妻を救命ボートに乗せ、自らは悠然と煙草を吹かしながら沈没を待っていたという。もうひとりの乗客アーチボルド・グレイシー大佐もまた船と共に沈んだが、後に浮上して救出された。

長年の間、タイタニックからの電報は競売で高値が付いていた。中でも最も有名なものは、「ワレ氷山ト衝突」という電文及びそれに対するオリンピック号の返信「……我が方へ航行中ナリヤ？」であり、これはクリスティズで11万ドルで売れた。

モールス信号から文字化されたタイタニック電文は演劇化もされた。

上：タイタニック号の乗船券。1911年5月31日、当時世界最大の造船所であるハーランド＆ウォルフによってベルファスト湾に進水した。
右：1912年4月14日午後11時50分から15日午前1時40分までの間にタイタニックから送信された、痛ましくなる一方の通信文。

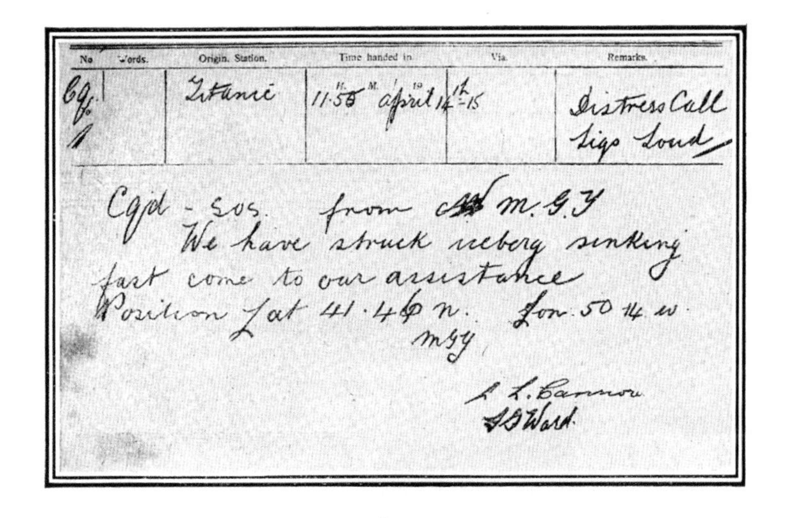

No.	Words.	Origin. Station.	Time handed in.	Via.	Remarks.
CQ. 1		Titanic	11.50 H. M. April 14th-15 19		Distress Call Sigs Loud

Cqd - sos. from MGY
We have struck iceberg sinking fast come to our assistance
Position Lat 41.46 n. Lon. 50 14 w.
MGY

J. L. Cannon
J. G. Ward

No.	Words.	Origin. Station.	Time handed in.	Via.	Remarks.
To		Titanic	H. M. / 19		

CQ SOS SOS cqd cqd - MGY

We are sinking fast passengers are being put into boats
MGY

J. L. Cannon
J. G. Ward

No.	Words	Origin. Station.	Time handed in.	Via.	Remarks.
To			H. M. / 19		

CQ MGY /
Women and Children in boats cannot last much longer
MGY

J. L. Cannon
J. G. Ward

サイクス＝ピコ協定

(1916年)

世界大戦の帰趨が決する以前から、大英帝国、フランス及びロシアは密かに、
オスマン帝国敗北後に如何に中東を山分けして「勢力圏」とするかを協議していた。
彼らの陰謀的な秘密協定はその後数十年間のこの地方の地理を変えることになる。

オスマン帝国は第一次世界大戦に至るまでの数世紀に亘って衰退を続けており、そこで連合軍は予てより、予想されるトルコ撃破後にどのように占領地を分割するかに思いを巡らせていた。英国とフランスは既に地中海とペルシア湾の間の領域に少々の重要な利権を持っていたが、戦勝によって獲得できる利権はそれを遙かに上回っていた。ロシアもまた、分け前に与(あずか)らんと虎視眈々としていた。

1915年11月から1916年3月まで、英国とフランスの代表者がひとつの合意に向けて協議し、ロシアもこれを受け入れた。〈サイクス＝ピコ協定〉と呼ばれるこの秘密協定は、交渉の代表者である貴族、英国のサー・マーク・サイクスとフランスのフランソワ・ジョルジュ＝ピコの名に因む。その期限は、サー・エドワード・グレイ（英国外相）からポール・カンボン（駐英フランス大使）への書簡の中で、1916年5月16日と定められた。

色で暗号化された分割地図と文言によれば、英国（B）は赤の区域（今日のヨルダン、イラク南部、イスラエルのハイファ）を支配する。フランス（A）は青の区域（今日のシリア、レバノン、イラク北部、モスル、それにクルディスタンを含むトルコ南部）を獲得する。そして茶色の区域であるパレスティナ（ハイファとアッコを除く）は国際管理下に置く。「その形態はロシアとの、及びその後の同盟国及びメッカの州長官の代理人（サイイド・フセイン・ビン・アリ）との相談の後に決定される」。この地域を分割して英国とフランスの「勢力圏」にすること以外に、この協定ではアラブの土地に関する両国間のさまざまな商取引関係やその他の取り決めが定められた。

革命と戦争からの撤退によってロシアの状況が変わると、同国は協定から除外された。だが略奪して回っていたボルシェヴィキが1917年に政府の文書庫でこの計画に関する文書を発見すると、秘密協定の内容が公開された。この暴露は英国を気まずい立場に追いやった。というのも、それはアラブが戦争で連合国を支援するのと引き換えにアラブの地の統治権を得るというT・E・ロレンス少佐（「アラビアのロレンス」）を通じた従来からの主張と矛盾していたからである。実際、この協定は以前の約束とは裏腹に、独立したアラブ国家やアラブ諸国連合の樹立を棚上げにし、フランスと英国に「彼らの思い通りに」その勢力圏内に自由に国境を引く権利を与えていた。

思惑通りに戦争が終結すると、1920年のサン・レモ会議によってこの協定は確定し、1922年に国際連盟によって承認された。〈サイクス＝ピコ協定〉は宗派間の境界線に沿って新たな国境を引くことを意図していたが、その単純な直線はまた、この根深く分裂した地域における実際の部族的・民族的配置を全く考慮しないものだった。〈サイクス＝ピコ協定〉は今日に至るまで、アラブと西側の関係に影響を及ぼしている。

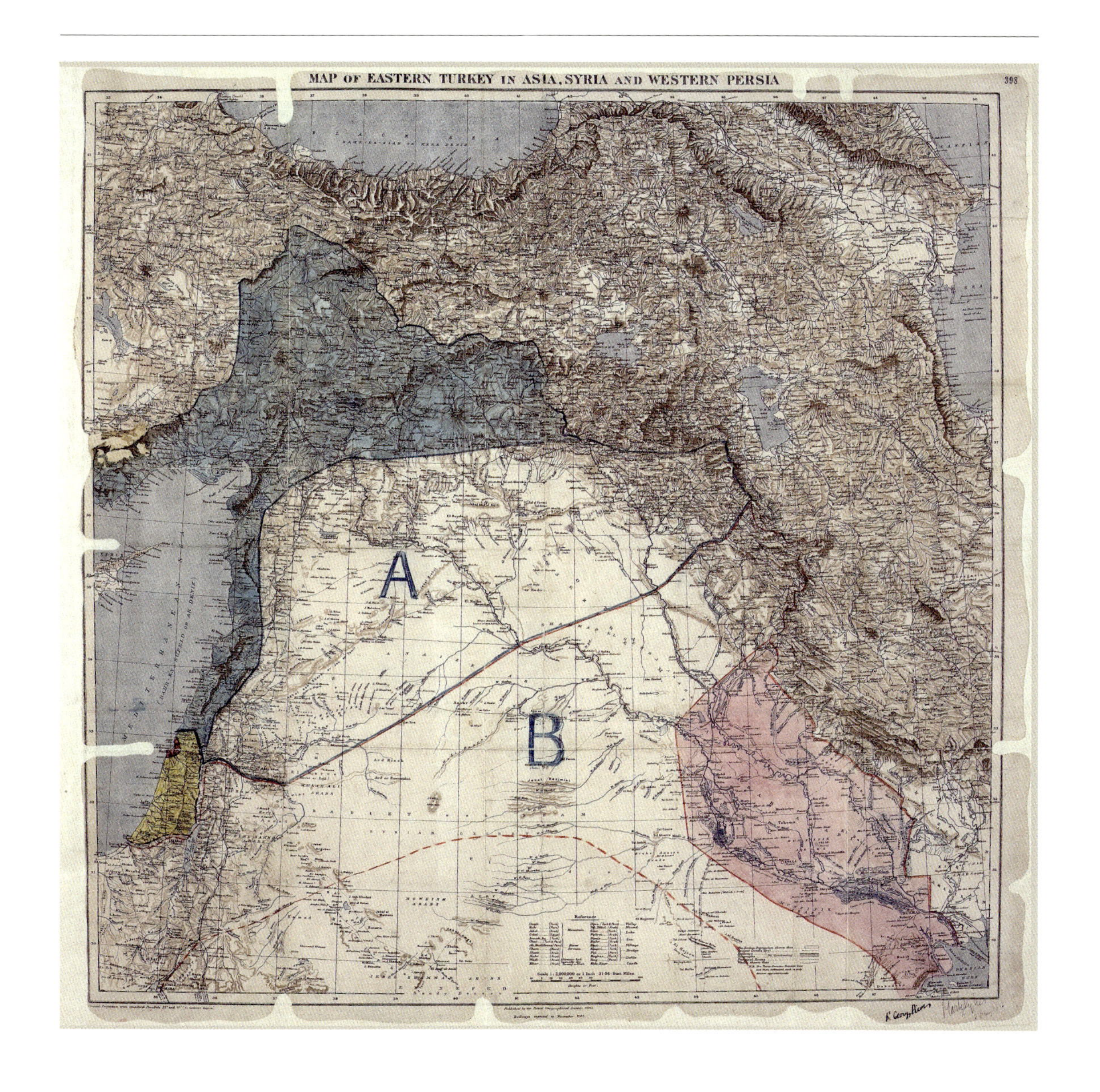

左：『サー・マーク・サイクス大佐の肖像』レオポルド・ピリホフスキー画。サイクスは1919年、スペイン風邪により39歳で死んだ。
上：サイクスとピコの地図（両者は1916年5月8日にこれに署名した）。英国（B）が赤い領域（今日のヨルダン、イラク南部、イスラエルのハイファ）を支配し、フランス（A）が青い領域（今日のシリア、レバノン、イラク北部、モスル、それにクルディスタンを含むトルコ南部）を獲得することが示されている。

バルフォア宣言

（1917年）

英国外務大臣が傑出したユダヤの指導者に宛てた短い書簡が、
大戦でオスマンが敗退した暁には「ユダヤ人がパレスチナの地に民族的郷土を樹立すること」を支援すると表明した。
この「紙切れ」は歴史を変え、後に現代イスラエルの建国へと繋がることとなる。

ハイム・ヴァイツマンはロシア生まれで英国在住のユダヤ人化学者で、砲弾に必要な不可欠の材料を創り出す化学工程を発明した。これがなければ、英国は化学に秀でたドイツ相手に膠着状態に陥った大戦に勝機を見出すことはなかっただろう。

そんなわけで、英国の外務大臣であり元首相でもあるアーサー・ジェイムズ・バルフォア（1848－1930）はヴァイツマンに、その戦争協力に対してどのように報いてもらいたいかと訊ねた。すると遠慮会釈のないこのシオニストは腹蔵なく答えた。「私の願いはただひとつです。我が民族のための民族的郷土です」。バルフォアは、ヴァイツマンにとってユダヤ人の「郷土」とはパレスティナを意味することを知っていた。すなわち地中海とヨルダン川の西アジアに位置する地域――「聖地」である。

ヴァイツマンがシオニズムの唱道者であったことが、バルフォアを動かして後に世界の歴史を変えることになる書簡を書かせた要因のひとつである。当時の英国の主要な政治家の何人かがそうであったように、バルフォアもまたキリスト教シオニストであり、ユダヤ教徒のみならずキリスト教徒にとっても霊的郷土としての「聖地」は極めて重要な意味を持つと確信していた。そこで彼は、英国がこの戦争でオスマン帝国を下した暁にはユダヤ人が古えの郷土に定住することを許可することに賛同した。

1917年11月2日、バルフォアはヴァイツマンの親友である第2代ロスチャイルド男爵ウォルター・ロスチャイルド卿に書簡を送った。卿は英国におけるユダヤ人社会の最高指導者であり、傑出したシオニストであった。この書簡は先般英国内閣において承認された立場を明確に述べていた。すなわち、同地の既存の共同体の権利を侵害するようなことがない限り、パレスティナにおけるユダヤ人の「郷土」に関するシオニストの計画を支持すると。既存の共同体とは、土着のキリスト教徒とムスリムの両者を含んでいる。

この書簡はすぐに〈バルフォア宣言〉として有名になるが、外交的な理由から、意図的に曖昧な語法を用いていた。だがそのメッセージは明瞭だった。

この文書には先見の明があったことが明らかとなった。僅か1ヶ月後に、サー・エドマンド・アレンビ将軍は英国軍を率いてエルサレムを占領、十字軍以来初のキリスト教徒の征服者となったのである。ドイツとその同盟国が敗北すると、11世紀以来中東を支配していたオスマン帝国は崩壊し、地図が描き直されることとなった。〈バルフォア宣言〉に登場した文言は後に、オスマン帝国を引導を渡した1920年のセーヴル平和条約と、1923年の英国によるパレスティナ委任統治決議の双方に採り入れられた。曰く、「ユダヤ人の民族郷土をパレスチナに確立する」。ただし、「パレスティナに存在する非ユダヤ人共同体の市民的・宗教的権利を不利にすることや、あらゆる他の国に在住するユダヤ人が享受する権利や政治的地位を不利にすることはなされてはならない」。

同〈宣言〉の日はイスラエルにおいては「バルフォア・デイ」として記念され、同時にアラブ諸国においては悲嘆と抵抗の日とされている。

Foreign Office,

November 2nd, 1917.

Dear Lord Rothschild,

I have much pleasure in conveying to you, on behalf of His Majesty's Government, the following declaration of sympathy with Jewish Zionist aspirations which has been submitted to, and approved by, the Cabinet

"His Majesty's Government view with favour the establishment in Palestine of a national home for the Jewish people, and will use their best endeavours to facilitate the achievement of this object, it being clearly understood that nothing shall be done which may prejudice the civil and religious rights of existing non-Jewish communities in Palestine, or the rights and political status enjoyed by Jews in any other country"

I should be grateful if you would bring this declaration to the knowledge of the Zionist Federation.

Yours
Arthur James Balfour

左：初代バルフォア伯アーサー・ジェイムズ・バルフォア。21歳で400万ポンドの遺産を受け継ぎ、英国一の金持ちとなった。
上：バルフォアの短い書簡。「ユダヤ人の民族的郷土」への支持を表明している。これが現代イスラエル建国へと繋がって行く。

ツィンメルマン電報

(1917年)

英国の暗号解読者たちが、依然として中立を保つ合衆国に対して仕掛けたドイツの秘密計画を発見した。
ドイツの大使自身がその電報が本物であると証言すると、
それは大戦においてアメリカを連合側に立たせる契機となった。

英国海軍本部の「ルーム40」は昂奮に沸き立っていた。同施設きっての暗号解読の達人チームが、鹵獲(ろかく)したドイツのコードブックを用いて最高機密暗号の解読に成功したのだ。1917年1月16日の日付の入ったそれは、ドイツの外務大臣アルトゥール・ツィンメルマンから駐墨(メキシコ)ドイツ大使に送られたものだった。解読結果によれば、ドイツは2月1日を期して合衆国の艦船に対し無制限の潜水艦攻撃を計画しているという。ドイツは合衆国がこのような攻撃を宣戦布告に等しいと見做すと推定し、その後参戦するならば、ドイツ大使はメキシコに接近して経済援助及びアリゾナ、ニューメキシコ、テキサスの各州をメキシコに割譲するという条件でドイツと同盟を結ぶことを提案した。そうすれば合衆国はメキシコとの戦争で手一杯となり、ヨーロッパ方面に集中できなくなると。

ツィンメルマン電報は驚愕の極秘情報だった。だが情報部の責任者である将校レジナルド・「ブリンカー」・ホールは自らの上司にすら報告を控えていた。このようなものを暴露してしまえば、英国の暗号解読能力を白日の下に曝すこととなり、この戦争における彼の部隊の今後の諜報活動に支障を来すと懸念したためである。そこで信じがたいことに、ホールは最終的にこの電報について他者に明かすまで20日もの間沈黙を保っていた。その頃にはドイツ帝国は実際に無制限潜水艦攻撃を開始し、その結果、合衆国はドイツとの外交関係を断っていた。諜報部を守るため、ホールは如何にして英国がその文を入手したかを説明する作り話を慌ててでっち上げた。

2月19日、解読された電報が遂にロンドンのアメリカ大使館当局者に示された。数日の内に、英国外務大臣アーサー・バルフォアはこの電報について大統領ウッドロウ・ウィルソンに報告、ウィルソンはマスコミに注意を喚起した。一部の新聞社は、宣伝戦の策略に陥ったり、あるいは新たな「新聞戦争」に引きずり込まれたりすることを警戒した。だがこのような留保はいずれもツィンメルマン自身によって一蹴された。彼は3月3日、アメリカの記者に断言した、「否定はできない、それは真実だ」。このドイツ人はまた、この電報が本物であることを認める演説も行なった。

その結果、そしてドイツの潜水艦がアメリカの旗を掲げる客船や商船に致死的攻撃を掛けるのを目の当たりにして、アメリカの世論に火が着いた。1917年4月6日、議会は公式にドイツに宣戦を布告した。

ツィンメルマン電報は歴史書に掲載された。合衆国と共有された版は合衆国国立公文書館に保管されている。「ルーム40」の記録の原本は英国の国立公文書館にある。『暗号戦争』の著者デーヴィッド・カーンによれば、「ひとつの暗号解読がこれほどの結果をもたらした事例は他にはない」。

右：歴史を変えた電文。ドイツ外相アルトゥール・ツィンメルマンから駐墨ドイツ大使ハインリヒ・フォン・エックハルトに送付されたこの暗号文は、メキシコがドイツ側に立つならば合衆国の領土を割譲すると提案していた。

CLASS OF SERVICE DESIRED	
Fast Day Message	X
Day Letter	
Night Message	
Night Letter	

Patrons should mark an X opposite the class of service desired; OTHERWISE THE TELEGRAM WILL BE TRANSMITTED AS A FAST DAY MESSAGE.

WESTERN UNION TELEGRAM

NEWCOMB CARLTON, PRESIDENT

Receiver's No. MC

Check

Time Filed

Send the following telegram, subject to the terms on back hereof, which are hereby agreed to

via Galveston

JAN 19 1917

GERMAN LEGATION

MEXICO CITY

130 13042 13401 8501 115 3528 416 17214 6491 11310
18147 18222 21560 10247 11518 23677 13605 3494 14936
98092 5905 11311 10392 10371 0302 21290 5161 39695
23571 17504 11269 18276 18101 0317 0228 17694 4473
22284 22200 19452 21589 67893 5569 13918 8958 12137
1333 4725 4458 5905 17166 13851 4458 17149 14471 6706
13850 12224 6929 14991 7382 15857 67893 14218 36477
5870 17553 67893 5870 5454 16102 15217 22801 17138
21001 17388 7446 23638 18222 6719 14331 15021 23845
3156 23552 22096 21604 4797 9497 22464 20855 4377
23610 18140 22260 5905 13347 20420 39689 13732 20667
6929 5275 18507 52262 1340 22049 13339 11265 22295
10439 14814 4178 6992 8784 7632 7357 6926 52262 11267
21100 21272 9346 9559 22464 15874 18502 18500 15857
2188 5376 7381 98092 16127 13486 9350 9220 76036 14219
5144 2831 17920 11347 17142 11264 7667 7762 15099 9110
10482 97556 3569 3670

BERNSTORFF.

Charge German Embassy.

ウィルソンの14ヶ条

（1918年）

上下両院合同会議で演説した大統領ウッドロウ・ウィルソンは、第1次世界大戦を終結させ、戦後の平和を確実なものとする新たな国際秩序を樹立するための高尚で詳細な計画を提唱した――だが、世界の列強は（そして彼自身の国は）どのように応えるだろうか？

1918年1月、既に大戦は3年半を経過し、合衆国もまた莫大な戦費を要する戦闘の最初の1年を終えようとしていた。ロシアのボルシェヴィキ革命もまた西洋列強にとっては和平の必要性を何よりも高めていた。

元プリンストン大学学長で元ニュージャージー州知事でもある大統領ウッドロウ・ウィルソン（1856－1924）は、既に「調査会（インクァイアリ）」と呼ばれる有識者会議を招集し、和平に向けた議論で俎上に上がる経済的・社会的・政治的要素に関する助言を受けていた。すなわち彼には、大勢の外交政策分析家が付いていたのである。ウィルソンはこれらの人材を投入し、世界平和のための野心的な青写真の叩き台を作らせた。また、知性派ジャーナリストであるウォルター・リップマンの協力を要請した。彼は陸軍長官の補佐官として、主要な政治演説の草稿作りを手伝っていた。

1918年1月8日、大統領は議会で「戦争目的と講和条件」に関する演説を行ない、14ヶ条の原則を「唯一可能と思われる計画は、以下の通りである」として発表した。彼が理解した世界大戦の原因に対して、ウィルソンは詳細な解決策一覧を提唱する。たとえば秘密協定の廃止、公海の自由、自由貿易、軍備縮小。原住民と入植者の双方の利益となる「植民地に関する全ての請求における、自由で寛容な、しかも完全に公平な調整」。全てのロシア領土、ベルギー、アルザス＝ロレーヌ、ルーマニア、セルビア、モンテネグロからの撤退と復旧。イタリア国境の再調整。 オーストリア＝ハンガリー国民のための自主的発展の最も自由な機会。オスマン帝国のトルコ人居住区のための確固たる主権の保証。独立したポーランド国家の樹立。そして平和を実施するための諸国の連盟。

「議員諸君よ」とウィルソンは訴える――

> 和平の過程は、開始すれば完全に開かれたものとならねばならず、如何なる類の秘密の合意をも含めたり許可したりしてはならない。これが我々の希望であり、目的である。征服と拡大の時代は過ぎ去った。同様に、特定の政府の利益のために、そして恐らくは予期せぬ時期に世界の平和を乱すために締結される、秘密の盟約の時代も過ぎ去った。

さらに言う、「これについては、世界の全人民が事実上の協力者である。そして我々自身に関する限り、他者に対して正義が為されなければ我々に対しても正義は為されないことは、実に明白である」。

公正な平和を約束することにより、ウィルソンの「14ヶ条」は戦争の決定的な時期に「同盟国」の戦意を削ぐべく立案されていた。彼の演説はラジオを通じて全世界に放送され、そのドイツ語版はプロパガンダ素材として敵の前線に撒かれた。

ウィルソンの提案は和平に向けた議論を促進させ、11ヶ月後の停戦へと繋がることになる。1919年、ウィルソンはその努力に対してノーベル平和賞を受けた。

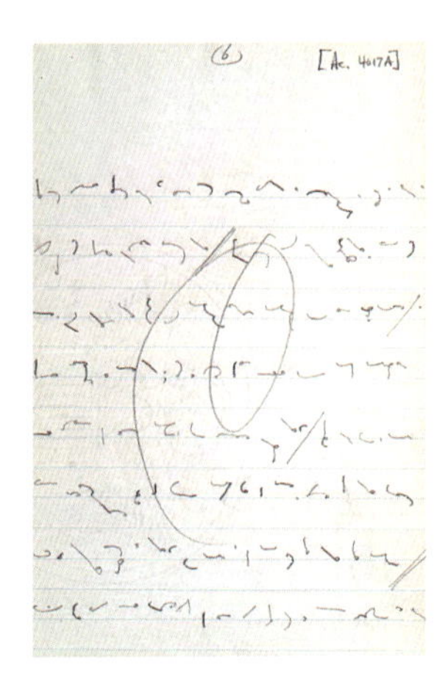

litical and economic independence and territorial integrity of the several Balkan states should be entered into.

XII. The Turkish portions of the present Ottoman Empire should be assured a secure sovereignty, but the other nationalities which are now under Turkish rule should be assured an undoubted security of life and an absolutely unmolested opportunity of autonomous development, and the Dardanelles should be permanently opened as a free passage to the ships and commerce of all nations under international guarantees.

XIII. An independent Polish state should be erected which should include the territories inhabited by indisputably Polish populations, which should be assured a free and secure access to the sea, and whose political and economic independence and territorial integrity should be guaranteed by international covenant.

XIV. A general association of nations must be formed under specific covenants for the purpose of affording mutual guarantees of political independence and territorial integrity to great and small states alike.

In regard to these essential rectifications of wrong and assertions of right we feel ourselves to be intimate partners of all the governments and peoples associated together against the Imperialists. We cannot be separated in interest or divided in purpose. We stand together until the end.

For such arrangements and covenants we are willing to fight and to continue to fight until they are achieved; but only because we wish the right to prevail and desire a just and stable peace such as can be secured only by removing the chief provocations to war, which this programme does remove. We have no jealousy of German greatness, and there is nothing in this programme that impairs it. We grudge her no achievement or distinction of learning or of pacific enterprise such as have made her record very bright and very enviable. We do not wish to injure her or to block in any way her legitimate influence or power. We do not wish to fight her either with arms or with hostile arrangements of trade if she is willing to associate herself with us and the other peace-loving nations of the world in covenants of justice and law and fair dealing. We wish her only to accept a place of equality among the peoples of the world,—the new world in which we now live,—instead of a place of mastery.

Neither do we presume to suggest to her any alteration or modification of her institutions. But it is necessary, we must frankly say, and necessary as a preliminary to any intelligent dealings with her on our part, that we should know whom her spokesmen speak for when they speak to us, whether for the Reichstag majority or for the military party and the men whose creed is imperial domination.

左：ウィルソンの「14ヶ条」演説の速記原稿。米国議会図書館蔵。

上：ウィルソンの14ヶ条の最後の3つと結論は、世界平和のための青写真となった。「利害や目的を巡って対立するようなことがあってはならない。我々は最後まで団結する」。

修正第19条

（1919年）

婦人参政権論者の80年に及ぶ闘いの末、全員男性から成る議会は遂に憲法修正案として、
連邦政府や州が性別に基づいて合衆国の投票権を奪うことを禁ずる法案を可決し、承認された——
だが女性はなおも、歴史的調印式からは締め出されている。

元来の合衆国憲法は、成人アメリカ人の一部にしか投票権を与えていなかった。財産条件、人種、性別に基づく除外は、20世紀になっても長年に亘って認められていた。

1869年、ワイオミング州は女性の投票を認める最初の州となり、1871年には女性の集団が議会に憲法改正の請願を開始した。憲法修正案は7年後にカリフォルニア選出の上院議員アロン・A・サージェントによって提出されたが、上院本会議での投票が認められたのは1887年のことで、この時は34対16で否決された。

この運動は「進歩主義時代」に復活し、行進、議論、ストライキなどがますます増大した結果、多くの抗議者が妨害され投獄された。だが彼らは不屈だった。ニューヨーク州が1917年に女性参政権を認めると、大統領ウィルソンは反対勢力を排除し、議会の空気は融和的なものとなった。

1919年5月21日、下院は修正案を通過させ、上院も6月4日にこれに続いた。テネシー州が1920年8月18日に法案を承認したことで全州の3分の2の承認が達成され、批准が成立した。婦人参政権論者は大喜びでこの大勝利を祝う準備をした。2つの主要な婦人参政権論者の団体の指導者たちは、国務省長官のベインブリッジ・コルビーに対して、映画用カメラと報道陣の前で正式な調印式を行なうよう促した。

だがコルビーは、公式書類には女性や報道関係者のいない密室で署名することに拘り、この行事の「威厳」を損ないたくないと主張した。

「全くの悲劇です」と全米女性党のアビー・スコット・ベイカーは述べた。「これは女性の闘いの最後の完成であり、そして女性は、党派に関わらず、その宣言に署名が為される場にいることが許されるべきでした」。

少なくとも数十年間、女性参政権の政治的影響は、多くの分析者の予想に反して微々たるものだった。アフリカ系アメリカ人は依然として多くの州で除外されており、投票は主として中産階級の市民に限定されていた。そして多くの女性はその配偶者と同じ候補に投票していたのである。女性の選挙ブロックが登場するのは1950年代になってからのことであった。

南部諸州による承認は遅々としていた。メリーランド州では1941年。ヴァージニア州では1952年。アラバマ州では1953年。サウスカロライナ州とフロリダ州では1969年。ルイジアナ州とジョージア州では1970年。ノースカロライナ州では1971年。そしてミシシッピ州は、修正第19条を1984年まで承認しなかった。

1920年8月18日、テネシー州で婦人参政権論者が祝っている。この日、同州はこの修正条項を承認した極めて重要な36番目の州となった。4分の3の州の承認が必要だったのである。

5

H. J. Res. 1.

Sixty-sixth Congress of the United States of America;

At the First Session,

Begun and held at the City of Washington on Monday, the nineteenth day of May, one thousand nine hundred and nineteen.

JOINT RESOLUTION

Proposing an amendment to the Constitution extending the right of suffrage to women.

Resolved by the Senate and House of Representatives of the United States of America in Congress assembled (two-thirds of each House concurring therein), That the following article is proposed as an amendment to the Constitution, which shall be valid to all intents and purposes as part of the Constitution when ratified by the legislatures of three-fourths of the several States.

"ARTICLE ———.

"The right of citizens of the United States to vote shall not be denied or abridged by the United States or by any State on account of sex.

"Congress shall have power to enforce this article by appropriate legislation."

F. H. Gillett

Speaker of the House of Representatives.

Thos. R. Marshall

Vice President of the United States and President of the Senate.

上：修正第19条の制定は、アメリカ史における陸標である。女性は遂に男性と同様に市民としての権利と責任を行使できるようになった。

ヴェルサイユ条約

(1919年)

戦いが終り、勝者は世界大戦を引き起こしたドイツに苛烈な条件を押しつけた。
だが、とあるフランスの司令官の警告通り、その結果は平和の処方ではなく「20年の休戦」となった――
そしてドイツに憤懣(ふんまん)の種が植え付けられた。

1918年11月11日の11時、遂に大戦が休戦を迎えるまでに、死者の数は既に1600万人に達し、負傷者の総計は2000万人と見積もられていた。

1919年1月、勝利と敗北の条件を設定するため、ヴェルサイユでパリ講和会議が開催された。大統領ウィルソンの高邁な「14ヶ条」が戦闘終結の助力となったものの、正式な和平合意の達成は容易ではないことが明らかとなった。30ヶ国近くが参加したものの、進行は「4大国」(英国、フランス、合衆国、イタリア)が牛耳っており、彼らはしばしば衝突した。ロシアの新たなボルシェヴィキ政府は除外され、ドイツを初めとする降伏した「同盟国」には発言権は無かった。結局、支配的な英国とフランスの代表団がそれぞれの国の主張のためにウィルソンの〈14ヶ条〉から後退し、ドイツには謀られていたという蟠(わだかま)りが残った。

条約は1919年6月28日に調印された。それは侵略戦争遂行の罪でドイツを処罰し、将来的な侵略を防止するための処置を科した。ドイツは「ドイツとその同盟国の侵略の結果として、多くの損失と損害を出した」責任を受諾した。また、連合国側に莫大な賠償金を支払う責任を負わされたが、実際の金額は確定されなかった(最終的な見積によれば1320億マルク、概算で2014年時点の4420億ドルに当たる)。

ドイツはまた、ヨーロッパにおける戦前の領土の10%と国外権益の全てを抛棄させられた。ドイツ陸海軍は大幅に縮小され、航空戦力と潜水艦の保有も禁止された。皇帝ヴィルヘルム2世を含むドイツ首脳はいわゆる戦争犯罪で裁判に掛けられた。条約にはまた「国際連盟」の計画も含まれていた。これはウィルソン大統領の構想に則り、討論の場であると同時に番犬として機能するものである。

フランスの元帥フェルディナン・フォッシュは、この条約は確実に将来ヨーロッパに戦争を引き起こすと警告した。「これは平和ではない。単なる20年の休戦に過ぎない」。そして多くのドイツ人もまた、ヴェルサイユ条約の条件に深い憤りを抱き、それを拒否したいと望んでいた。

アメリカの世論は圧倒的に「連盟」への参加を支持したが、共和党は上院で烈しくこれに反発、さらにウィルソンも脳卒中に倒れ、それ以上の唱道は不可能となった。最終投票は承認に届かず、結局合衆国は1921年にドイツとの間に単独条約を締結し、ヴェルサイユ条約の条項への同意や自国の大統領が提唱した国際的機構への参加に同意することはなかった。

右:条約とヴェルサイユ宮殿の「鏡の間」における調印の写真。それはまさに、1871年に普仏戦争でフランスが敗北後、プロイセンのヴィルヘルムがドイツ皇帝を宣した同じ場所であった。

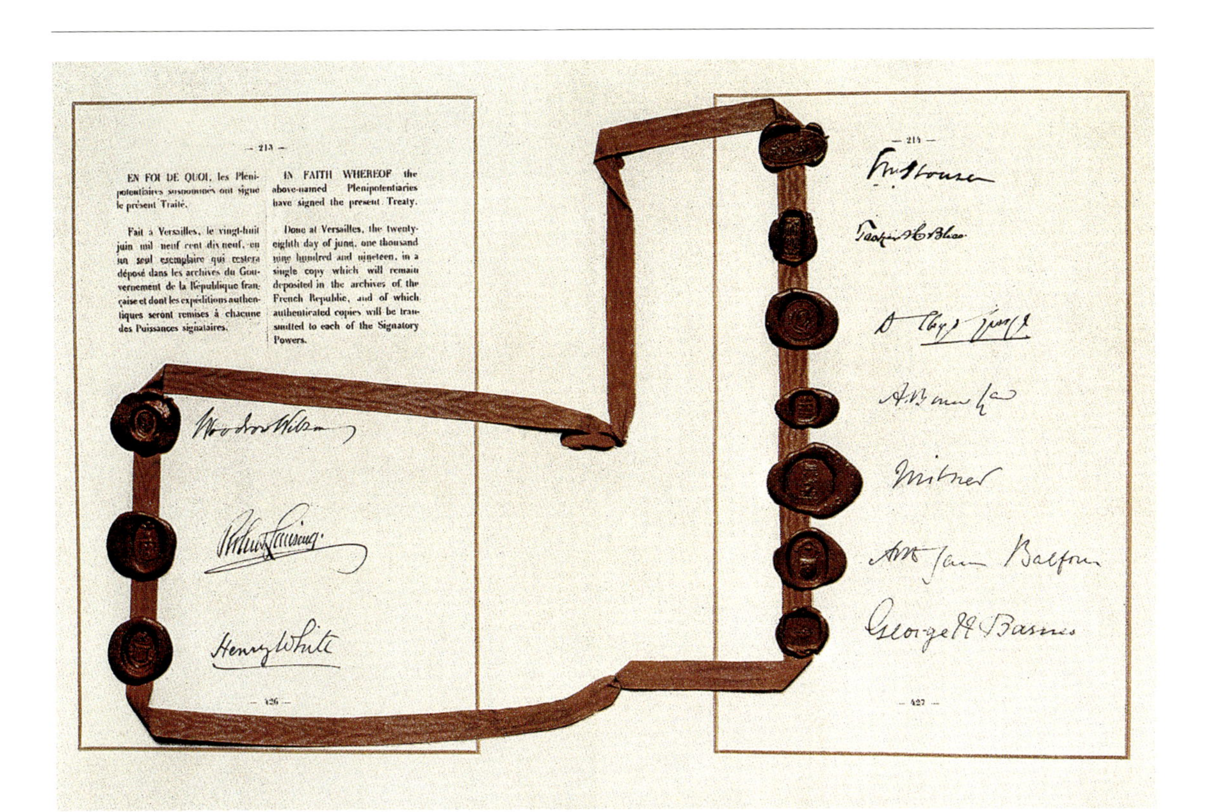

— 213 —

EN FOI DE QUOI, les Plénipotentiaires susnommés ont signé le présent Traité.

Fait à Versailles, le vingt-huit juin mil neuf cent dix neuf, en un seul exemplaire qui restera déposé dans les archives du Gouvernement de la République française et dont les expéditions authentiques seront remises à chacune des Puissances signataires.

IN FAITH WHEREOF the above-named Plenipotentiaries have signed the present Treaty.

Done at Versailles, the twenty-eighth day of june, one thousand nine hundred and nineteen, in a single copy which will remain deposited in the archives of the French Republic, and of which authenticated copies will be transmitted to each of the Signatory Powers.

Woodrow Wilson

Robert Lansing

Henry White

— 426 —

— 214 —

D Lloyd George

Milner

Arthur James Balfour

George N Barnes

— 427 —

ヒトラーの25ヶ条綱領

（1920年）

ミュンヘンのビアホールで顔なじみの人々相手に演説する陰鬱で憤激したドイツ軍人が、
自らの党が従うべき政治的要求の一覧を明らかにした。
後に彼は、自分が聴衆に与える影響力の大きさを語った。

1920年2月24日、アドルフ・ヒトラーはまだ軍人俸給を貰っていた。彼が陸軍を除隊されるのは5週間先である。2度に亘って鉄十字勲章を受けた大戦時の古参兵であるこの陰鬱なオーストリア人は、ドイツの不名誉な降伏とヴェルサイユ条約による「迫害」に憤懣（ふんまん）遣る方なかった。外国人、ユダヤ人、そして祖国を「裏切っている」腐敗した官僚を非難しながら、彼は祖国を正すためには強力な行動が必要だと誓った。

ドイツ労働者党（DAP）の創設者アントン・ドレクスラーと共同で、彼は党が信奉すべき要求の一覧を書上げた。今や彼は演壇に登り、その計画を発表しようとしていた。

ミュンヘンの騒がしいホフブロイハウスの洞窟のような集会室にはビールを鯨飲（げいいん）する2000人の党員が犇（ひし）めき、ヒトラーの声はほとんど届かなかった。だがこの30歳のオーストリア人は、自らの25ヶ条綱領を明確に述べた。その内容は条約の破棄、人口増のための領土の拡大……ユダヤ人及び外国人に対するドイツ市民権の廃止……不適当で腐敗した官僚の追放、全ての叛逆者と高利貸の処刑。「国家が、国民教育制度全般の根本的拡充について、考慮を払わねばならない」。子供らに国家観念を育成し……国民保健の向上に意を用いねばならない。「公共の福祉と矛盾するがごとき新聞は禁止する」。「国民生活に対して分裂的影響を与えるがごとき芸術・文学的傾向に対する法律闘争と、上記の諸要求と矛盾する諸施設の閉鎖とを要求する」。ドイツ人は「**公益は私益に優先する**」との原理に導かれねばならない。

この計画を実行するため、ドイツには「国家の強力な中央権力の創設」が必要である。党の指導部はこの目標到達のために手段を選んではならず、「その必要あるときは、自己の生命を賭す」。

その日、ヒトラーの所見がどのように受け取られたのか、どの新聞も報道していない。だが後に、この未来の指導者はこの演説が強力な作用を及ぼし、「新たな信念、新たな信仰、新たな意志」へと導かれように感じた、と打ち明けた。

2ヶ月後、ヒトラーは党名を国家社会主義ドイツ労働者党（NSDAP、もしくはナチ）と改めると宣言した。そのすぐ後に彼は逮捕され、その過激な活動は有罪判決を受けた。獄中で彼はその歪んだ理想を長々と認（したた）め、これは後に『我が闘争（マイン・カンプフ）』として出版された。

1920年の文書は、ヒトラーの破滅的な計画の予兆であった。

右：ヒトラーの25ヶ条綱領。純潔なドイツ人だけがドイツ市民と見做されると述べる。彼の計画は、ユダヤ人はアーリア人社会から隔離し、その政治的・法的・市民的権利を剥奪すべきであると宣言している。

Die Ziele der Nationalsozialisten

Nr. 7

Aus dem Programm der NSDAP

Durch bewußte Lügen und Verdrehungen fast der gesamten in Deutschland erscheinenden Zeitungen, die meist nicht von Deutschblütigen geschrieben werden, herrschen vielfach auch heute noch völlig verkehrte Vorstellungen über Wesen und Ziele des Nationalsozialismus.

Die folgenden 25 Programmpunkte wurden Anfang des Jahres 1920 zum ersten Male in München öffentlich bekanntgegeben; sie stehen als Grundformen der Nationalsozialistischen Deutschen Arbeiter-Partei unverrückbar fest.

Die 25 Punkte

Das Programm der Deutschen Arbeiter-Partei ist ein Zeit-Programm. Die Führer lehnen es ab, nach Erreichung der im Programm aufgestellten Ziele neue aufzustellen, nur zu dem Zweck, um durch künstlich gesteigerte Unzufriedenheit der Massen das Fortbestehen der Partei zu ermöglichen.

1. Wir fordern den Zusammenschluß aller Deutschen auf Grund des Selbstbestimmungsrechtes der Völker zu einem Groß-Deutschland.

2. Wir fordern die Gleichberechtigung des deutschen Volkes gegenüber den anderen Nationen, Aufhebung der Friedensverträge von Versailles und St. Germain.

3. Wir fordern Land und Boden (Kolonien) zur Ernährung unseres Volkes und Ansiedlung unseres Bevölkerungs-Ueberschusses.

4. Staatsbürger kann nur sein, wer Volksgenosse ist. Volksgenosse kann nur sein, wer deutschen Blutes ist, ohne Rücksichtnahme auf Konfession. Kein Jude kann daher Volksgenosse sein.

5. Wer nicht Staatsbürger ist, soll nur als Gast in Deutschland leben können und muß unter Fremdengesetzgebung stehen.

6. Das Recht über Führung und Gesetze des Staates zu bestimmen, darf nur dem Staatsbürger zustehen. Daher fordern wir, daß jedes öffentliche Amt, gleichgültig welcher Art, gleich ob im Reich, Land oder Gemeinde, nur durch Staatsbürger bekleidet werden darf.

Wir bekämpfen die korrumpierende Parlamentswirtschaft, einer Stellenbesetzung nur nach Parteigesichtspunkten ohne Rücksicht auf Charakter und Fähigkeiten.

7. Wir fordern, daß sich der Staat verpflichtet, in erster Linie für die Erwerbs- und Lebensmöglichkeit der Staatsbürger zu sorgen. Wenn es nicht möglich ist, die Gesamtbevölkerung des Staates zu ernähren, so sind die Angehörigen fremder Nationen (Nicht-Staatsbürger) aus dem Reiche auszuweisen.

8. Die weitere Einwanderung Nicht-Deutscher ist zu verhindern. Wir fordern, daß alle Nicht-Deutschen, die seit 2. August 1914 in Deutschland eingewandert sind, sofort zum Verlassen des Reiches gezwungen werden.

9. Alle Staatsbürger müssen gleiche Rechte und Pflichten besitzen.

10. Erste Pflicht jedes Staatsbürgers muß sein, geistig oder körperlich zu schaffen. Die Tätigkeit des einzelnen darf nicht gegen die Interessen der Allgemeinheit verstoßen, sondern muß im Rahmen des Gesamten und zum Nutzen aller erfolgen.

Daher fordern wir:

Brechung der Zinsknechtschaft.

11. Abschaffung des arbeits- und mühelosen Einkommens.

12. Im Hinblick auf die ungeheuren Opfer an Gut und Blut, die jeder Krieg vom Volke fordert, muß die persönliche Bereicherung durch den Krieg als Verbrechen am Volke bezeichnet werden. Wir fordern daher restlose Einziehung aller Kriegsgewinne.

13. Wir fordern die Verstaatlichung aller (bisher) bereits vergesellschafteten (Trusts) Betriebe.

14. Wir fordern Gewinnbeteiligung an Großbetrieben.

15. Wir fordern einen großzügigen Ausbau der Altersversorgung.

16. Wir fordern die Schaffung eines gesunden Mittelstandes und seine Erhaltung, sofortige Kommunalisierung der Groß-Warenhäuser und ihre Vermietung zu billigen Preisen an kleine Gewerbetreibende, schärfste Berücksichtigung aller kleinen Gewerbetreibenden bei Lieferung an den Staat, die Länder oder Gemeinden.

17. Wir fordern eine unseren nationalen Bedürfnissen angepaßte Bodenreform, Schaffung eines Gesetzes zur unentgeltlichen Enteignung von Boden für gemeinnützige Zwecke, Abschaffung des Bodenzinses und Verhinderung jeder Bodenspekulation.

(Erklärung.

Gegenüber den verlogenen Auslegungen des Punktes 17 des Programms der NSDAP. von seiten unserer Gegner ist folgende Feststellung notwendig:

Da die NSDAP. auf dem Boden des Privateigentums steht, ergibt sich von selbst, daß der Passus „Unentgeltliche Enteignung“ nur auf die Schaffung gesetzlicher Möglichkeiten Bezug hat, Boden, der auf unrechtmäßige Weise erworben wurde oder nicht nach den Gesichtspunkten des Volkswohles verwaltet wird, wenn nötig, zu enteignen. Dieses richtet sich demgemäß in erster Linie gegen die jüdischen Grundspekulationsgesellschaften.

München, den 15. April 1928. gez. Adolf Hitler.)

18. Wir fordern den rücksichtslosen Kampf gegen diejenigen, die durch ihre Tätigkeit das Gemeininteresse schädigen. Gemeine Volksverbrecher, Wucherer, Schieber usw. sind mit dem Tode zu bestrafen, ohne Rücksichtnahme auf Konfession und Rasse.

19. Wir fordern Ersatz für das der materialistischen Weltordnung dienende römische Recht durch ein deutsches Gemeinrecht.

20. Um jedem fähigen und fleißigen Deutschen das Erreichen höherer Bildung und damit das Einrücken in führende Stellungen zu ermöglichen, hat der Staat für einen gründlichen Ausbau unseres gesamten Volksbildungswesens Sorge zu tragen. Die Lehrpläne aller Bildungsanstalten sind den Erfordernissen des praktischen Lebens anzupassen. Das Erfassen des Staatsgedankens muß bereits mit dem Beginn des Verständnisses durch die Schule (Staatsbürgerkunde) erzielt werden. Wir fordern die Ausbildung geistig besonders veranlagter Kinder armer Eltern ohne Rücksicht auf deren Stand oder Beruf auf Staatskosten.

21. Der Staat hat für die Hebung der Volksgesundheit zu sorgen durch den Schutz der Mutter und des Kindes, durch Verbot der Jugendarbeit, durch Herbeiführung der körperlichen Ertüchtigung mittels gesetzlicher Feststellung einer Turn- und Sportpflicht, durch größte Unterstützung aller sich mit körperlicher Jugend-Ausbildung beschäftigenden Vereine.

22. Wir fordern die Abschaffung der Söldnertruppe und die Bildung eines Volksheeres.

23. Wir fordern den gesetzlichen Kampf gegen die bewußte politische Lüge und ihre Verbreitung durch die Presse. Um die Schaffung einer deutschen Presse zu ermöglichen, fordern wir, daß

a) sämtliche Schriftleiter und Mitarbeiter von Zeitungen, die in deutscher Sprache erscheinen, Volksgenossen sein müssen,

b) nichtdeutsche Zeitungen zu ihrem Erscheinen der ausdrücklichen Genehmigung des Staates bedürfen. Sie dürfen nicht in deutscher Sprache gedruckt werden,

c) jede finanzielle Beteiligung an deutschen Zeitungen oder deren Beeinflussung durch Nicht-Deutsche gesetzlich verboten wird und fordern als Strafe für Uebertretungen die Schließung eines solchen Zeitungsbetriebes sowie die sofortige Ausweisung der daran beteiligten Nicht-Deutschen aus dem Reich.

Zeitungen, die gegen das Gemeinwohl verstoßen, sind zu verbieten. Wir fordern den gesetzlichen Kampf gegen eine Kunst- und Literatur-Richtung, die einen zersetzenden Einfluß auf unser Volksleben ausübt und die Schließung von Veranstaltungen, die gegen vorstehende Forderungen verstoßen.

24. Wir fordern die Freiheit aller religiösen Bekenntnisse im Staat, soweit sie nicht dessen Bestand gefährden oder gegen das Sittlichkeits- oder Moralgefühl der germanischen Rasse verstoßen.

Die Partei als solche vertritt den Standpunkt eines positiven Christentums, ohne sich konfessionell an ein bestimmtes Bekenntnis zu binden. Sie bekämpft den jüdisch-materialistischen Geist in und außer uns und ist überzeugt, daß eine dauernde Genesung unseres Volkes nur erfolgen kann von innen heraus auf der Grundlage:

Gemeinnutz vor Eigennutz.

25. Zur Durchführung alles dessen fordern wir: Die Schaffung einer starken Zentralgewalt des Reiches. Unbedingte Autorität des politischen Zentralparlaments über das gesamte Reich und seine Organisation im allgemeinen.

Die Bildung von Stände- und Berufskammern zur Durchführung der vom Reich erlassenen Rahmengesetze in den einzelnen Bundesstaaten.

Die Führer der Partei versprechen, wenn nötig unter Einsatz des eigenen Lebens, für die Durchführung der vorstehenden Punkte rücksichtslos einzutreten.

Dieses Flugblatt ist zu beziehen vom Gau Hamburg der NSDAP., Abteilung Propaganda, Hamburg 13, Moorweidenstraße 10. Preis: 100 St. RM. 1.20, 250 St. RM. 2.20, 500 St. Rm. 3.50, 1000 St. RM. 5.50, jedes weitere Tausend RM. 5.— porto- oder frachtfrei. Bestellungen gegen Voreinsendung des Betrages auf Postscheckkonto: W. v. Allwörden, Gaupropaganda, Hamburg, Nr. 73 214 oder gegen Nachnahme. Herausgeber: NSDAP Gau Hamburg. — Verantwortlich: Wilh. Schmidt, Hamburg, Moorweidenstraße 10. — Nachdruck verboten. — Rotationsdruck: Berg & Otto, Hbg. 8, Gr. Reichenstr. 63/65.

ツタンカーメン墳墓の発見

(1922年)

イングランドの裕福な後援者の資金を得て、とある古参の考古学者にしてエジプト学者が長年エジプトに滞在、「少年王」の異名を持つファラオの墓を虚しく探し続け、丹念にその記録を付け続けた――驚くべき発見を成し遂げる日まで。

ハワード・カーター(1874－1939)は過去30年間、古代の墓を求めてエジプトのあちこちを掘り返していた。斯界(しかい)の世界最高権威である彼はしばしば、途轍もない大金持ちの古物蒐集家カーナーヴォン卿の要請を受けて仕事に当たっていた。卿は彼を雇い、ナイル河沿いの王家の谷の発掘を監督させていた。

カーターはその地の見窄(みすぼ)らしい泥煉瓦の家に住み、辺りをうろつき回って目立たない墓を探していた。そこには紀元前1332年から1323年まで統治した第18王朝の謎のファラオであるツタンカーメンの遺物が遺されていると睨んでいたのである。ツタンカーメン王は9歳か10歳で王位に就き、18歳頃に死んだ。そのことで、弥(いや)が上にも彼の物語は魅力的なものとなっていた。

だが1922年、カーナーヴォン卿はカーターに、大発見がない限り資金援助は残り1年で打切りにさせてもらうと告げた。その期限も迫った1922年11月4日、カーターの給水係がたまたま、重要な埋葬地へと続く砂上の足跡を見つけた。俄然勇躍したカーターは直ちに雇い主に打電、昂奮したカーナーヴォン卿はすぐに側近を連れて現場に到着した。

カーナーヴォンの目の前で墓を暴いたカーターの手は慄(ふる)えていた。「最初は何も見えなかった。墓室から熱い空気が漏れ出てきて、蠟燭の炎を揺らしていた」とカーターは後に記している。「だが程なく、眼が光に慣れるにつれて、墓室の細部がゆっくりと霧の中から浮かび上がってきた。奇妙な動物、彫像、そして黄金――どこもかしこも黄金の輝きに満たされていた」。カーターは驚きのあまり茫然として、苛立ったカーナーヴォン卿は待ちきれずに訊ねた、「何か見えるのか?」。大口を開けた考古学者はようやく我に返って答えた、「はい、素晴らしいものが!」。

こうして2人は、王家の谷で最も保存状態の良い、無傷なファラオの墓を発見したのである。1年半後、カーターのチームは玄室に入り、黄金で覆われた厨子と宝石を鏤めた櫃を発見した。ツタンカーメンの石棺の蓋を開けると、「トト王」のミイラの納められた純金の柩があった。この発見の報せは直ぐさま世界中に届けられて世界を熱狂の渦に叩き込み、カーターは一躍著名人となった。

カーナーヴォン卿はこれほど幸運ではなかった。エジプト滞在中、彼は蚊に食われて炎症を起し、3週後に死んだのだ――ジャーナリストは「ファラオの呪い」と書立てた。この話はハリウッドの映画制作者たちの格好のネタとなった。カーターの日誌とそれに続く公式の著書、写真、ドキュメンタリー映画は、20世紀最大の考古学的発見の詳細を伝えている。

下:ハワード・カーターと助手が、ツタンカーメンの遺体を調べている。今日の歴史家は、カーナーヴォンやカーターのような植民地主義の蒐集家によるエジプト古物の略奪について、批判的に見るようになった。

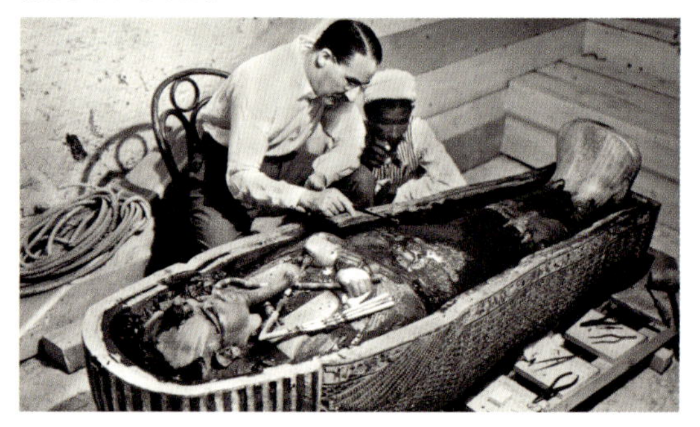

(Nov. 26 Continued)

It was sometime before one could see, the hot air escaping caused the candle to flicker, but as soon as ones eyes became accustomed to the glimmer of light the interior of the chamber gradually loomed before one, with its strange and wonderful medley of extraordinary and beautiful objects heaped upon one another. There was naturally short suspence for those present who could not see, when Lord Carnarvon said to me 'Can you see anything'. I replied to him Yes, it is wonderful. I then with precaution made the hole sufficiently large for both of us to see. With the light of an electric torch as well as an additional candle we looked in. Our sensations and astonishment are difficult to describe as the better light revealed to us the marvellous collection of treasures: two strange ebony-black effigies of a King, gold sandalled, bearing staff and mace, loomed out from the cloak of darkness; gilded couches in strange forms, lion-headed, Hathor-headed, and beast infernal; exquisitely painted, inlaid, and ornamental caskets; flowers; alabaster vases, some beautifully executed of lotus and papyrus device; strange black shrines with a gilded monster (Snake) appearing from within; quite ordinary looking white chests; finely carved chairs; a golden inlaid throne; a heap of large curious white oviform boxes; beneath our very eyes, on the threshold, a lovely lotiform wishing-cup in translucent alabaster; stools of all shapes and design, of both common and rare material; and, lastly a confusion of overturned parts of chariots glinting with gold, peering from amongst which was a mannikin – ~~the furniture~~ of a vanished civilization. The first ~~sa~~ impression of which suggested the property-room of an Opera-house. Our sensations were bewildering and full of strange emotion. We questioned one another as to the meaning of it all. Was it a tomb or merely a cache? A sealed doorway between the two sentinel statues proved there was more beyond, and with the numerous cartouches bearing the name of Tut-ankh-Amen on most of the objects before us, there was little doubt that there behind was the grave of that Pharoah.

We closed the hole, locked the wooden-grill which had been placed upon the first doorway, we mounted our donkeys and return home contemplating what we had seen.

261 ANUBIS

POSITION: Placed in centre of Chamber, partially blocking the doorway, facing west. Ends of carrying-poles of shrine protruding into the Burial Chamber (see note attached).

DIMENSIONS: Anubis Jackal

A.B. Occipital tuberosity to tip of nose, 26.1 cms

C.D. Head of humerus to tuberosity of the ischium, 60. cms

E.F. Depth of chest, 19.0 cms

G.H. Point of elbow (olecranon) to end of radius, 20. cms

I.J. Calcaneum to end of metatarsus, 16.6 cms

上と左：ハワード・カーターの日誌と手記。オクスフォード大学グリフィス研究所のコレクション。

エンパイア・ステイト・ビルディング

（1929－31年）

名人芸の設計図に従って構想・建築された、
当時世界最高のビルディングは、世界で最も有名な摩天楼として聳え立った――
この建築学的驚異、工学と建築の驚倒すべき偉業は、今もアメリカのイコンとなっている。

目前に差し迫っていた「株式大暴落」を意に介さず、ジェネラル・モーターズに関係した産業資本家たちが1929年、マンハッタンに世界最高層のビルディングを建てようとの理念の下に結集した。彼らの目的は、商売敵が所有する近くのクライスラー・ビルディングの顔色を無からしむることである。現場は33丁目と34丁目の間の五番街、かつてはウォルドーフ＝アストリア・ホテルが占拠していたが、これを引きずり倒して彼らの新たな、天にも届かんばかりのアメリカ企業の力の象徴を建てようというのだ――エンパイア・ステイト・ビルディングである。

この巨像の設計に抜擢されたのは、「シュリーヴ、ラム＆ハーモン・アソシエイツ」の建築家たち。ウィリアム・F・ラム（1893－1952）は、まるで鉛筆のようなアール・デコ様式で、僅か2週間で下図を描いた。ラムは霊感の源として、ノースカロライナ州ウィンストン＝セイラムのレノルズ・ビルディングと、オハイオ州シンシナティのカルー・タワーを用いた。彼の設計は後に幾つかの賞を獲得する。1931年に建築家協会から受賞した金メダルもそのひとつである。

広さ2エーカーに及ぶ5階の基層部から、この建築物は地上102階まで聳え立つことになっていた。アンテナ塔の先端までの高さは1454フィート、世界最高の摩天楼である。もうひとつの顕著な特徴は、窓が陥凹しておらず、面一になっていることである。

綜合建築請負業者は「スターレット・ブラザーズ＆エケン」、摩天楼建築ではその名を知られた筆頭企業である。実際、兄弟の1人ウィリアム・A・スターレットは先般『摩天楼とその建築者たち』と題する著書を上梓したばかりで、その中で彼は次のように記している。「摩天楼の建築は、平時における戦争に最も近い……戦争との類似は、それが自然の力に対する闘争であるという点である」。1930－31年、同社はこの計画に関するノートを編纂した。題して『エンパイア・ステイト・ビルディング建築に関するノート』。青線の入ったグラフ用紙にタイプされた77頁に及ぶテキストで、3つ穴リングのバインダーに綴じられていた。このノートにはまた、32枚の茶色の板紙に黒いコーナーで貼付けられた白黒写真も含まれていた。テキストと写真は、この歴史的摩天楼の詳細かつ段階的な建築手順を示している。

「株式大暴落」の始まる頃に着手されたこの計画は、1日に3400人もの建築作業員を雇った。その多くはヨーロッパからの移民で、また数百名の恐れを知らぬモホーク・インディアンの鉄骨工もいた。この狂乱の建築作業中に、少なくとも5人の作業員が死んだ。

全工程は、驚くなかれ僅か20ヶ月で終った。最初の建築契約の締結が1929年9月、公式開場が1931年5月1日である。建築自体に要したのは驚愕の410日であった。最終総工費は4094万8900ドル（2015年現在の6億3502万1563ドルに匹敵）。2007年の時点で、ペンタゴンに次ぐ合衆国第2の単一オフィスビルである。数えきれぬ書物や映画にも描かれたこのビルディングだが、何と言っても最も有名なのはキング・コングに攀じ登られた逸話であろう。この怪物は1933年、天にも届く尖塔の上で攻撃機を払い除けて見せたのだ。

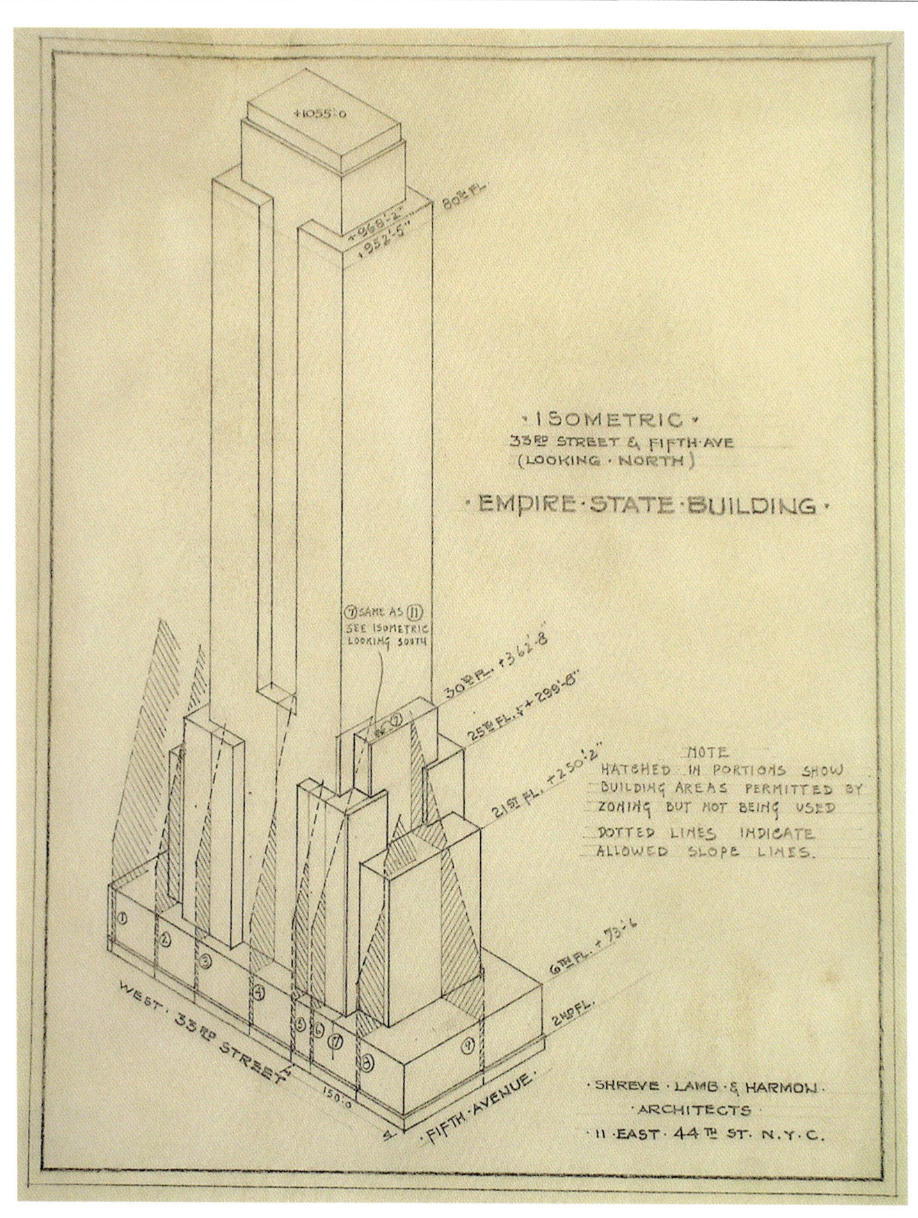

上：シュリーヴ、ラム及びハーモンの等角投影図のひとつ。1929年10月。全ての予備的なスケッチは2週間以内で完成した。

左：1930年4月24日。このビルディングはまだ2階。一年後に完成する。

エドワード8世退位文書

（1936年）

離婚歴のあるアメリカ人女性との結婚の意向に関する醜聞から手を引くことを拒絶した英国の独身王は、
机に向かって歴史的な文書に署名した。
僅か数筆で、彼は自ら王座を抛棄した最初の英国君主になることを告げたのだ。

エドワード8世（1894－1972）は1936年1月20日、父ジョージ5世の死によって英国の王となったが、戴冠はしていなかった。

だがこの41歳の独身男がウォリス・ウォーフィールドとの結婚の意向を表明すると、頑強な反対に直面することとなった。彼女は離婚歴のあるアメリカ人女性で、しかも2度目の離婚は今も係争中だったのだ。宗教的にも法的にも政治的にも囂々たる反対が巻き起こった。聖公会の名目上の長であるエドワード王は、教会の昔からの方針である、何びとであれ離婚した者は元配偶者の存命中は再婚できないという規定に直面したのである。しかも障害はそれだけではなかった。

首相スタンリー・ボールドウィンは彼に、シンプソン夫人は女王たるに相応しくないと奏上した。彼女の不倫に関する多数の噂が渦巻く中で、J・エドガー・フーヴァーのFBIは密かにこの女が駐英ドイツ大使ヨアヒム・フォン・リッベントロップと関係を持っていると報告した。また駐英アメリカ大使ジョセフ・ケネディは彼女を「阿婆擦れ」と呼んでいた。

にも関わらず、エドワードは彼女との関係解消を拒絶し、危機は最高潮を迎えた。

1936年12月10日の朝、エドワードはサリー州の邸宅の客間に弟たちを集めた。執務机に腰を下ろし、彼は弁護士に用意させた7通の退位文書に署名した。文書に曰く、「朕グレイト・ブリテン、アイルランド及び海外の英国自治領の王にしてインド皇帝たるエドワード8世は茲に、朕及び朕が子孫の王位を破棄する旨の不退転なる決意、及び之なる退位文書の即時の発効を願ふ旨を宣す」。弟たちが証人として署名する中、「室内は謹厳なる鈍い呟きに満たされた」と彼は後に回想している。

翌日、国王エドワード8世は自らの決意を世界中のラジオの聴衆に公表し、議会は正式な手続きを執行した。退位に関する法律に国王として裁可を与えた彼は、弟のジョージ6世に王位を移譲した。ジョージ6世の国王としての最初の国事行為は、兄にウィンザー公爵の称号を与えることだった。

侯爵とシンプソンは1937年6月3日にフランスで結婚し、パリに居住した。第2次世界大戦中、エドワードはバハマ総督を務めていた。だが夫妻の親ナチス的態度はさらに気まずい事態を引き起こした。エドワードはこう言ったとされる、「戦争が終り、ヒトラーがアメリカを叩き潰したら……われわれが支配する」。王権放棄から30年後、彼はニューヨークの『デイリー・ニューズ』に語った、「ドイツに東進させ、共産主義を永遠に叩き潰すよう焚付けることは英国の利益であり、またヨーロッパの利益でもあった」。

退位文書は英国の国立公文書館に保管されている。

右：退位文書。エドワード8世と3人の弟たちの署名がある。この文書はサリー州ウィンザー・グレイト・パークのエドワードの邸宅であるフォート・ベルヴィディアで署名された。

INSTRUMENT OF ABDICATION

I, Edward the Eighth, of Great Britain, Ireland, and the British Dominions beyond the Seas, King, Emperor of India, do hereby declare My irrevocable determination to renounce the Throne for Myself and for My descendants, and My desire that effect should be given to this Instrument of Abdication immediately.

In token whereof I have hereunto set My hand this tenth day of December, nineteen hundred and thirty six, in the presence of the witnesses whose signatures are subscribed.

SIGNED AT
FORT BELVEDERE
IN THE PRESENCE
OF

Edward RI

Albert

Henry.

George.

テレヴィジョン番組表

（1936年）

聴取者に「テレヴィジョンの魔法」を紹介したBBCは、その潜在的な視聴者に対して簡便な週刊番組表を提供し始めた。すなわち『ザ・レイディオ・タイムズ』の付録である。ただひとつの問題は、その信号を受信するには国内唯一の送信機から25マイル以内に居住している必要があったことだ。

テレヴィジョンという新媒体に対する遅疑逡巡の実験の末に、1936年、英国放送協会はアレクサンドラ・パレス（アリー・パリー）に最初のTV局を建設した。そしてBBCの番組計画者たちは、僅か9日で最初のＴＶ番組を作れと命じた。開幕番組『君の瞳に乾杯（ヒアズ・ルッキング・アット・ユー）』は1936年8月26日に放映された。アナウンサーのレスリー・ミッチェル曰く、「紳士淑女の皆様ごきげんよう。ここにテレヴィジョンの魔法をご紹介できることを大変嬉しく思います……」。

断続的な試験と放送の後、最初の定期テレヴィジョン放送は11月2日に開始される運びとなった。当初の放送は週ごとに、ベアードの走査線240本の機械走査式システムと、マルコーニＥＭＩの走査線405本の電子走査式システムとを交互に用いていた。2組の番組が日曜を除く毎日、午後3時から4時までと、9時から10時まで放送された。

1936年10月23日の「テレヴィジョン・ナンバー」でTV放送のコンセプトを紹介したBBCは、直ぐさま定期刊行物の『レイディオ・タイムズ』誌に付録を付けることにし、10月30日に翌週の開幕ラインナップを紹介した。日曜日の放送はなかったので、毎週のＴＶ番組表は月曜日から土曜日までとなっていた。

最初の広告付番組には、天気予報、音楽、女性向けの家事番組（たとえば『ミセス・デイジー・ペインのアイロン掛けのコツ』）、バブルズ・ステュワートが「映画スターの物真似」をする15分の余興など、才気煥発たるものが目白押しだった。ジョン・パイパーはロンドンの画廊で開催中の展覧会の批評をする予定で、「ザ・ホイッスリング・ガード」の短い演奏も計画されていた。

1936年11月2日午後3時、世界初の定期放送が予定通りに始まった。この放送を受信することのできるテレヴィジョン・セットは英国に僅か100台から500台程度しかなく、全ての視聴者はアリー・パリーの送信所から25マイル以内に居住していなければならなかった。ＴＶ受像機は巨大で高価であったため、テレヴィジョン鑑賞は金持ちだけに許された新奇な贅沢であり、当時の視聴者は観劇の際と同様に正装して視聴するのが常であった。

3年後、BBCテレヴィジョンの会長ジェラルド・コックはテレヴィジョンを「基本的に時事問題のための媒体」であると見做していると語った。「通常の上演中の演劇を抜萃し、スタジオから、あるいは直接舞台から放映したり、上演終了時には劇全体を放映したりするのは、国民の娯楽活動の批評のひとつとしての魅力的な可能性である。だが私見では、テレヴィジョンというものは本質的に、娯楽よりもあらゆる種類の情報の宣布に適している」。

当初の『レイディオ・タイムズ』に付いていたテレヴィジョン番組表の初期のものは、現在ではコレクターズ・アイテムとなっている。

THE RADIO TIMES
TELEVISION NUMBER

THE COMING OF TELEVISION

左：『レイディオ・タイムズ』の「テレヴィジョン・ナンバー」。曰く、「これからの数ヶ月、興味深い番組が目白押しです……あなたは新たな芸術の始まりを目撃するでしょう」。
上：エリック・フレイザーに特注して描かせた表紙デザイン。図柄はアレクサンドラ・パレスの送信機。巻頭記事は、「技術者と番組制作者が数ヶ月間、音声と同時に映像も放送できるこの魅力的な新発明に如何に取り組んだか」の説明。

ミュンヘン協定

(1938年)

ドイツ、イタリア、フランスとの間でミュンヘン協定を締結後、英国首相ネヴィル・チェンバレンは
その文書を振りかざして全員に見せ、太鼓判を捺した、「これがわれわれの時代の平和」を約束すると――
ドイツの首相アドルフ・ヒトラーが更なる侵略を推し進めようとしていることなど知る由もなく。

世界大戦の終結から20年、ドイツは再び戦争の犬たちを綱から解き放とうとしていた。今回、争いの場となったのはチェコスロヴァキアのドイツ語圏であるズデーテン地方で、ファシストである総統ヒトラーは、思い通りにならなければ武力でこの地を侵奪すると脅迫していた。

ヒトラーが第1次世界大戦後に創られた主権国家に侵攻すれば戦争は不可避と思われていたが、英国首相ネヴィル・チェンバレンはその事態の回避を決意した。そこで彼はヒトラーに単独首脳会談を打診、バイエルン州ミュンヘン郊外のベルヒテスガーデンにあるヒトラーの山荘に自ら飛んで総統と会談した。両者は3時間に亘ってこの問題を話し合い、その後、チェンバレンは祖国へ飛んで内閣と協議、再びドイツへとって返すと、何とか戦争を回避せんものと必死の交渉を続けた。

1938年9月29日、チェンバレンはミュンヘンでヒトラー及びイタリアのベニト・ムッソリーニ、フランスのエドゥアール・ダラディエと会談した。チェコスロヴァキア及びソヴィエト連邦の代表は排除された。4大国はヒトラーがこれ以上の領土を要求しないという条件でズデーテン地方の即時割譲に合意した。会談は午前1時30分に終了し、4巨頭はミュンヘン協定に調印した。

チェンバレンは大勝利を収めたと自認していた。ドイツからの帰国便を降りるや否や、得意満面の首相はヘストン飛行場で歓呼する群衆に迎えられた。チェンバレンは署名されたばかりのミュンヘン協定の写しを自らの外交的達成の証拠として空中に振りかざし、これを永続的平和への第一歩と呼んだ。「今朝、私はまたもドイツ総統ヒトラー氏と会談しました」と彼は自賛した、「そしてここにある書類に彼の署名があります、それに私のも」。

チェンバレンはバッキンガム宮殿で饗応を受け、新聞は挙(こぞ)って彼のために讃歌を歌った。だがウィンストン・チャーチルはこの協定を「完全かつ純然たる敗北」と非難した。そしてドイツ軍の一部分子は今後の趨勢を予期し、ますます好戦的となる一方のヒトラーの計画を阻止せんものと、密かにクー・デタの計画を練っていた。

ズデーテン地方はチェコ人にとっては計り知れぬほどの戦略的重要性を持つ地であり、彼らはこの協定を連合王国及びフランスの裏切りと考えた。だがチェコスロヴァキアはドイツの軍事力には抗う術もなく、政府は不承不承ながら、協定の遵守に同意せざるを得なかった。

7ヶ月後の3月15日、チェンバレンの心胆を寒からしめたことに、ドイツの戦車がチェコスロヴァキアの残りの地域に雪崩れ込み、ヒトラーによる一方的なミュンヘン協定の蹂躙を告げた。首相の行動は近代史における最大の「宥和」失敗の例としてその評価を地に堕(お)とした。

4巨頭の署名入のミュンヘン協定の原本のひとつは、英国の国立公文書館にある。

We, the German Führer and Chancellor and the British Prime Minister, have had a further meeting today and are agreed in recognising that the question of Anglo-German relations is of the first importance for the two countries and for Europe.

We regard the agreement signed last night and the Anglo-German Naval Agreement as symbolic of the desire of our two peoples never to go to war with one another again.

We are resolved that the method of consultation shall be the method adopted to deal with any other questions that may concern our two countries, and we are determined to continue our efforts to remove possible sources of difference and thus to contribute to assure the peace of Europe.

September 30, 1938

Agreement
reached on the 29th of September 1938
between Germany, United Kingdom, France and Italy.

Germany, the United Kingdom, France and Italy, taking into consideration the agreement, which has been already reached in principle for the cession to Germany of the Sudeten German territory, have agreed on the following terms and conditions governing the said cession and the measures consequent thereon, and by this agreement they each hold themselves responsible for the steps necessary to secure its fulfilment.

1.) The evacuation will begin on October 1st.
2.) The United Kingdom, France and Italy agree that the evacuation of the territory shall be completed by October 10th, without any existing installations having been destroyed and that the Chechoslovak Government will be held responsible for carrying out the evacuation without damage to the said installations.
3.) The conditions governing the evacuation will be laid down in detail by an international commission composed of representatives of Germany, the United Kingdom, France, Italy and Chechoslovakia.
4.) The occupation by stages of the predominantly German territory by German troops will begin on October 1st. The four territories marked on the attached map will be occupied by German troops in the following order: the territory marked number I on the 1st and 2nd of October, the territory marked number II on the 2nd and 3rd of October, the territory marked number III on the 3rd, 4th and 5th of October, the territory marked number IV on the 6th and 7th of October.

The

最上段：ミュンヘン協定と添付書簡。「ヨーロッパの平和を保証する」とされていた。僅か7ヶ月後にドイツの戦車がチェコスロヴァキアに雪崩れ込み、ヒトラーによる一方的なミュンヘン協定の蹂躙を告げた。ウィンストン・チャーチルはこの協定を「完全かつ純然たる敗北」と非難していた。
上：ヘストン飛行場に到着し、署名されたミュンヘン協定を意気揚々と振りかざすチェンバレン。1938年9月30日。

独ソ不可侵条約

（1939年）

何から何まで正反対の２人の暴君、アドルフ・ヒトラーとヨシフ・スターリンの不可侵条約に、世界はまたしても衝撃を受けた。彼らは当面の拡張主義的利益のために相互の憎悪を棚上げにしたように見えたのだ。だが後に、この文書のさらに忌まわしい秘密議定書が世に出るだろう。

1939年8月23日、ナチスと共産主義者がモスクワで公に握手した。ドイツとソヴィエト連邦の首脳が、双方が互いの敵と同盟もしくは援助しないということを保証する不可侵条約に調印したのである。交渉に当たったドイツ外相ヨアヒム・フォン・リッベントロップとソヴィエト外相ヴャチェスラフ・モロトフによって歓呼して迎えられたこの文書には、スターリン自身も署名した。のみならず彼は自ら微笑みを浮かべてフォン・リッベントロップと共に写真に収まった。さらに報道によれば、スターリンは先頃、ヒトラーの歓心を買うためにユダヤ系の外相マクシム・リトヴィノフを罷免したという。

ソヴィエトとナチスの双方がこの和睦には仰天した。だがヨーロッパ中の政治家たちはそれ以上に恐怖した、何故ならこの協定が発動させた一連の作用と反作用の連鎖は、瞬く間に彼らを新たな世界大戦に引きずり込もうとしていたからである。一週間後にドイツは西側から、それから16日後にソヴィエト軍は東側からポーランドに侵攻し、あたかもひとつの死骸を貪り食う2匹の狼のようにこの国を二分してしまったのだ。

倒壊するドミノの連鎖はヨーロッパ中を巻き込んで英国にまで到達した。チェンバレンのミュンヘン協定は突如として消滅した。ドイツは電撃的な快進撃でポーランド西部、ネーデルラント、ベルギー、ルクセンブルク、フランス、デンマーク、ユーゴスラヴィア、ギリシア、ノルウェイを侵略した。ソヴィエトはフィンランド、エストニア、ラトヴィア、リトアニア、そしてルーマニアの一部を併合した。百万を超える人間が死んだ。

独ソ不可侵条約は1941年6月22日午前3時15分に雲散消散した。「バルバロッサ作戦」が発動し、さらに悲惨な衝突が生じたのだ。それは最終的に何千万もの生命を奪うことになる。

ドイツの敗北により、1945年5月、捕われたドイツの書記官が米軍にフォン・リッベントロップが安全のために手許に置いておいた独ソ不可侵条約のマイクロフィルムの入った容器を引き渡した。そこには、この協定に関する秘密議定書が含まれていた――両国がそれまで隠蔽していたものである。

この秘密議定書は、ルーマニア、ポーランド、リトアニア、ラトヴィア、エストニア、フィンランドをドイツとソヴィエトの「勢力圏」に分割し、将来的にこれらの諸国を「領土的・政治的に再編」するというものであった。すなわちスターリンもヒトラーも前以て互いの拡張主義的野心を認識していたということになる。言い換えれば、彼らは共に互いの将来的な侵略を容認していたということである。

1946年、この協定は初めて『セントルイス・ポスト・ディスパッチ』と『マンチェスター・ガーディアン』によって公開された。その写しは後に多くの学術文献に収録された。ソヴィエト側の原本は最終的に1992年に機密区分を解かれ、1993年にロシアの科学誌に発表された。

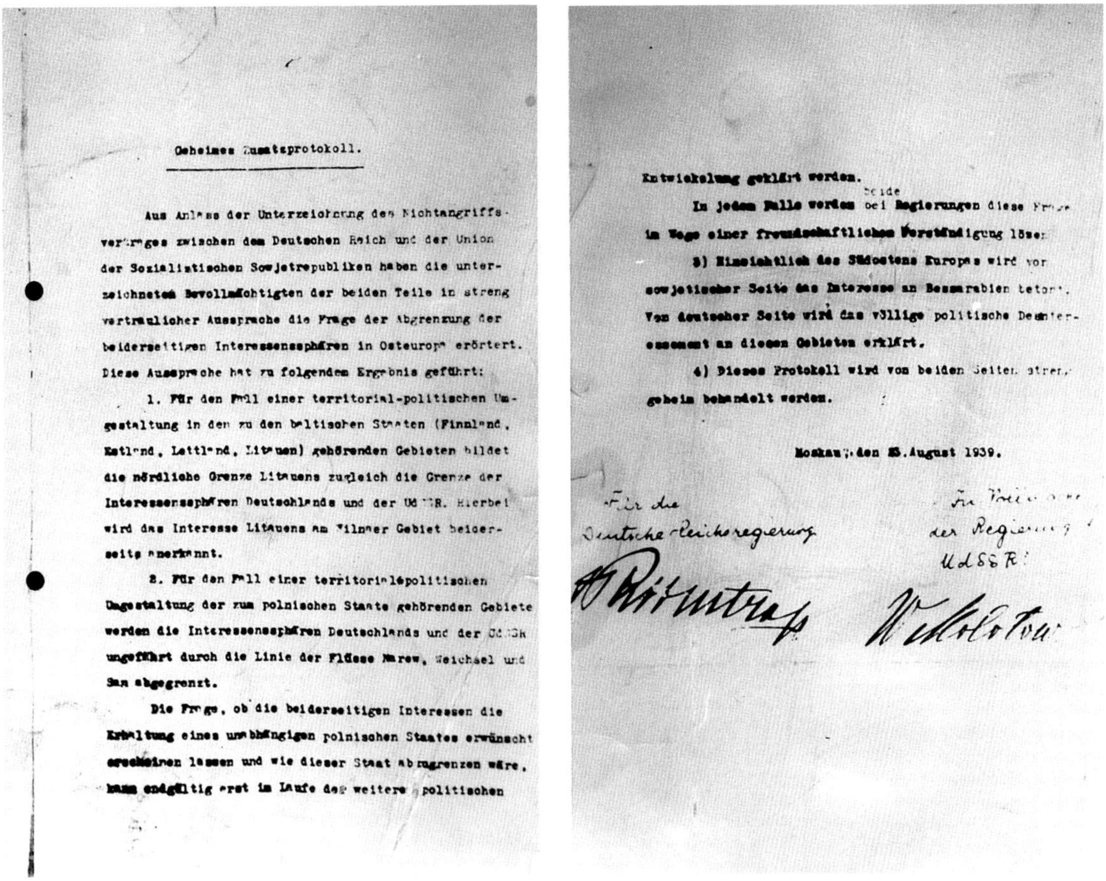

Geheimes Zusatzprotokoll.

Aus Anlass der Unterzeichnung des Nichtangriffsvertrages zwischen dem Deutschen Reich und der Union der Sozialistischen Sowjetrepubliken haben die unterzeichneten Bevollmächtigten der beiden Teile in streng vertraulicher Aussprache die Frage der Abgrenzung der beiderseitigen Interessensphären in Osteuropa erörtert. Diese Aussprache hat zu folgendem Ergebnis geführt:

1. Für den Fall einer territorial-politischen Umgestaltung in den zu den baltischen Staaten (Finnland, Estland, Lettland, Litauen) gehörenden Gebieten bildet die nördliche Grenze Litauens zugleich die Grenze der Interessensphären Deutschlands und der UdSSR. Hierbei wird das Interesse Litauens am Wilnaer Gebiet beiderseits anerkannt.

2. Für den Fall einer territorialpolitischen Umgestaltung der zum polnischen Staate gehörenden Gebiete werden die Interessensphären Deutschlands und der UdSSR ungefähr durch die Linie der Flüsse Narew, Weichsel und San abgegrenzt.

Die Frage, ob die beiderseitigen Interessen die Erhaltung eines unabhängigen polnischen Staates erwünscht erscheinen lassen und wie dieser Staat abzugrenzen wäre, kann endgültig erst im Laufe der weiteren politischen Entwicklung geklärt werden.

In jedem Falle werden beide Regierungen diese Frage im Wege einer freundschaftlichen Verständigung lösen.

3) Hinsichtlich des Südostens Europas wird von sowjetischer Seite das Interesse an Bessarabien betont. Von deutscher Seite wird das völlige politische Desinteressement an diesen Gebieten erklärt.

4) Dieses Protokoll wird von beiden Seiten streng geheim behandelt werden.

Moskau, den 23.August 1939.

Für die Deutsche Reichsregierung
v. Ribbentrop

In Vollmacht der Regierung der UdSSR
W. Molotow

左：デイヴィッド・ロウの漫画。『ロンドン・イヴニング・スタンダード』（1939年9月20日付）より。ナチス=ソヴィエトの協定を諷刺している。倒れ伏す人物がポーランド。
上：ナチス=ソヴィエトの協定。1939年8月23日、ドイツ外務大臣ヨアヒム・フォン・リッベントロップと、ソヴィエト外務大臣ヴャチェスラフ・モロトフが調印した。この不可侵条約は、双方が互いの敵と同盟もしくは援助しないということを保証していた。

対日宣戦布告

(1941年)

日本による真珠湾奇襲を受けて、大統領フランクリン・D・ルーズヴェルトはアメリカ史上、最も効果的な演説を作成した。
曰く、「1941年12月7日――この日は醜行の日として生きつづけるでしょう。
……昨日そして本日の出来事はそれら自体が雄弁に主張しています。合衆国の国民は、既にその意見をまとめ、
かつ自国民の安全と自国の安全性それ自体の重要性を十分に理解しています」。

1941年12月7日日曜日の午後、大統領ルーズヴェルトは陸軍長官からの電話を受けた。大日本帝国がハワイの真珠湾海軍基地にあったアメリカの太平洋艦隊を攻撃したというのだ。

ルーズヴェルトは直ちに副大統領と閣僚、顧問団を、かつてリンカーンがサムター要塞攻撃の後に顧問団を集めたあの同じ部屋に招集した。また英国首相ウィンストン・チャーチルに電話を掛け、その見解を量った。その夜のラジオでアメリカ国民に演説する原稿のためにスピーチライターを手配した後、FDRは議会に直接、感情を込めて訴求し、これを秘書のグレイス・タリーがタイプして複製した。短く直接的なものだったが、その提案はリンカーンのゲティスバーグ演説を彷彿とさせた。

翌日、ルーズヴェルトは草稿を書き直して最新の軍事情報を盛り込み、様式と内容に関する所見を何度も読み返し、鉛筆で訂正を描き込んだ。

その日の午後、大統領は議会に対して対日宣戦布告の採択を求める演説を行なった。演説は次のように始まっていた。「昨日、1941年12月7日――この日は醜行の日として生きつづけるでしょう――アメリカ合衆国は、日本帝国の空海軍による突然かつ意図的な攻撃を受けました」。この厳粛な演説は、僅か7分で終った。

終るや否や上院は投票に移り、88名全員が賛成票を投じた。下院は宣戦布告を388対1で採択した。唯一反対票を投じたのはジャネット・ランキン（共和党・モンタナ州)。アメリカの第1次世界大戦への参戦にも反対した人物である。議会は僅か33分で決議案を通過させ、FDRは午後4時10分に署名した。

国内の反応は囂々たる賛成だった。3日後の12月11日、日本の同盟国であるドイツとイタリアが合衆国に対して宣戦を布告、アメリカを第2次世界大戦へと引きずり込んだ。

ルーズヴェルトの演説は吶喊(とっかん)の声であった。だがその日、演壇を離れて以後、その手書きの修正入り3頁のタイプ原稿は行方不明となり、大統領は息子のジェイムズに訊ねた、「演説はどこだ？」。息子は答えた「知りません」。何十年もの間、それは見つからず終いだったが、ついに1984年、ワシントンDCの国立文書庫司書であるスーザン・クーパー博士が1941年の上院文書の中にそれを見つけ出した。今日では、ニューヨークはハイドパークにあるフランクリン・D・ルーズヴェルト大統領文庫に保管されている。

上：対日宣戦布告に署名するルーズヴェルト。1941年12月8日。
右：演説草稿。鉛筆による手書きの訂正が入っている。

DRAFT No. 1 December 7, 1941.

PROPOSED MESSAGE TO THE CONGRESS

Yesterday, December 7, 1941, a date which will live in ~~world history~~ infamy, the United States of America was ~~simultaneously~~ suddenly and deliberately attacked by naval and air forces of the Empire of Japan. ~~without warning~~

The United States was at the moment at peace with that nation and was ~~continuing the~~ still in conversations with its Government and its Emperor looking toward the maintenance of peace in the Pacific. Indeed, one hour after Japanese air squadrons had commenced bombing in ~~Hawaii and the Philippines~~ Oahu, the Japanese Ambassador to the United States and his colleague delivered to the Secretary of State a formal reply to a ~~former~~ recent American message ~~from the Secretary~~. While this reply ~~contained a statement~~ stated that it seemed useless to continue diplomatic negotiations ~~must be considered at an end, but~~ it contained no threat ~~and no~~ or hint of ~~an~~ war or armed attack.

It will be recorded that the distance ~~of Manila, and especially~~ of Hawaii from Japan makes it obvious that the ~~se~~ attack ~~s were~~ was deliberately planned many days or even weeks ago. During the intervening time the Japanese Government has deliberately sought to deceive the United States by false statements and expressions of hope for continued peace.

マンハッタン計画ノート
(1942年)

暗号のようなコメントの書かれた鉛筆による数字の列
——シカゴ大学の古いフットボール競技場地下のスカッシュ・コートで書かれたもの——は、
第２次世界大戦における最重要機密計画と原子力時代の払暁(ふつぎょう)の、図表による目撃証言である。

1942年12月2日、真珠湾から1年も経たぬ内に、クリップボードとノートを手にした一団の男たちが奇妙な見かけの煉瓦のような構造物の周囲に集まった。大きさは24平方フィートほどで、スタッグ・フィールドの地下のコンクリートの子宮の隅に、床から天井まで聳えている。彼らの長でありノーベル賞物理学者であるエンリコ・フェルミ（1901－54）は、「シカゴ・パイル1号」と呼ばれるこの構造物を入念に組み立ててきた。これは4万に上る黒鉛ブロックと1万9000個のウラン地銀、カドミウムで覆われた木枠に設置された酸化ウラン燃料からできていた。

午後3時25分、フェルミは世界で初めての原子核分裂連鎖反応の起動と停止、すなわち原子の力の制禦を目的とする実験を遂行していた。彼の計算通り、カドミウムで覆われた板は制御棒として機能し、核反応を制禦した。それが暴走して人口密集地であるシカゴのど真ん中で災厄を引き起こす事態は避けられた。

全ての計器の表示を確認し、十分なデータを記録したフェルミと同僚たちは実験成功を宣言した。技術者の1人は、その螺旋綴じのノートに「やったね！(ウィア・クッキン)」と記した。

キャンティのグラスで成功を祝した後、各人はこの歴史的偉業の記念として、ボトルの袋に自らの名を記した——世界初の、制禦された自動継続の核分裂反応である。これにより、原子核分裂によって放出される莫大なエネルギーの利用が可能となった。その日、彼らが生み出した反応はあまりにも弱すぎて（僅か0.5ワット）電球ひとつ灯せぬ代物だったが、そこにいた誰もが、世界は2度と後戻りできなくなったことを知っていた。だがその後、何年もの間、そのことを一言たりとも他人に話すことのできた者はいない。何故ならこれこそアメリカの最高機密であるマンハッタン計画、すなわち原子爆弾製作という巨大事業の枢要であったからだ。

より大きく、より危険な核反応を引き起こすため、フェルミは実験場をシカゴから辺鄙なアルゴンヌの森に移すことを余儀なくされた。他にもニューメキシコ州ロスアラモス、ワシントン州ハンフォード、テネシー州オークリッジ等の場所で実験が行なわれていた。

1945年の日本への最初の2つの原子爆弾の投下と共に、フェルミは「原子力時代の父」として知られるようになった。彼が有名な実験を行なった場所には現在、ヘンリー・ムーアの彫刻『核エネルギー』と銘板が設置されている。

〈マンハッタン計画ノート〉は〈原子力エネルギー委員会記録〉の〈記録群326〉の一部であり、合衆国国立文書庫に収められている。

12/2/42

29

γ Chamber	Time	#3	#1	#6
.925	12^{12} AM	.95	–	–
.93	12^{13}	.965	.73	.78
γ #2(10'')		#3(10^10)	#1(10^10)	#6 (10^9)
–	2^{24} pm	.97	.92	.99
.95	2^{23}	.96	.905	.985
.945	2^{34}	.91	.82	.975
.94	2^{40}	.83	.67	.97
.94	2^{48}	.81	.62	.975
.935	2^{57}	.67	.38	.96
.92	3^{03}	.51	.14	.95-
.885	3^{25}	.20	0	.905
.875	3^{26}	.14	0	.895
.860	3^{28}	.09	0	.88
.850	3^{29}	.06	0	.87
3^{30}	rod in			
.96	3^{31}	.95	.9	.99
.96	3^{33}	.97	.95	.995
.96	3^{37}	.955	.90	.99
.96	3^{37+}	.935	.86	.99
.955	3^{38}	.91	.8	.99-
.95	$3^{38\frac{1}{2}}$	.87	.72	.98+
.94	3^{39}	.82	.61	.975
.94	$3^{39\frac{1}{2}}$	.74	.46	.97-
.93	3^{40}	.64	.18	.96-
.925	$3^{40\frac{1}{2}}$	.55	.16	.95
.92	$3^{41\frac{1}{2}}$	.48	.10	.94
.90	$3^{42\frac{1}{2}}$	.35	.02	.93-

We're cookin!

左：テネシー州オークリッジの「Y－12」プラントの労働者たち。「マンハッタン計画」の一部として、Y－12プラントは「リトルボーイ」を開発した。この原子爆弾は1945年8月6日に広島に投下された。

上：「やったね！」 原子力時代の払暁を示すノート。シカゴ大学の物理学者たちは、世界初の、制御された自動継続の核分裂連鎖反応を引き起こした。これは原子核分裂によって放出される莫大なエネルギーを利用するものである。

ヴァンゼー議事録

(1942年)

ヒトラー腹心の部下たちの選ばれた集団がベルリン郊外の邸宅で会合し、「ユダヤ問題の最終解決」実行計画を調整した。その痕跡の隠蔽には格別の注意が払われていたが、証拠書類が1組だけ残された。

1942年1月20日、15人のナチ党とドイツ政府の高官がヴァンゼーの贅沢な別荘で会合を開いた。出席者は外務省、法務省、国務省、その他省庁の高位の代表者、そして親衛隊(SS)の将校たちである。

ヒトラー自身の要請とヘルマン・ゲーリングの書面による権能によってこの会合を開いたのはＳＳ大将ラインハルト・ハイドリヒ(国家保安本部長)。その目的は、ヨーロッパのドイツ占領地域の残存ユダヤ人のほとんどをポーランドに移送、処刑する計画を遂行するために必要な部署全てが一丸となることにあった。世界史上、最も組織的かつ計画的な大量殺人である。

国家保安本部Ⅳ局Ｂ部4課(ユダヤ人課)課長である親衛隊中佐アドルフ・アイヒマンが用意した統計に則り、ハイドリヒは現時点でヨーロッパにはおよそ1100万人のユダヤ人が居住しているが、その半数はドイツの勢力圏外の国にいると報告した。ヴァンゼー議事録は彼らの絶滅を目指す詳細かつ順次的な計画を記述している。

この政策決定は既に国の最上層部が下していた。ハイドリヒは如何にしてヨーロッパのユダヤ人を西から東へと狩り集め、占領下ポーランドの処分場に移送して組織的に殺すかを概略した。また彼は処分すべき人間を精確な言葉で定義した。この議定書は占領地におけるそれ以外の数百万人を「自然原因」(大量飢餓、厳寒、疾病など)によって除去し、その財産と食料をドイツ人に移転することを命じていた。

90分に及ぶ会合には綿密な計画と記録が含まれていたが、責任者は後にその議事録を曖昧な官僚用語で表現し、実際の計画を隠蔽しようとした。その婉曲語法――たとえば「最終解決」などの用語――にも関わらず、その意味するところは参加者にとっては明白だった。彼らはヨーロッパのユダヤ民族の抹殺を命じられたのだ。

結局、誰ひとりとして躊躇(ためら)う者はなく、参加者たちはコニャックと葉巻を愉しみ、互いに挨拶を交してからそれぞれの仕事に戻った。

この会合の報告書は入念に消毒されてその殺人的な性質を隠蔽され、最重要機密である議事録の写しは厳密に管理された。ハイドリヒが1942年6月に暗殺された後、ナチスは有罪の証拠となるようなヴァンゼー・ファイルは全て処分したと考えていた。だが1947年ニュルンベルク国際軍事法廷の検事のひとりがドイツ外務省から、作成された30通の写しの内の第16号(マルティン・ルター書簡)を入手した。まさしく動かぬ証拠であった。

この会合が行なわれたヴァンゼー荘は、現在はホロコースト記念館となっている。

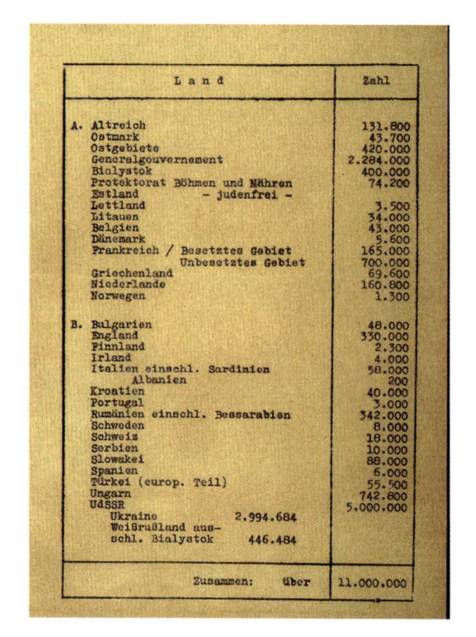

Land	Zahl
A. Altreich	131.800
Ostmark	43.700
Ostgebiete	420.000
Generalgouvernement	2.284.000
Bialystok	400.000
Protektorat Böhmen und Mähren	74.200
Estland - judenfrei -	
Lettland	3.500
Litauen	34.000
Belgien	43.000
Dänemark	5.600
Frankreich / Besetztes Gebiet	165.000
Unbesetztes Gebiet	700.000
Griechenland	69.600
Niederlande	160.800
Norwegen	1.300
B. Bulgarien	48.000
England	330.000
Finnland	2.300
Irland	4.000
Italien einschl. Sardinien	58.000
Albanien	200
Kroatien	40.000
Portugal	3.000
Rumänien einschl. Bessarabien	342.000
Schweden	8.000
Schweiz	18.000
Serbien	10.000
Slowakei	88.000
Spanien	6.000
Türkei (europ. Teil)	55.500
Ungarn	742.800
UdSSR	5.000.000
Ukraine 2.994.684	
Weißrußland aus-schl. Bialystok 446.484	
Zusammen: über	11.000.000

右:ヴァンゼー会議後、ハイドリヒからマルティン・ルターに送付された書簡。
左:全15頁の文書の6頁。最終解決で処分すべきヨーロッパのユダヤ人の数が挙げられている。英国だけで33万、総計で1100万。

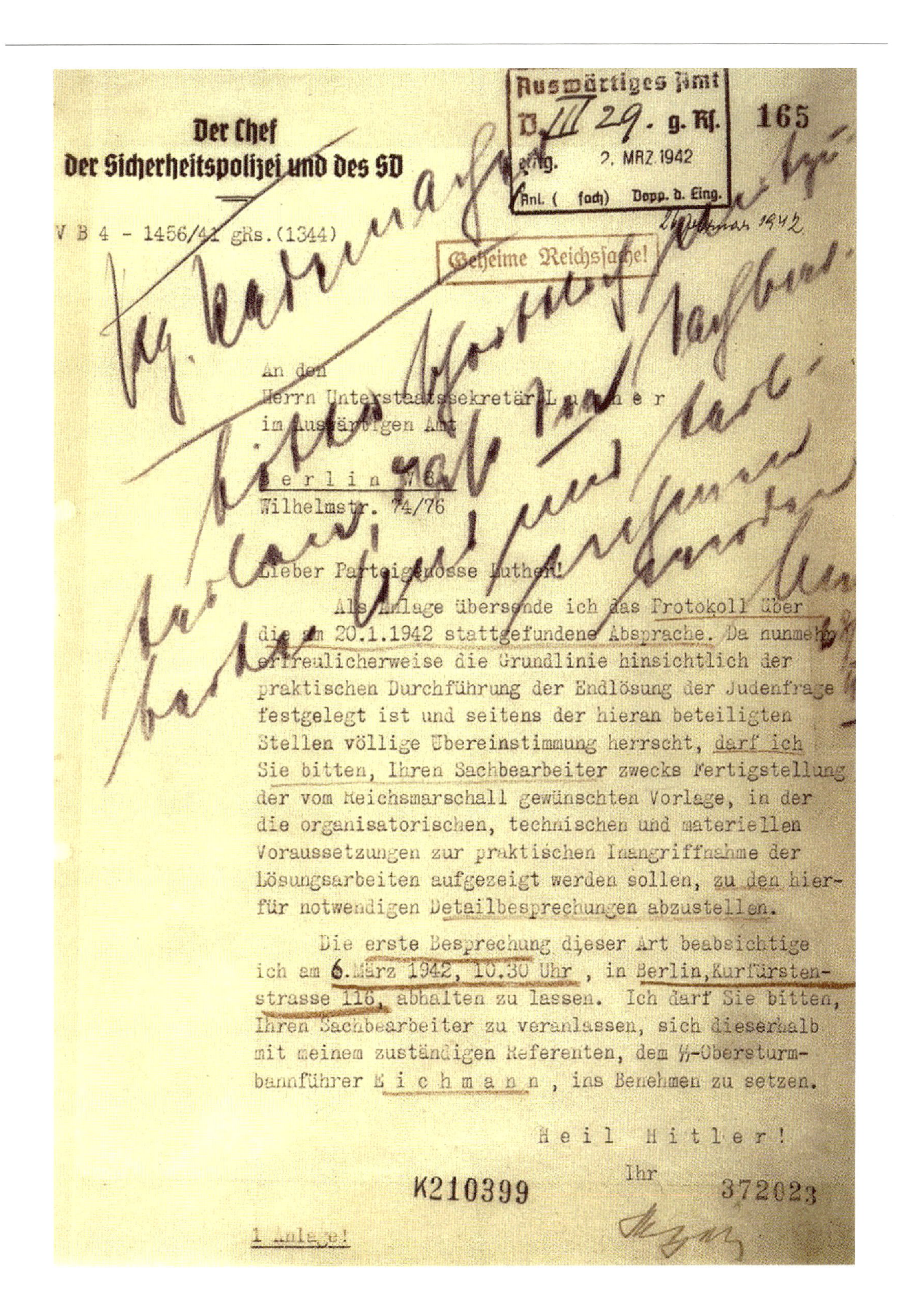

Der Chef
der Sicherheitspolizei und des SD

Auswärtiges Amt
D III 29. g. Rs.
Eing. 2. MRZ 1942
Anl. (fach) Dopp. d. Eing.

165

V B 4 - 1456/41 gRs.(1344)

26. Februar 1942

Geheime Reichssache!

An den
Herrn Unterstaatssekretär L u t h e r
im Auswärtigen Amt

B e r l i n W 8.
Wilhelmstr. 74/76

Lieber Parteigenosse Luther!

Als Anlage übersende ich das Protokoll über die am 20.1.1942 stattgefundene Absprache. Da nunmehr erfreulicherweise die Grundlinie hinsichtlich der praktischen Durchführung der Endlösung der Judenfrage festgelegt ist und seitens der hieran beteiligten Stellen völlige Übereinstimmung herrscht, darf ich Sie bitten, Ihren Sachbearbeiter zwecks Fertigstellung der vom Reichsmarschall gewünschten Vorlage, in der die organisatorischen, technischen und materiellen Voraussetzungen zur praktischen Inangriffnahme der Lösungsarbeiten aufgezeigt werden sollen, zu den hierfür notwendigen Detailbesprechungen abzustellen.

Die erste Besprechung dieser Art beabsichtige ich am 6. März 1942, 10.30 Uhr, in Berlin, Kurfürstenstrasse 116, abhalten zu lassen. Ich darf Sie bitten, Ihren Sachbearbeiter zu veranlassen, sich dieserhalb mit meinem zuständigen Referenten, dem SS-Obersturmbannführer E i c h m a n n, ins Benehmen zu setzen.

H e i l H i t l e r !

Ihr

K210399 372023

1 Anlage!

アンネ・フランクの日記

(1942－44年)

家族と共に屋根裏部屋に身を隠すユダヤ人の若い少女が、心の奥底にある考えを日記に記した。
それはホロコースト期における最も有名な生活記録となり、
何百万もの人が読むところとなった。

アンネ・フランク（1929－44）はユダヤ系ドイツ人のティーンエイジャーで、ホロコースト期のナチ占領下のアムステルダムで身を隠すことを余儀なくされた。13歳の誕生日に日記帳を貰った直後、1942年6月14日からこの少女は日記を付け始め、家族や他の4人の逃亡者と共に身を隠している間、自らの印象を書き続けた。彼らは父のオフィスビルの本棚の裏にある秘密の屋根裏部屋に匿（かくま）われていた。

若い少女の日記は何人かの空想上の友人への手紙という形式で綴られており、また仲間の逃亡者たちの身元を隠すために偽名が用いられている。通常のティーンエイジャーがそうであるように、アンネは家族についての葛藤や仄かな恋愛に悩み、また人生に対する思索を深めていく。だがその異常なまでに深遠かつ洗練された文学的能力は、このような逆境を前にした楽天主義と結びつき、その日記を文学的・歴史的至宝にしている。

「実際自分でも不思議なのは私がいまだに理想の全てを棄て去ってはいないという事実です」と彼女は逮捕直前に書いている——

> だって、どれもあまりに現実離れしていて、とうてい実現しそうもない理想ですから。にも関わらず、私はそれを持ち続けています。何故なら今でも信じているからです——たとえ嫌なことばかりでも、人間の本性はやっぱり善なのだということを。……この世界が徐々に荒廃した原野と化して行くのを、私は目の当たりに見ています。常に雷鳴が近づいて来るのを、私たちをも滅ぼし去るだろう雷の接近を耳にしています。幾百万の人々の苦しみをも感じることができます。でも、それでいなお、顔を上げて天を仰ぎ見る時、私は思うのです——いつかは全てが正常に復し、今のこういう非道な出来事にも終止符が打たれて、平和な、静かな世界が戻って来るだろう、と。

アンネは2年と1ヶ月の間、隠れ家に潜んでいたが、そのグループが密告されて収容所に送られた。屋根裏部屋にいた8人の内、生き延びたのは父親だけだった。アンネは1945年3月、ベルゼン＝ベルゼンでチフスに斃れた。15歳だった。

家族の知人が後に屋根裏部屋から日記を回収し、戦後、アンネの父にそれを渡した。一読したオットー・フランクは何としてもこれを出版しようと決意した。

この日記は1947年に初めてアムステルダムで出版され、続いて合衆国と連合王国で1952年、『アンネ・フランク——若い少女の日記』として出版された。その圧倒的な人気のため、演劇化や映画化もされて賞も取った。今日まで、同書は67の言語に訳され、3000万部以上を売り上げている。

その原稿はオランダ国立戦時資料研究所に寄贈されている。

In de zomer van ~~[illegible]~~ 1941 werd Oma Hollander erg ziek, (zij was toen al bij ons) zij moest geopereerd worden, en aan mijn verjaardag kwam niet veel.
In de winter 1940 ook niet, want toen was de oorlog net voorbij in Nederland.
Deze winter 1941–1942 is Oma gestorven.
En niemand weet hoevaak ik aan haar denk en nog van haar houdt.
Deze verjaardag 1942 is dan ook gevierd om alles in te halen en Oma's lichtje stond er naast.

Vrijdag 19 Juni 1942.

Vanochtend was ik thuis, ik heb heel erg lang geslapen. Toen kwam Hanneli en hebben we nog wat gekletst. Jacque is nu opeens erg met Ilse ingenomen en doet erg kinderachtig en flauw tegen mij, Ilse valt mij hoe langer hoe meer tegen. Anne

Dit is Juni 1939.
Dat is de enige foto van Oma Hollander, aan haar denk ik nog zo vaak en ik woon dat zij nog maar de heerlijke [illegible] bewaarde.

Dit is ~~[illegible]~~ mij
[illegible] 1940,
nog eens
Margot en
ik. Ik woon [illegible] mij maar met de [illegible] dat Margot op bovenstaande foto in 1939 ook nog niet erg ontwikkeld was. Zij was. toen net als ik nu [illegible] en zelfs al ouder [illegible] heeft dus niet in dit geval [illegible] op mij meer te bijten. Annelies.
20 Sept. 1942.

Margot en ik kwamen toen net uit het water en ik weet nog ik had het erg koud, daarom heb ik mijn badjas opgedaan, oma zit er zo lief en vredig achter. Zoals zij zo vaak gezeten heeft.
Annelies
28 Sept. 1942

紅白の市松模様の日記帳。1942年6月12日、アンネの13回目の誕生日に与えられた。アンネは空想上の友人への手紙として日記を書いた。一番のお気に入りは「キティ」。「せめてもの救いは、こうして考える事や感じることを神に書き記すことができるということです。そうでなかったら、完全に窒息していたでしょう」。

ドイツ降伏文書

(1945年)

謹厳な顔つきをした戦勝国と敗戦国の将軍たちが、
フランス北東部のドワイト・D・アイゼンハワー将軍の本部に集結した。ドイツの無条件降伏。
だがこの文書の調印後、ソヴィエトは翌日にベルリンでの、より正式な降伏を要求した。

1945年5月7日、フランスはランスの元高校が、第3帝国の突然の降伏のための場を提供した。辺り一帯は連合国遠征軍最高司令部（SHAEF）に転用されており、武装した兵士、ジープ及び険しい表情のナチの将校らが蝟集（いしゅう）していた。地図で埋め尽された壁際のごく普通の会議机の両側に、敵軍の戦士同士が冷たい軽蔑を湛えて互いに睨み合っていた。季節外れにも、ドイツ人は手袋をしていた。

そこに着席していた者の中には、連合国――フランス、英国、ソヴィエト連邦、合衆国――の代表者4人と、上級大将アルフレート・ヨードル率いるドイツの代表団がいた。ヨードルにはドイツ軍の代表者として署名する権限を与えられていた。アイゼンハワーは代理として副官ウォルター・ベデル・スミスを送り込んでいた。スミスの冷静な物腰の下、場は混乱していた。何故なら最後の最後になってソヴィエトが、翌日に第2の、より正式な降伏をベルリンで行なうことを要求したからだ。

同じ部屋の中には、他の士官、伝令兵、番兵の兵団と、SHAEFが公式許可を出すまでは如何なる記事も出さないという条件でこの場に居合わせた16人の報道関係者がいた。

降伏文書の英語版を大急ぎでタイプした司令部の英国人書記官のひとりであるスーザン・ヒバートは、この正式な調印を目撃した。

降伏という言葉の意味を理解しているかと訊ねられ、ヨードルは「はい」と答えた。降伏文書がドイツ軍に命じたのは、連合国遠征軍最高司令官及びソヴィエト軍総司令部に対して「現時点でドイツの支配下にある全ての陸海空の全軍を無条件に降伏せしめる」ことであった。さらに、この降伏文書を遵守しないドイツ軍に対しては「適当と認める懲罰的またはその他の措置をとるものとする」と述べていた。

ヨードルは現地時間午後2時41分に最初の降伏文書に署名し、他の言語による全ての写しにも次々と署名した。それから一言言わせてくれと願い出た彼は、許可を受けて次のように語った――

> この署名を以て、ドイツ民族とドイツ軍は好むと好まざるとに関わらず、勝者の手に落ちる。5年以上続いたこの戦争では、両者はおそらく世界のどの民族にも優る達成を成し遂げ、そして艱難（かんなん）を被った。

儀式終了と同時に、米国連合通信社の記者は電話に突進し、報道禁止の通達を破って記事を叫んだ。ソヴィエトが第2の、より公的な降伏を翌日にベルリンで執り行うよう調整した後は、5月8日が公式にヨーロッパ戦勝記念日とされた。

ヨードルは後に裁判に掛けられ、有罪判決を受けてニュルンベルクで戦争犯罪人として絞首刑に処された。

右：降伏文書。中央ヨーロッパ時間1945年5月8日を以てドイツに陸海空の全軍の作戦行動を停止するよう命じた。写真は、5月7日の早朝にランスで文書に署名するヨードル。

CC56077

Only this text in English is authoritative

ACT OF MILITARY SURRENDER

1. We the undersigned, acting by authority of the German High Command, hereby surrender unconditionally to the Supreme Commander, Allied Expeditionary Force and simultaneously to the Soviet High Command all forces on land, sea, and in the air who are at this date under German control.

2. The German High Command will at once issue orders to all German military, naval and air authorities and to all forces under German control to cease active operations at 2301 hours Central European time on 8 May and to remain in the positions occupied at that time. No ship, vessel, or aircraft is to be scuttled, or any damage done to their hull, machinery or equipment.

3. The German High Command will at once issue to the appropriate commanders, and ensure the carrying out of any further orders issued by the Supreme Commander, Allied Expeditionary Force and by the Soviet High Command.

4. This act of military surrender is without prejudice to, and will be superseded by any general instrument of surrender imposed by, or on behalf of the United Nations and applicable to GERMANY and the German armed forces as a whole.

- 1 -

2

CC56078

5. In the event of the German High Command or any of the forces under their control failing to act in accordance with this Act of Surrender, the Supreme Commander, Allied Expeditionary Force and the Soviet High Command will take such punitive or other action as they deem appropriate.

Signed at Rheims at 0241 on the 7th day of May, 1945.
France

On behalf of the German High Command.

Jodl

IN THE PRESENCE OF

On behalf of the Supreme Commander, Allied Expeditionary Force.	On behalf of the Soviet High Command.
W. B. Smith	Sousloparov

F Sevez

-2-

Major General, French Army
(Witness)

3

国連憲章

（1945年）

第２次世界大戦末期、46ヶ国の代表がサンフランシスコに集結し、
国際連盟に代る効果的な組織のための憲章を書いた——
世界の平和と安全を維持するための国際機関である。

国際連盟が2度目の世界大戦を防ぐことができなかったことを受け、第2次世界大戦の戦勝国は平和維持のための効果的な国際機関の創設を決意した。大統領フランクリン・D・ルーズヴェルトは1942年、諸国を糾合して枢軸国と戦おうとしていた時に「国際連合」という言葉を思いついた。

ドイツの降伏とFDRの死の直後である1945年6月、46ヶ国の代表がサンフランシスコのUN創設会議に参加した。太平洋での戦争の終結も間近に迫り、代表らはこれ以上の世界的な大惨事を防ぐ機構を創り出すことを決意していた。

彼らが直面した問題点の多くは、1918－19年の国際連盟の際に出されたものと同様だった。さらに今回はかつての努力を徒労に終らせた諸問題を解決する術を見出す必要まであった。第2次世界大戦の敗戦国側はこの会議には参加していなかったが、戦勝国側にもそれぞれの困難があった。

起草者たちが考え出したひとつの機構は、5つの大国——中華民国、フランス、英国、合衆国及びソヴィエト連邦——から成る常設の安全保障理事会を設けることである。そのいずれもが特別な拒否権を持ち、望みのままに実質事項を否決することができる。これにより、主要国はこの組織を脱退しないことでより大きな利益を得られると考えられたのである。世界平和の保証に責任を持つ主導的な組織として創設された安全保障理事会の決定はまた、全ての加盟国を拘束する。

国連憲章は全ての加盟国から成る主体、すなわち国連総会を定めている。この文書は小国の援助も視野に入れ、国際連盟よりも広い意味で国際安全保障を定義している。今回の安全保障の拡張の結果、そこには軍事的防衛、経済的・社会的発展、人権と国際正義の擁護も含まれるようになった。

国連憲章は前文と、各章に纏められた一連の条文から成る。1945年6月26日、盛大なファンファーレと共に公に調印された。大統領トルーマンは集まった人々に言った、「行動の時は今です！」。

トルーマンは8月8日、順された条約に署名した。ソヴィエト連邦が日本に宣戦を布告し、合衆国が2発目の原爆を長崎に落したのと同じ日である。憲章は1945年10月24日に発効し、国連は今なお機能している。

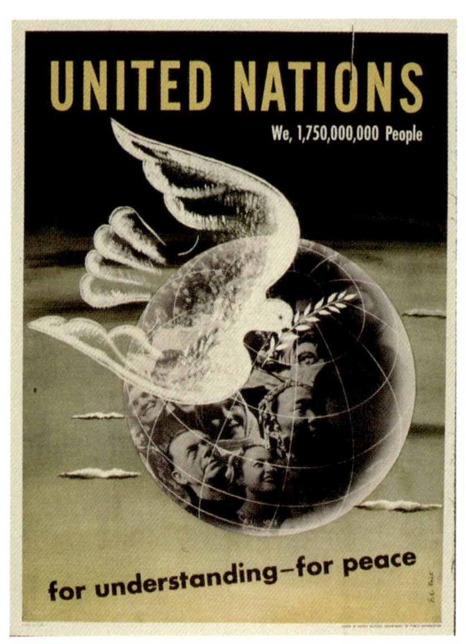

国連のポスター。1945年。憲章の標語「理解のために——平和のために」が用いられている。

CHARTER OF THE UNITED NATIONS

AND

STATUTE OF THE

INTERNATIONAL COURT OF JUSTICE

SAN FRANCISCO · 1945

右と下：国連憲章の第1頁と調印式。1945年6月26日、サンフランシスコの戦争記念舞台芸術センター。

ジョージ・オーウェル『1984年』

(1946－49年)

とある決然たる著述家──病弱で、貧窮し、悪霊に取り憑かれていた──が辺鄙なスコットランドの農家で、全体主義国家の生活を描いた荒涼たるディストピア小説を書上げんと苦闘していた。**「ビッグ・ブラザーがあなたを見ている」**と彼は警告する。その未来は既に到来した。

エリック・ブレア（1903－50）は英国のエッセイスト・ジャーナリスト・批評家・小説家で、社会意識の盛り込まれた明晰な文章を書く際にはジョージ・オーウェルの筆名を用いた。ビルマで帝国の警察官を務め、またスペイン内乱ではファシズムと戦うも、慢性の肺病のために第2次世界大戦では軍隊に入れなかった。だが文筆活動は継続しており、1945年に反スターリン主義の寓話小説『動物農場』を書いた。

だがドイツのロケット爆弾で家を失い、その後、定期的な医療を受けている最中に妻も失って、オーウェルの人生は暗転した。生きるため、そして息子を育てるため、彼は新たな小説に着手した。彼はそれを『ヨーロッパ最後の男』と仮称していた。友人の1人が、スコットランドのインナー・ヘブリデス諸島のジュラ島の岩だらけの突端にある空き家を貸してくれ、そこで彼は作品を完成させた。結核に罹患しながらも、オーウェルは病や締切の重圧と戦い、使い古されたレミントンの携帯用タイプライターで文字を叩きつけた。「この血塗れの本の最後のところで苦しんでいるところだ。[それは──引用者注] もしも核戦争が全てを終らせなければ、どういう事態になるかを描いたものだ」とオーウェルは友人に書き送っている。1948年11月30日にそれは完成した。

「4月の晴れた寒い日だった。時計が13時を打っている」とその小説は始まる。「階段の踊り場では、エレベーターの向かいの壁から巨大な顔のポスターが見詰めている。こちらがどう動いてもずっと眼が追いかけてくるように描かれた絵のひとつだった。絵の下には、『**ビッグ・ブラザーがあなたを見ている**』というキャプションが付いていた」。

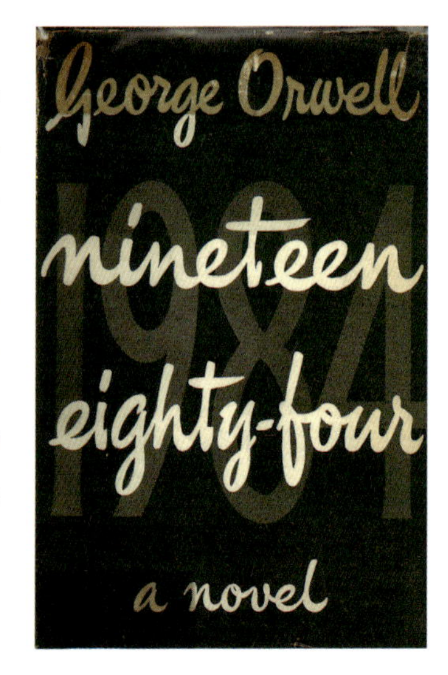

オーウェルの小説は1949年6月に出版され、直ぐさま傑作と賞賛されたが、それを完成させるために彼は多大な犠牲を払っていた。1950年1月21日、オーウェルは結核で死んだ。やがて彼の冷え冷えとした未来のヴィジョンは「20世紀における決定的な小説」と広く見做されるようになった。65を越える言語に訳され、売上は数百万部に達し、ポストモダンのディスクールに多くの予言的概念を導入した。「**戦争は平和である。自由は隷属である。無知は力である**」。政治的であると同時に言語的に、「二重思考（ダブルシンク）」「新語法（ニュースピーク）」そして「ビッグ・ブラザー」のような用語は、「オーウェル的（オーウェリアン）」という用語共々、現在では万人の政治的語彙の中に入り込み、イデオロギー的・婉曲的語法に投影された正反対の意味を表すようになっている。

1984年に出版された『1984年』の複写版は、刊行された最終版とオーウェルの熱狂的な原稿を並べて収録している。この小説の現存する原稿はブラウン大学図書館に所蔵されている。オーウェルの示唆的な標題にはひとつの謎が残されている。最後の2つの数字をひっくり返すと、同書を書上げる迄の拷問のような年を表しているのか──まさに現在に根差す恐るべき未来を？

1.

It was a cold, blowy day in early April, and a million radios were striking thirteen. Winston Smith pushed open the glass door of Victory Mansions, turned to the right down the passage-way and pressed the button of the lift. Nothing happened. He had just pressed a second time when a door at the end of the passage opened, letting out a smell of boiled greens and old rag mats, and the aged prole who acted as porter and caretaker thrust out a grey, seamed face and stood for a moment sucking his teeth and watching Winston malignantly.

"Lift ain't working," he announced at last.

"Why isn't it working?"

"No lifts ain't working. The currents is cut orf at the main. The 'eat ain't working neither. All currents to be cut orf during daylight hours. Orders!" he barked in military style, and slammed the door again, leaving it uncertain whether the grievance he evidently felt was against Winston, or against the authorities who had cut off the current.

Winston remembered now. It was part of the economy drive in preparation for Hate Week. The flat was seven flights up, and Winston, conscious of his thirty-nine years and of the varicose ulcer above his right ankle, rested at each landing to avoid putting himself out of breath. On every landing the same poster was gummed to the wall - a huge coloured poster, too large for indoor display. It depicted simply an enormous face, the face of a man of about forty-five, with ruggedly handsome features, thick black hair, a heavy moustache and sm

左：オリジナルのハードカヴァー版。1949年6月、セッカー＆ウォーバーグから出版された。
上：オーウェルのタイプ原稿。彼の徹底的な訂正に対する魅力的な洞察を提供している。彼の賢明な編集がなければ、冒頭の行はこれほど印象的なものにはならなかっただろう。

マーシャル・プラン

(1947年)

第2次世界大戦で甚大なる被害を受けたヨーロッパに対して、
元合衆国陸軍の司令官から転じた国務省長官が、復興のための野心的な青写真を示した。
それには合衆国からの前代未聞の経済援助が伴っていた。

1939年から1945年まで陸軍参謀総長を務めたジョージ・マーシャル元帥(1880－1959)は連合国を勝利に導き、当代随一の軍事指導者の名声を恣にした。彼はアメリカで最も尊敬され信頼される人物のひとりである。

終戦直後、大統領ハリー・S・トルーマンの下で合衆国国務省長官となったマーシャルは、ヨーロッパ復興のための急務におけるアメリカの地位を高めるという責務を課せられた。1947年6月5日、彼は戦争によって荒廃した諸国に対する莫大な経済援助計画を提唱する演説を行なった。マーシャルが語ったのはハーヴァード大学の学位授与式の場であったが、大統領トルーマンの政治顧問団はそれが国内で報道されることを避けていた。アメリカの納税者はそのような計画を好まないと確信してのことである。そこで彼らは、BBCのラジオを通じてヨーロッパの聴衆に演説を届けるよう手配した。必要とされる国外の支持を生み出すためである。

この1200語の演説は簡にして要を得ており、美辞麗句のような潤色もなかった。その内容は甚大な経済的・政治的重要性を持っていた。マーシャルは言った、戦争によるヨーロッパのインフラの破壊は復興のためのあらゆる努力を妨害しており、このままでは今後、長年に亘ってこの地域の健全性と安定が阻害されると。

彼は言う、「米国は、世界の正常な経済的健全性の回復を助けるために、できることは何でもせねばならない。健全な経済なくしては、政治的安定も確かな平和も保障され得ないからである。我々の政策は、特定の国家や主義に対してではなく、飢餓、貧困、絶望、混乱に対して向けられている。その目的は、自由な制度が存在し得る政治的、社会的な諸条件の出現を許容するような、活発な経済を世界に復活させることである」。

マーシャルは合衆国による巨額の海外援助の包括的プログラムを求める。その目的は、荒廃した地域の再建、貿易障壁の撤廃、産業の近代化、新たな繁栄の達成である。

西ヨーロッパのほとんどの国は喜んでその提案を受け入れたが、ソヴィエト連邦は拒否した。それにより、共産主義ブロックの国々に対する合衆国の影響力が増すと考えたのである。大統領トルーマンはマーシャル・プランを採用し、議会に提出した。議会はこれを通過させ、署名を経て1948年4月3日、経済協力法として成立した。

このプログラムは経済援助を謳(うた)っていたが、そのほとんどはアメリカ製品の購入費用である。以後4年間で、合衆国は170億ドル(現在の1600億ドル以上)を、西ドイツを含む西ヨーロッパ経済の再建のための経済援助として拠出した。

その立案者であり唱道者として、マーシャルは1953年にノーベル平和賞を受賞し、「マーシャル・プラン」という語は巨額復興プログラムの代名詞となつた。

[PUBLIC LAW 472]
[CHAPTER 169]

S. 2202

Eightieth Congress of the United States of America

At the Second Session

Begun and held at the City of Washington on Tuesday, the sixth day of January, one thousand nine hundred and forty-eight

AN ACT

To promote world peace and the general welfare, national interest, and foreign policy of the United States through economic, financial, and other measures necessary to the maintenance of conditions abroad in which free institutions may survive and consistent with the maintenance of the strength and stability of the United States.

Be it enacted by the Senate and House of Representatives of the United States of America in Congress assembled, That this Act may be cited as the "Foreign Assistance Act of 1948".

TITLE I

SEC. 101. This title may be cited as the "Economic Cooperation Act of 1948".

FINDINGS AND DECLARATION OF POLICY

SEC. 102. (a) Recognizing the intimate economic and other relationships between the United States and the nations of Europe, and recognizing that disruption following in the wake of war is not contained by national frontiers, the Congress finds that the existing situation in Europe endangers the establishment of a lasting peace, the general welfare and national interest of the United States, and the attainment of the objectives of the United Nations. The restoration or maintenance in European countries of principles of individual liberty, free institutions, and genuine independence rests largely upon the establishment of sound economic conditions, stable international economic relationships, and the achievement by the countries of Europe of a healthy economy independent of extraordinary outside assistance. The accomplishment of these objectives calls for a plan of European recovery, open to all such nations which cooperate in such plan, based upon a strong production effort, the expansion of foreign trade, the creation and maintenance of internal financial stability, and the development of economic cooperation, including all possible steps to establish and maintain equitable rates of exchange and to bring about the progressive elimination of trade barriers. Mindful of the advantages which the United States has enjoyed through the existence of a large domestic market with no internal trade barriers, and believing that similar advantages can accrue to the countries of Europe, it is declared to be the policy of the people of the United States to encourage these

左：1947年6月5日、ハーヴァードに到着したマーシャル。ヨーロッパ経済の復興に関する演説をした。
上：マーシャル・プランは1948年4月3日、署名を経て「経済協力法」として立法化された。

世界人権宣言

(1948年)

異なる国籍と背景を持つ活動家たちが2年に亘って協力し、前例のない普遍的な人権宣言を創り上げた。
それは全人類の基本的人権を明確に定義するため、
偏狭な政治的・宗教的・文化的・イデオロギー的信仰を超越するものとなるだろう。

1946年、さまざまな背景を持つ18名の委員から成る国際人権委員会が国連内部に結成された。議長は元ファーストレディのエレノア・ルーズヴェルト。ルーズヴェルト夫人は、カナダの法学教授ジョン・ピーターズ・ハンフリーに、さまざまな見解の渦巻く国連が受け入れることのできる国際的な人権法案を起草するという頭の痛い課題を与えた。

ハンフリーらは、過去に制作された歴史的な権利文書を詳しく調べ上げ、この仕事の指針となり得る408頁の報告書を提出した。それからフランスの委員ルネ・カサンがハンフリーの資料を用いて最初の草稿を書いたが、彼はそれを〈ナポレオン法典〉に倣って構成した。

小委員会の最終稿が後に委員によって議論され、国連総会に提出された。1948年12月10日にパリで行なわれた投票により、賛成48票、反対0、欠席2、棄権8の結果を得た。

起草省委員会の委員であるチリのエルナン・サンタ・クルスは後に回想する、「私は自分が真に重要な歴史的事件に参加しているのだとはっきり解りました……世界中から集まった男女の間に純粋な連帯と友愛の雰囲気がありました。あの雰囲気は、どんな国際会議でも2度と味わえませんでした」。

世界人権宣言は謳う、「すべて人は、人種、皮膚の色、性、言語、宗教、政治上その他の意見、国民的若しくは社会的出身、財産、門地その他の地位又はこれに類するいかなる事由による差別をも受けることなく、この宣言に掲げるすべての権利と自由とを享有することができる」。その30条の条文は、全世界の全ての人に、生命、自由及び身体の安全に対する権利を初めとする各種の基本的な個人の自由を認めている。この宣言は奴隷制と拷問を禁じ、法の下の平等を要求する。誰もが教育を受ける権利を持ち、自由に文化活動に参加することが許される。基本的権利を侵害する行為に対しては効果的な救済を受ける権利を有する。

世界初の普遍的な人権の表明であることからして、国連によるこの宣言は歴史上の里程標となる文書であるが、完全に遵守されているとは言えない。

オリジナル・テキストは国連のウェブサイトで439の言語で参照することができる。その採用の記念日は「世界人権の日」とされている。

エレノア・ルーズヴェルト。国際人権委員会議長。印刷された英語版のポスターを検分している。次頁はそのポスター。

THE UNIVERSAL DECLARATION OF Human Rights

WHEREAS *recognition of the inherent dignity and of the equal and inalienable rights of all members of the human family is the foundation of freedom, justice and peace in the world,*

WHEREAS *disregard and contempt for human rights have resulted in barbarous acts which have outraged the conscience of mankind, and the advent of a world in which human beings shall enjoy freedom of speech and belief and freedom from fear and want has been proclaimed as the highest aspiration of the common people,*

WHEREAS *it is essential, if man is not to be compelled to have recourse, as a last resort, to rebellion against tyranny and oppression, that human rights should be protected by the rule of law,*

WHEREAS *it is essential to promote the development of friendly relations among nations,*

WHEREAS *the peoples of the United Nations have in the Charter reaffirmed their faith in fundamental human rights, in the dignity and worth of the human person and in the equal rights of men and women and have determined to promote social progress and better standards of life in larger freedom,*

WHEREAS *Member States have pledged themselves to achieve, in co-operation with the United Nations, the promotion of universal respect for and observance of human rights and fundamental freedoms,*

WHEREAS *a common understanding of these rights and freedoms is of the greatest importance for the full realisation of this pledge,*

NOW THEREFORE THE GENERAL ASSEMBLY

PROCLAIMS *this Universal Declaration of Human Rights as a common standard of achievement for all peoples and all nations, to the end that every individual and every organ of society, keeping this Declaration constantly in mind, shall strive by teaching and education to promote respect for these rights and freedoms and by progressive measures, national and international, to secure their universal and effective recognition and observance, both among the peoples of Member States themselves and among the peoples of territories under their jurisdiction.*

ARTICLE 1 —All human beings are born free and equal in dignity and rights. They are endowed with reason and conscience and should act towards one another in a spirit of brotherhood.

ARTICLE 2 —1. Everyone is entitled to all the rights and freedoms set forth in this Declaration, without distinction of any kind, such as race, colour, sex, language, religion, political or other opinion, national or social origin, property, birth or other status.

2. Furthermore, no distinction shall be made on the basis of the political, jurisdictional or international status of the country or territory to which a person belongs, whether this territory be an independent, Trust or Non-Self-Governing territory, or under any other limitation of sovereignty.

ARTICLE 3 —Everyone has the right to life, liberty and the security of person.

ARTICLE 4 —No one shall be held in slavery or servitude; slavery and the slave trade shall be prohibited in all their forms.

ARTICLE 5 —No one shall be subjected to torture or to cruel, inhuman or degrading treatment or punishment.

ARTICLE 6 —Everyone has the right to recognition everywhere as a person before the law.

ARTICLE 7 —All are equal before the law and are entitled without any discrimination to equal protection of the law. All are entitled to equal protection against any discrimination in violation of this Declaration and against any incitement to such discrimination.

ARTICLE 8 —Everyone has the right to an effective remedy by the competent national tribunals for acts violating the fundamental rights granted him by the constitution or by law.

ARTICLE 9 —No one shall be subjected to arbitrary arrest, detention or exile.

ARTICLE 10 —Everyone is entitled in full equality to a fair and public hearing by an independent and impartial tribunal, in the determination of his rights and obligations and of any criminal charge against him.

ARTICLE 11 —1. Everyone charged with a penal offence has the right to be presumed innocent until proved guilty according to law in a public trial at which he has had all the guarantees necessary for his defence.

2. No one shall be held guilty of any penal offence on account of any act or omission which did not constitute a penal offence, under national or international law, at the time when it was committed. Nor shall a heavier penalty be imposed than the one that was applicable at the time the penal offence was committed.

ARTICLE 12 —No one shall be subjected to arbitrary interference with his privacy, family, home or correspondence, nor to attacks upon his honour and reputation. Everyone has the right to the protection of the law against such interference or attacks.

ARTICLE 13 —1. Everyone has the right to freedom of movement and residence within the borders of each state.

2. Everyone has the right to leave any country, including his own, and to return to his country.

ARTICLE 14 —1. Everyone has the right to seek and to enjoy in other countries asylum from persecution.

2. This right may not be invoked in the case of prosecutions genuinely arising from non-political crimes or from acts contrary to the purposes and principles of the United Nations.

ARTICLE 15 —1. Everyone has the right to a nationality.

2. No one shall be arbitrarily deprived of his nationality nor denied the right to change his nationality.

ARTICLE 16 —1. Men and women of full age, without any limitation due to race, nationality or religion, have the right to marry and to found a family. They are entitled to equal rights as to marriage, during marriage and at its dissolution.

2. Marriage shall be entered into only with the free and full consent of the intending spouses.

3. The family is the natural and fundamental group unit of society and is entitled to protection by society and the State.

ARTICLE 17 —1. Everyone has the right to own property alone as well as in association with others.

2. No one shall be arbitrarily deprived of his property.

ARTICLE 18 —Everyone has the right to freedom of thought, conscience and religion; this right includes freedom to change his religion or belief, and freedom, either alone or in community with others and in public or private, to manifest his religion or belief in teaching, practice, worship and observance.

ARTICLE 19 —Everyone has the right to freedom of opinion and expression; this right includes freedom to hold opinions without interference and to seek, receive and impart information and ideas through any media and regardless of frontiers.

ARTICLE 20 —1. Everyone has the right to freedom of peaceful assembly and association.

2. No one may be compelled to belong to an association.

ARTICLE 21 —1. Everyone has the right to take part in the government of his country, directly or through freely chosen representatives.

2. Everyone has the right of equal access to public service in his country.

3. The will of the people shall be the basis of the authority of government; this will shall be expressed in periodic and genuine elections which shall be by universal and equal suffrage and shall be held by secret vote or by equivalent free voting procedures.

ARTICLE 22 —Everyone, as a member of society, has the right to social security and is entitled to realisation, through national effort and international co-operation and in accordance with the organisation and resources of each State, of the economic, social and cultural rights indispensable for his dignity and the free development of his personality.

ARTICLE 23 —1. Everyone has the right to work, to free choice of employment, to just and favourable conditions of work and to protection against unemployment.

2. Everyone, without any discrimination, has the right to equal pay for equal work.

3. Everyone who works has the right to just and favourable remuneration insuring for himself and his family an existence worthy of human dignity, and supplemented, if necessary, by other means of social protection.

4. Everyone has the right to form and to join trade unions for the protection of his interests.

ARTICLE 24 —Everyone has the right to rest and leisure, including reasonable limitation of working hours and periodic holidays with pay.

ARTICLE 25 —1. Everyone has the right to a standard of living adequate for the health and well-being of himself and of his family, including food, clothing, housing and medical care and necessary social services, and the right to security in the event of unemployment, sickness, disability, widowhood, old age or other lack of livelihood in circumstances beyond his control.

2. Motherhood and childhood are entitled to special care and assistance. All children, whether born in or out of wedlock, shall enjoy the same social protection.

ARTICLE 26 —1. Everyone has the right to education. Education shall be free, at least in the elementary and fundamental stages. Elementary education shall be compulsory. Technical and professional education shall be made generally available and higher education shall be equally accessible to all on the basis of merit.

2. Education shall be directed to the full development of the human personality and to the strengthening of respect for human rights and fundamental freedoms. It shall promote understanding, tolerance and friendship among all nations, racial or religious groups, and shall further the activities of the United Nations for the maintenance of peace.

3. Parents have a prior right to choose the kind of education that shall be given to their children.

ARTICLE 27 —1. Everyone has the right freely to participate in the cultural life of the community, to enjoy the arts and to share in scientific advancement and its benefits.

2. Everyone has the right to the protection of the moral and material interests resulting from any scientific, literary or artistic production of which he is the author.

ARTICLE 28 —Everyone is entitled to a social and international order in which the rights and freedoms set forth in this Declaration can be fully realized.

ARTICLE 29 —1. Everyone has duties to the community in which alone the free and full development of his personality is possible.

2. In the exercise of his rights and freedoms, everyone shall be subject only to such limitations as are determined by law solely for the purpose of securing due recognition and respect for the rights and freedoms of others and of meeting the just requirements of morality, public order and the general welfare in a democratic society.

3. These rights and freedoms may in no case be exercised contrary to the purposes and principles of the United Nations.

ARTICLE 30 —Nothing in this Declaration may be interpreted as implying for any State, group or person any right to engage in any activity or to perform any act aimed at the destruction of any of the rights and freedoms set forth herein.

UNITED NATIONS

Adopted by the United Nations General Assembly at its 183rd meeting, held in Paris on 10 December, 1948

Issued by U.N. Department of Public Information

ジュネーヴ条約

(1949年)

第２次世界大戦における非戦闘員に対する前代未聞の残虐行為を受けて、
既存の条約は改訂され、占領地における非戦闘員である文民の扱いが採り入れられた。
その条約は196ヶ国が批准した。

第2次世界大戦以前、陸海の傷病兵の保護を確認し戦時における基本的な俘虜の権利を包括的に規定した3つの国際条約があった（1864年、1906年および1929年）。それがジュネーヴに本拠を置く国際赤十字社によって後援されていたことから、これらの条約は「ジュネーヴ諸条約」と呼ばれていた。

第2次世界大戦で文民に対して行なわれた狂暴な虐待に衝撃を受け、世界のほとんど全ての国から派遣された全権委員が4ヶ月に亘って協働し、第4のジュネーヴ条約の条文を認可した。それはこれまでの3つのジュネーヴ条約を再確認し、拡張し、訂正すると共に、もうひとつの保護対象を付け加えた。第4のジュネーヴ条約は戦時における文民の保護に関する国際法の基本原理を述べており、「武装した軍隊に所属しない者、敵対行為に参加しない者で、紛争当事国又は占領国の権力内にある者」を対象としている。

1949年の条約は、このような保護された文民に対して「すべての場合において、人種、色、宗教若しくは信条、性別、門地若しくは貧富又はその他類似の基準による不利な差別をしないで人道的に待遇しなければならない」と定めている。彼らは暴力的強迫もしくは行為、「個人の尊厳に対する侵害、特に、侮辱的で体面を汚す待遇」から保護され、傷者及び病者は看護を受けねばならない。「被保護者は、すべての場合において、その身体、名誉、家族として有する権利、信仰及び宗教上の行事並びに風俗及び習慣を尊重される権利を有する」。

保護された文民は「それらの者の家族が所在する場所のいかんを問わず、厳密に私的性質を有する消息をその家族との間で相互に伝えることができるようにしなければならない」。また、自分自身の信仰の宗教指導者と共に宗教行為を行なうことを許される。強制収容された文民もまた戦時俘虜と同じ権利を持つ。可能である場合は、家族は同じ家に住み、家族として生活することを可能ならしめる便益を提供されねばならない。傷者もしくは病者である文民、文民病院及びその職員、及び陸海空の病人輸送は特にこれを尊重し、赤十字もしくは赤三日月の保護下に置かねばならない。保護された文民は人間の盾として用いてはならず、また人種、宗教もしくは政治的見解によって差別されてはならない。あるいはまた、集団的処罰、拷問、傷害、強姦もしくはその他の不適切な処遇を加えてはならない。

国連安全保障理事会は、ジュネーヴ諸条約と関連するあらゆる問題の最高国際議決機関である。「重大な違反行為」は戦争犯罪として扱われる。

これらの法の適用に関しては依然として議論の種になっており、それは近年の全世界的な非人道的処遇に関する多くの議論や見解にも現れているが、この文書は今もなお、現在の国際法の礎石であると考えられている。

ジュネーヴ条約の調印

THE GENEVA
CONVENTIONS
OF AUGUST 12
1949

ICRC

ER OF THE UNITED NATIONS
AND
STATUTE OF THE
ATIONAL COURT OF JUSTICE

FRANCISCO · 1945

この条約は正式には「ジュネーヴ諸条約」と称されるが、1949年の条約はそれまでの1864年、1906年、1929年の諸条約を改訂したもので、通常はこれを「ジュネーヴ条約」（単数形）と呼ぶ。

人口登録法

(1950年)

白人支配の南アフリカの支配層がアパルトヘイトの新たな「柱」を打ち立てた。
アメリカのジム・クロウ人種隔離法よりもさらに苛酷なものである。
それは国民全員に人種登録を義務づけ、各人に個別の書類を与えた。

南アフリカの黒人奴隷制度はオランダ支配の下に始まり、1834年に英国が廃止するまで続いた。だが1930年代に英国支配の最後の痕跡が除去され、南アフリカ連邦が樹立されると、人種隔離政策はアパルトヘイト（「分離状態」の意）の旗印の下、さらに苛烈化した――アフリカーナ人（オランダ、ドイツ、ベルギー、フランスを祖先とする南アフリカの白人）の唱道する白人優越運動である。

1948年の総選挙に続いて、新たに政権の座に就いた国民党は、南アフリカの統治政策としてアパルトヘイトの樹立に着手した。結婚に関する一連の法律に続き、立法者たちは1950年法律第30号・人口登録法を制定した。それはアパルトヘイト体制維持のため、南アフリカの全住民を「人種的特徴」に従って分類、登録するというものである。

この法律は全国民を生まれながらに4つの人種集団に分類し登録する。白人、カラード、バントゥ（アフリカ黒人）及び印僑（英国の植民地支配下で移入されたインド人労働者）である。18歳以上の者はその人種集団を特定する身分証の携行を義務づけられる。人種分類に関するあらゆる問題を解決するための正式な部局が設けられ、誰もが「人種」によって分類されることとなった。

「白人」は、「見た目が明らかに白人であり、一般的には有色人種と見做されない者。もしくは、一般的には白人と見做されるが、見た目は明らかに白人でない者」と定義される。「バントゥ」は「アフリカの原住民もしくは部族である、あるいは一般にそのように見做されている者」。そして「カラード」とは、「白人やバントゥではない者」である。

アパルトヘイト法は人種に基づいて権利、特権、経済状況を決定した。だがアパルトヘイト体制の運営は不可能であった。ネルソン・マンデラが後に述べたように、そこでは「人が生きて働くことが許される場所が、髪の縮れや唇の厚さのような馬鹿げた区別に依拠していた」。世界の世論はこの体制に反対した。アパルトヘイトは遂に、打倒される前に破棄された。

南アフリカ議会はこの法律を1991年6月17日に廃止したが、その影響はその後も世代を越えて感じられるだろう。現存する人種分類書類は、人種差別的抑圧の具体的かつ公式な証拠となっている。

左：南アフリカの身分証の展示。ヨハネスブルク、アパルトヘイト博物館。
右：この法律の第1頁。この法律における「カラード」「エスニック」「ネイティヴ」「ホワイト」という用語を定義している。

Act No. 30
of 1950.

ACT

To make provision for the compilation of a Register of the Population of the Union; for the issue of Identity Cards to persons whose names are included in the Register; and for matters incidental thereto.

(*Afrikaans Text signed by the Officer Administering the Government.*)
(*Assented to 22nd June*, 1950.)

BE IT ENACTED by the King's Most Excellent Majesty, the Senate and the House of Assembly of the Union of South Africa, as follows :—

Definitions.

1. In this Act, unless the context otherwise indicates—

(i) "alien" means an alien as defined in section *one* of the Aliens Act, 1937 (Act No. 1 of 1937); (xv)

(ii) "board" means a board constituted in terms of section *eleven*; (x)

Act No. 30 of 1950.

(iii) "coloured person" means a person who is not a white person or a native; (iv)

(iv) "Director" means the Director of Census appointed under section *four* of the Census Act, 1910 (Act No. 2 of 1910), and includes the Assistant Director of Census and any officer acting under a delegation from or under the control or direction of the Director; (ii)

(v) "ethnic or other group" means a group prescribed and defined by the Governor-General in terms of sub-section (2) of section *five*; (iii)

(vi) "fixed date" means the date upon which the census is taken in the year 1951 in terms of section *three* of the Census Act, 1910 (Act No. 2 of 1910); (xiii)

(vii) "identity card" means the identity card referred to in section *thirteen* but does not include an identity card which has lapsed in terms of any regulation; (viii)

(viii) "identity number" means the identity number assigned to a person in terms of section *six*; (ix)

(ix) "Minister" means the Minister of the Interior; (vi)

(x) "native" means a person who in fact is or is generally accepted as a member of any aboriginal race or tribe of Africa; (vii)

(xi) "prescribed" means prescribed by regulation; (xiv)

(xii) "register" means the register referred to in section *two*; (xi)

(xiii) "regulation" means a regulation made under section *tw.nty*; (xii)

(xiv) "this Act" includes the regulations; (v)

(xv) "white person" means a person who in appearance obviously is, or who is generally accepted as a white person, but does not include a person who, although in appearance obviously a white person, is generally accepted as a coloured person. (i)

Compilation and maintenance of population register.

2. There shall, as soon as practicable after the fixed date, be compiled by the Director and thereafter maintained by him, a register of the population of the Union.

Data from which register to be compiled.

3. The particulars required for the compilation of the register in respect of the population of the Union as at the fixed date shall be extracted by the Director from the forms and returns received by him under the Census Act, 1910 (Act No. 2 of 1910), in connection with the census taken on the fixed date and from such other records as may be available to the Director.

What persons to be included in the register.

4. There shall be included in the register, in three separate parts thereof, the names of—

(*a*) (i) all South African citizens within the Union on the fixed date;

(ii) all South African citizens who enter or are born in the Union after the fixed date; and

(iii) all persons who become South African citizens in the Union after the fixed date;

DNA
(1953年)

20世紀で最も重要な科学的ブレイクスルーの発見者のひとりである父が息子へ宛てた手紙には、「生命の秘密」を説き明かす世界初の手書きの図が描かれていた。最後に彼はこう書き添えている。「この手紙をじっくり読めば理解できるからね。お前が家に帰ってきたらモデルを見せてやろう」。

1953年初頭、分子生物学者のフランシス・クリック（1916－2004）とジェイムズ・ワトソン（1928－）は、ケンブリッジ大学キャヴェンディッシュ研究所医学研究協議会の研究員を務めていた。2人はデオキシリボ核酸（DNA）の真の構造を解き明かしたいという抑えがたい欲望に突き動かされていた。それは既知の全ての生物と多くのウィルスの「生命の青写真」を含むと考えられている分子である。

1953年3月19日、クリックは12歳で科学好きな息子マイケルに手書きの手紙を認めた。マイケルはイングランドの寄宿学校でインフルエンザに伏せっていた。その手紙の中でクリックはわくわくするようなニュースを書いた。「ジム・ワトソンとパパはとても重要な発見をしたみたいだ」。2人はちょうど、DNAの2重螺旋構造を発見したばかりだったのだ。「私たちは Des-oxy-ribose-nucleic-acid（デ・オキシ・リボ・核・酸。注意して読みなさい）、略してD. N. A. の構造モデルを完成させたんだ」と父クリックは書いた。曰く、ＤＮＡとは「暗号なんだ」。そしてその塩基――グアニン、アデニン、チミン、シトシン――がペアを組んで、互いに巻き付いている2本の分子の鎖になっている、と。さらに彼は、DNAがどのように自己複製するかを明確に述べ、自分の見解を説明する構造図まで描いて見せた。「この手紙をじっくり読めば理解できるからね。お前が家に帰ってきたらモデルを見せてやろう」と彼は少年に言った、「愛を込めて、パパより」。

科学者たちは、1869年にスイスの研究者が膿汁の中に謎の物質を発見した時からＤＮＡの存在に気づいていた。1927年にはロシアの生物学者ニコライ・コリツォーフが、形質は「それぞれの鎖を鋳型として半保存的な方法で自己複製を行なう2つの鏡のような鎖構造」から成る「遺伝に関わる巨大分子」によって受け継がれると示唆していた。だがワトソンとクリックはＤＮＡに関する科学的理解を革命的に変えた。

クリックの7頁の手紙は、DNAの構造とその遺伝学上の意味を明らかにしたワトソンとの有名な共同論文を『ネイチャー』に発表する1ヶ月以上前に書かれた。ワトソンとクリックは1953年4月8日にベルギーで開催された蛋白質に関するソルヴェイ会議で彼らの発見を正式に公表したが、全く報道されなかった。ワトソンは5日前に同じ生物学者のマックス・デルブリュックに手紙を書いていたが、それは専らＤＮＡの構造を説明するもので、如何にしてDNAが自己複製するのかに関する情報はほとんどなかった。そんな訳でマイケル・クリックは後に、父の手紙こそが「父が『生命から生命が出来る仕組み』と呼んでいるものを説明する世界初の文書」であると述べた。

2013年、この手紙は530万ドルで売れた――オークションで販売された手紙としては新記録の価格である。

19 Portugal Place
Cambridge.
19 March '53

My Dear Michael,

Jim Watson and I have probably made a most important discovery. We have built a model for the structure of des-oxy-ribose-nucleic-acid (read it carefully) called D.N.A. for short. You may remember that the genes of the chromosomes – which carry the hereditary factors – are made up of protein and D.N.A.

Our structure is very beautiful. D.N.A. can be thought of roughly as a very long chain with flat bits sticking out. The flat bits are called the "bases". The formula is rather

this

(3)

P P P P P P

...oks much nicer than this.

...exciting thing is that while there

...bases, we find we can only

...pairs of them together. The

...They are Adenine, Guanine,

...I will call them A, G, T

...find that the pairs

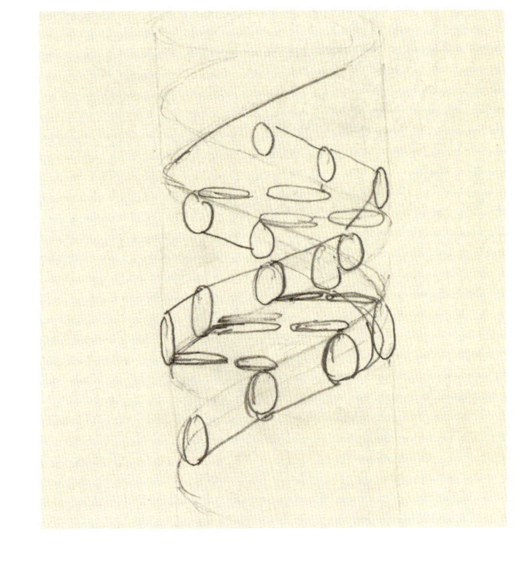

上：クリックから息子宛の7頁の手紙の第1及び第7頁。
右：クリックによるDNA構造のラフ・スケッチは後に妻のオダイルの手で清書され『ネイチャー』1953年4月25日号で発表された。

ローマ条約

(1957年)

言語、文化、歴史によって分れていた大陸の国々がひとつになって、経済共同体を作ろうとした。
だがそもそもの発端から水面下に潜んでいた諸問題は、
最も基本的な課題すら共同で実施するのはしばしば困難であることを示していた。

何世紀にも及ぶ紛争が2つの世界大戦で頂点に達したことで、ヨーロッパの指導者たちは彼らの未来を懸念した。破局からの復興は遅々として、困難かつ不均等だった。そのため、幾つかの国々は経済共同体の設立を望むようになった。

この問題に関する一連の国際会議と合意を経て、「共同市場と欧州原子力共同体（ユーラトム）に関する政府間協議」が1956年6月にベルギーで開催される運びとなった。6ヶ国（フランス、ドイツ、イタリア、ベルギー、オランダ、ルクセンブルク）の代表がブリュッセル郊外の壮麗なシャトー・ド・ヴァル＝ドゥシェスに集まり、合意文書を起草した。連合王国も招待されていたが、英国首相ハロルド・マクミランは「4ヶ国を他の2ヶ国から救出せねばならないような6ヶ国」のクラブに入会するつもりはないと嘲笑した。

参加者たちは共通の問題を抱えていた——彼らの祖国は戦争中、侵略、敗北、占領に苦しみ、その結果、長期的な窮乏に陥っていたのだ——そして彼らは、将来的にもその民主的体制を奪取されまいと望んでいた。そのためには経済協力こそが鍵と思えた。

起草者たちは9ヶ月間、極秘に作業を進めた。遂に最終版が完成すると、彼らはその批准を急いだ。間近に迫ったフランスの選挙で過激なナショナリストのシャルル・ド・ゴール将軍が当選すればとうてい承認は罷り成らぬと踏んでのことである。正式な調印式はそれから数日後に、ローマはパラッツォ・デイ・コンセルヴァトーリの歴史に名高い「ホラティウスとクリアティウスの間」で開催された。

だが、好事魔多し。会合に必要な全ての備品や機材——タイプライター、謄写版印刷機、型押しされた公式用紙——が、必要な証明書の不備のためにスイス＝イタリア国境で差し止められており、ようやくそれが会場に到着した時には指定された場所は巨大なルーベンスの絵で塞がっていたのだ。そこで、準備が整うまで最も重要な物品だけが地下室に移された。だが雑役夫が誤って用紙や死活的に重要な謄写版原紙をゴミ箱に棄ててしまった。

時間が迫る中、恐慌に襲われた主催者たちは、その場を取り繕う唯一の方法を考え出して急場を凌いだ。条約文書の代わりに、ただの白紙を用意して各国の首脳たちに署名だけさせ、報道関係者には条約の本文を見せないようにしたのである。

1957年3月25日、威風堂々たる各国首脳は公式にローマ条約に調印し、ヨーロッパ経済共同体（EEC）を発足させた——この条約は最終的に欧州共同市場及び欧州連合の基盤となるが、その書類は実際には署名の頁しかなかった。

この有名な「白紙」の話は、2007年にようやく暴露された。

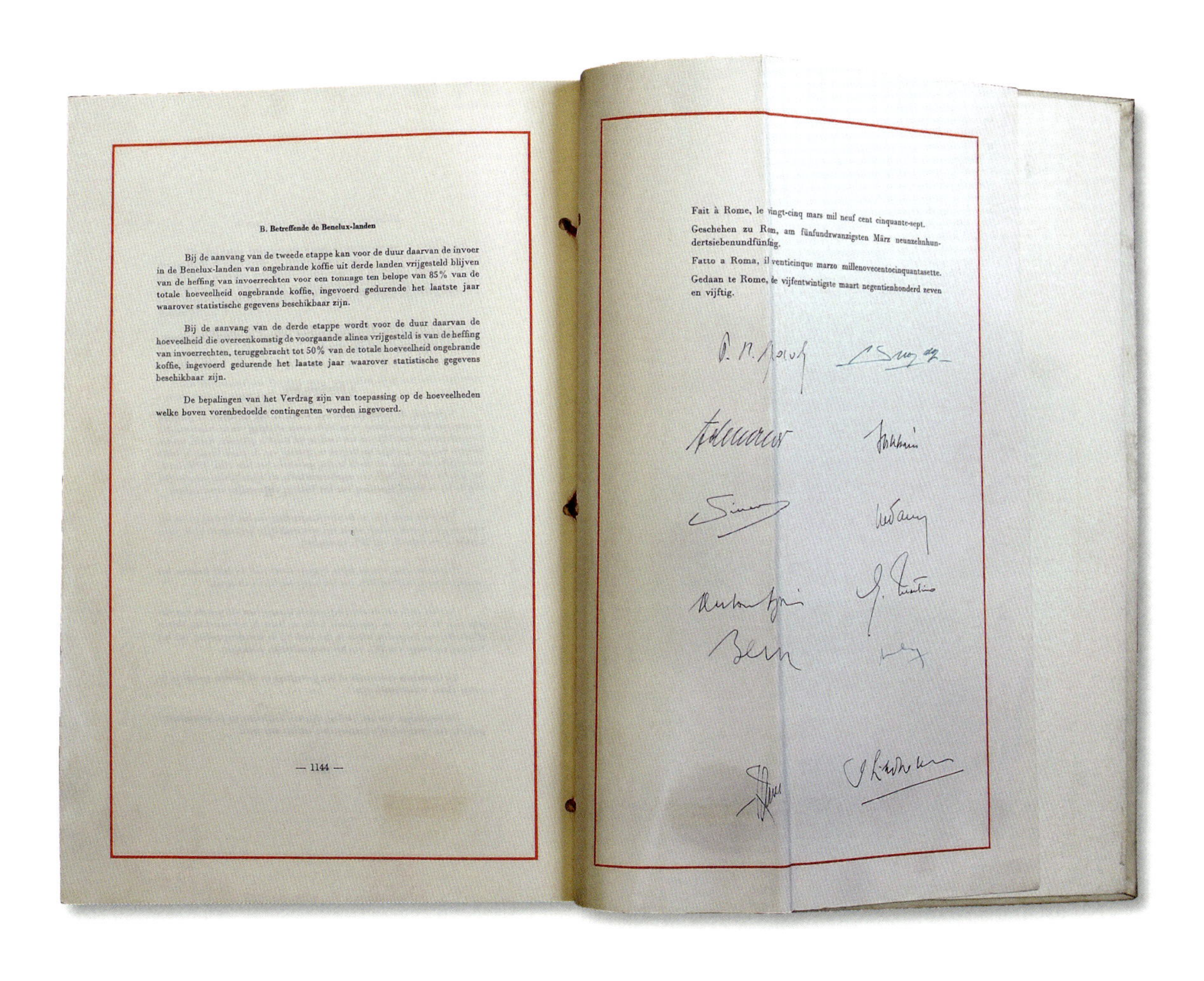

B. Betreffende de Benelux-landen

Bij de aanvang van de tweede etappe kan voor de duur daarvan de invoer in de Benelux-landen van ongebrande koffie uit derde landen vrijgesteld blijven van de heffing van invoerrechten voor een tonnage ten belope van 85% van de totale hoeveelheid ongebrande koffie, ingevoerd gedurende het laatste jaar waarover statistische gegevens beschikbaar zijn.

Bij de aanvang van de derde etappe wordt voor de duur daarvan de hoeveelheid die overeenkomstig de voorgaande alinea vrijgesteld is van de heffing van invoerrechten, teruggebracht tot 50% van de totale hoeveelheid ongebrande koffie, ingevoerd gedurende het laatste jaar waarover statistische gegevens beschikbaar zijn.

De bepalingen van het Verdrag zijn van toepassing op de hoeveelheden welke boven vorenbedoelde contingenten worden ingevoerd.

— 1144 —

Fait à Rome, le vingt-cinq mars mil neuf cent cinquante-sept.

Geschehen zu Rom, am fünfundzwanzigsten März neunzehnhundertsiebenundfünfzig.

Fatto a Roma, il venticinque marzo millenovecentocinquantasette.

Gedaan te Rome, de vijfentwintigste maart negentienhonderd zeven en vijftig.

上と左：文書と調印式。於パラッツォ・デイ・コンセルヴァトーリの荘厳な「ホラティウスとクリアティウスの間」。

ジョン・F・ケネディの就任演説

（1961年）

魅惑的な新大統領が、新たな世代の松明を掲げてアメリカ史上最も偉大な演説をした。リンカーンの調子と聖書の言葉を援用した彼の演説は若々しい理想主義、歴史観、力強い理想と崇高な修辞に彩られていた。

からりと晴れた1月の厳寒の日、ジョン・F・ケネディは第35代合衆国大統領に就任した。その模様を8000万人のアメリカ人が生中継のＴＶで視聴していた。

若々しいケネディは2ヶ月に亘って就任演説に取り組んできた。黄色いメモ帳にメモを取り、チーフ・スピーチライターのテッド・ソレンソンとメッセージや草稿を遣り取りした。ソレンソンはＪＦＫの最高顧問団周辺から印象的なアイデアや雄弁な表現を大量に集めていた。両者は二人三脚で各センテンスを磨き上げ、完璧なイメージとトーンを鍛え上げた。

結果として出来上がったのは、他の演説から借りてきた記憶に残るフレーズの傑作であった。たとえばケネディ演説の「恐怖ゆえに交渉してはなりません。しかし、交渉することを恐れてはなりません」という一節は、ハーヴァードの経済学者ジョン・ケネス・ガルブレイスの言葉に似ている。あるいはまた、ケネディの「もし自由な社会で多数の貧困者を救うことができなければ、少数の富裕者を救うこともできません」は、民主党の元大統領候補アドライ・スティーヴンソン2世のフレーズを少し変えたものだ。

また、熟練した修辞的工夫と印象的な文章構造を取り揃えて活用し、ケネディのメッセージを独特の古典的な形で届ける演説を創り出している。国家的伝統や理想への感情を掻き立てる高尚な言葉を用いて、JFKは市民に公益のための協働を呼びかける。「すべての国々に知らせましょう」と彼は言う――

アメリカに好意を持つ国にも、そうでない国にも。我々はあらゆる代償を支払い、あらゆる重荷を担い、あらゆる困難に耐え、すべての友を支え、自由の存続と繁栄を妨げるすべての敵と戦う覚悟であるということを。……このすべてを、最初の100日間で達成することはできないでしょう。1000日でも難しいでしょうし、この在任期間中、あるいはこの地上に我々が生きている間には達成できないかもしれません。それでも、始めようではありませんか。

……今、我々を召集するラッパが再び鳴り響いています。これは、武器を取れという合図ではありません。戦いの合図でもありません。ただ、我々は武器を用意し、陣容を整えておく必要があります。これは、長く先の見えない戦いの重荷を担えという呼びかけなのです。来る年も来る年も、希望をもって喜びとし、苦難を耐え忍びながら、人類共通の敵である虐政、貧困、病気、そして戦争そのものとの戦いを貫く覚悟が求められています。……そして、同胞であるアメリカ市民の皆さん、国があなたのために何をしてくれるかではなく、あなたが国のために何ができるかを考えようではありませんか。

この演説は僅か1304語に過ぎず、それまでの就任演説の中で最短のもののひとつであるが、大胆な概念、鋭い対置、強い表現によって、長年の間にアメリカ人が聴いた最も力強い演説のひとつとなって上と左：ケネディの就任演説の手書き原稿。実際の演説の3日前に書かれたもの。演説は1961年1月20日、ワシントンDC合衆国連邦議会議事堂で行なわれた。

いる。

ジョン・F・ケネディの就任演説はＴＶ放送版がよく知られているが、原本である文書の形でも残されており、草稿及びオフィス・ファイルと共にジョン・F・ケネディ文庫と国立公文書記録管理局に保管されている。

ビートルズとEMIのレコーディング契約書

(1962年)

リヴァプール出身、こざっぱりした顔つきをした労働者階級の４人のポップ・ミュージシャンが、
EMIとレコーディング契約をした。内２人はあまりにも若過ぎて、親の署名が必要だった。それが全ての関係者にとって
――そして音楽界にとって、どのような意味を持つことになるのか、誰ひとり想像すらつかなかった。

1962年10月1日、EMI（Electric and Musical Industries Ltd）のレコード・プロデューサーであるジョージ・マーティンは、ペンに手を伸して、レコーディング契約に署名しようとした。契約相手のポップ・グループは――あれ、何だっけ？　ああそう、あれだアレ、「ザ・ビートルズ」――だが彼は、自分のすぐ鼻の下にあるその紙が後に「音楽史上最も重要な文書」となることなど、そして彼自身が「5人目のビートルズ」と呼ばれるようになることなど、露知らなかった。

EMIと言えば既に定評のある、そして大いに成功を収めている多国籍の音楽レコーディング・出版会社である。本拠地はロンドン、セントジョンズウッドのアビィ・ロード3番地。この会社のトップ・マネージャーであるマーティンは6月以来、このグループに厳格なオーディションを受けさせてきた。

当時、この少年たちのマネージャーだったブライアン・エプスタインは、自分のクライアント――ジョン・ウィンストン・レノン、ジェイムズ・ポール・マッカートニー、ジョージ・ハリスンとリチャード・スターキー（別名リンゴ・スター）――をＥＭＩのパーロフォン・レーベルで演奏させようと交渉していた。既にＥＭＩの他の3つのレーベルにはいずれも拒否されていたのである。この当時はこの契約が、現在の多くの批評家が音楽史上最も成功を収めた商業的パートナーシップであると考えているところのものになるなどと知り得た者は誰もいなかった。だが事実、そうなったのである。

この10月の契約書には4人のビートルズに加えて、ジョージ・ハリスンとポール・マッカートニーの父親たちの署名も入っている。息子たちが21歳未満だったために、保護者の同意も必要だったのだ。この契約では、ビートルズは彼らのバンドの収益によって、その15、20もしくは25％をエプスタイン（NEMSエンタープライゼス）に支払うことに同意していた。それからビートルズはさまざまな経費を引かれた後に自分たちで収入を分配する。

興味深いことに、ビートルズは1月24日の時点で既にエプスタインとのマネージャー契約に署名していたのだが、エプスタインは署名を保留していたのだ。彼自身、彼らを援助することに確信が持てなかったためである。「言い換えれば」と彼は後に述べている、「私がその方が良いと感じたなら、彼らを拘束したくないと思ったからだ」。

このバンドは彗星のように擡頭した。10月契約に署名して4日後、ＥＭＩは彼らのファーストシングル『ラヴ・ミー・ドゥ』をリリースし、同曲はUKチャートで17位を獲得。次作『プリーズ、プリーズ・ミー』はヒットナンバー２となり、年内にさらに3曲――『フロム・ミー・トゥ・ユー』『シー・ラヴズ・ユー』『抱きしめたい』――がリリースされたが、いずれもナンバー１ヒット。その後もさらに14曲がUKナンバー１ヒットとなった。さらにはＥＭＩの他の成功もまた彗星の如くだった。1963年、UKの19枚のナンバー１シングルの内の15枚までがＥＭＩであり、翌年も8組のＥＭＩのアーティストが41週に亘ってナンバー１の座を維持した。ブリティッシュ・インヴェイジョンの開幕である。

8頁の謄写版によるタイプ印刷の10月契約書は2008年、ロンドンで25万ポンドで落札された。2014年、この文書はリアリティ番組『ビヴァリー・ヒルズ・ポーン』のヨッシ・ダイナが購入した。

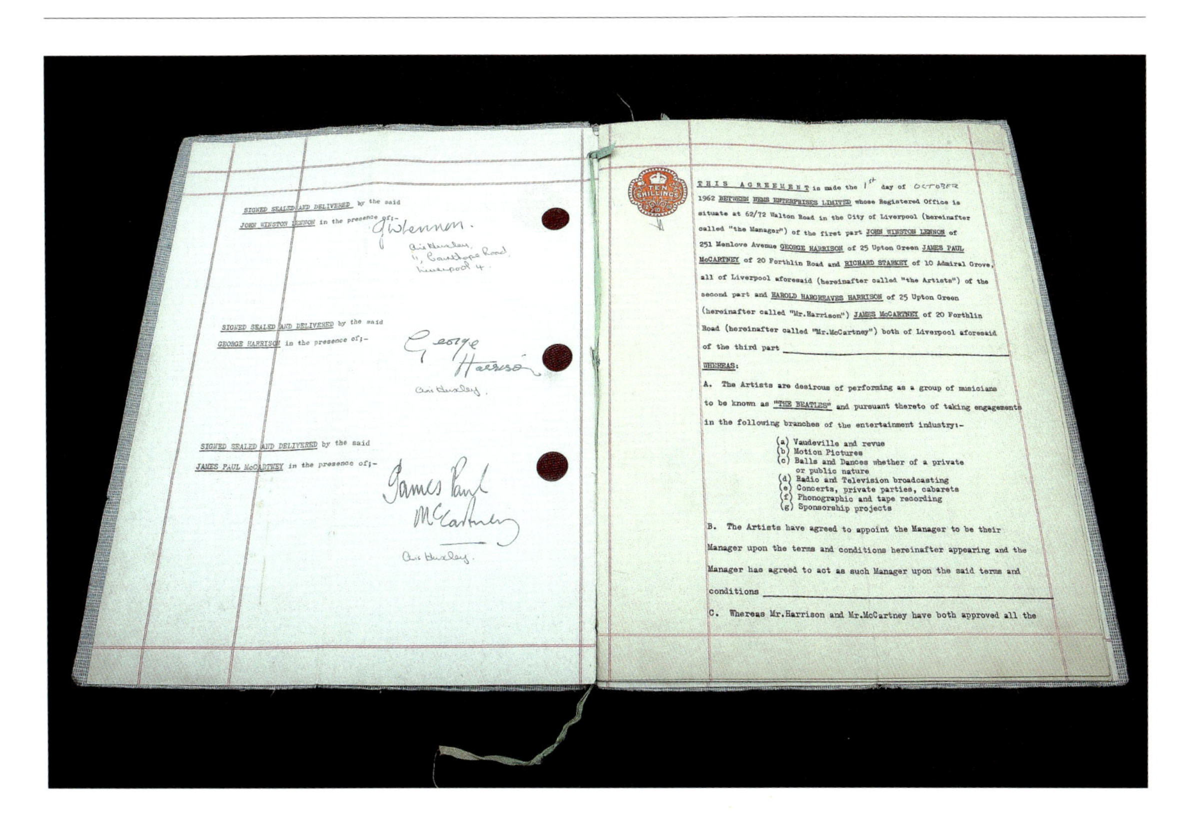

SIGNED SEALED AND DELIVERED by the said
JOHN WINSTON LENNON in the presence of;-

SIGNED SEALED AND DELIVERED by the said
GEORGE HARRISON in the presence of;-

SIGNED SEALED AND DELIVERED by the said
JAMES PAUL McCARTNEY in the presence of;-

THIS AGREEMENT is made the 1st day of OCTOBER 1962 BETWEEN NEMS ENTERPRISES LIMITED whose Registered Office is situate at 62/72 Walton Road in the City of Liverpool (hereinafter called "the Manager") of the first part JOHN WINSTON LENNON of 251 Menlove Avenue GEORGE HARRISON of 25 Upton Green JAMES PAUL McCARTNEY of 20 Forthlin Road and RICHARD STARKEY of 10 Admiral Grove, all of Liverpool aforesaid (hereinafter called "the Artists") of the second part and HAROLD HARGREAVES HARRISON of 25 Upton Green (hereinafter called "Mr.Harrison") JAMES McCARTNEY of 20 Forthlin Road (hereinafter called "Mr.McCartney") both of Liverpool aforesaid of the third part

WHEREAS:

A. The Artists are desirous of performing as a group of musicians to be known as "THE BEATLES" and pursuant thereto of taking engagements in the following branches of the entertainment industry:-

(a) Vaudeville and revue
(b) Motion Pictures
(c) Balls and Dances whether of a private or public nature
(d) Radio and Television broadcasting
(e) Concerts, private parties, cabarets
(f) Phonographic and tape recording
(g) Sponsorship projects

B. The Artists have agreed to appoint the Manager to be their Manager upon the terms and conditions hereinafter appearing and the Manager has agreed to act as such Manager upon the said terms and conditions

C. Whereas Mr.Harrison and Mr.McCartney have both approved all the

上：署名された契約書――ビートルズの4人と、当時21歳未満であった2人の父親の署名がある。およびバンドとEMIのディレクターらの写真。

マーティン・ルーサー・キング・ジュニア「私には夢がある」

（1963年）

アメリカ史上最大の平和的抵抗運動の指導者として、この国におけるアフリカ系アメリカ人の公民権運動最高の擁護者が、万人のための自由と正義というその主張を実施するよう国家に嘆願した。では、彼の修辞的最高傑作の記された文書の原本はどうなったのか？

1963年8月28日、リンカーン記念館の階段上に立ったマーティン・ルーサー・キング・ジュニア牧師は、マイクを手にアメリカで拡大中の公民権運動の実情を語ろうとしていた。「職と自由を求めるワシントンでの行進」に参加した25万人もの群衆、そして全ての主要メディアから派遣された何十人もの記者や報道関係者が、固唾を飲んで彼の言葉を待ち受けていた。

聴衆の中に彼が読み上げている3頁のタイプ原稿を見ることのできた者は誰もいない。誰もが、今耳にしている言葉に釘付けになっていた。

キングはまず〈奴隷解放宣言〉への言及から始めた。100年前に何百万という奴隷を解放した布告である。それから彼は続けた、「そこで私たちは今日、この恥ずべき状況を劇的に訴えるために、ここに集まったのである」。リンカーン、聖書、〈独立宣言〉〈忠誠の誓い〉やその他の古典作品からの美辞麗句を駆使したのみならず、この説教師は巧みな修辞法をも採用していた。

だが熱烈なゴスペル歌手マヘリヤ・ジャクソンは、その言葉に今ひとつ力が欠けていることを感じ取るや、こう叫んだ、「みんなにあの夢の話をしてあげてよ、マーティン！」。これは最近の演説でキングが語った感動的な一節を念頭に置いてのことである。事実、その前の夜の時点でキングのスピーチライターであるクラレンス・ジョーンズは草稿の中に「夢」のモティーフを入れていたのだが、キングはおそらく、それを陳腐だと判断したもう1人のアドヴァイザーの意見を容れて、その部分をカットしていたのだった。

頃合いや良しと見たキングは用意した原稿から離れ、半ば即興で、反復に基づく結末部分を語り始めた。それは次のように始まった、「われわれは今日も明日も困難に直面するが、それでも私には夢がある」。

「私には夢がある」と彼は続けた。「それは、いつの日か、私の4人の幼い子どもたちが、肌の色によってではなく、人格そのものによって評価される国に住むという夢である。今日、私には夢がある！」

このアドリブの部分こそ、彼の演説の中で最も忘れがたい一節となり、力強い喝采を受けた。

演説を終えたキングがその文書を畳み、ポケットに入れようとしたところ、若い警備員でバスケットボール選手のジョージ・ラヴェリングがそれを所望した。キングはそれを彼に与え、そのまま篤志家たちの波に呑まれた。

同年、『タイム』誌はキングを「マン・オヴ・ザ・イヤー」に選定し、数ヶ月後には最年少のノーベル平和賞受賞者となった。だが、彼の演説の全文が文字化されて世に出たのは1983年8月のことである。その出版から数ヶ月後、漸くその文書の重要性に気づいたラヴェリングは、その歴史的文書を地下室から引っ張り出した。今日でも彼はそれを相続人のために金庫に保管している。

「私には夢がある」は20世紀アメリカにおける最も偉大な演説であると評価されている。だがその最も有名な部分は文書には載っていないのだ。

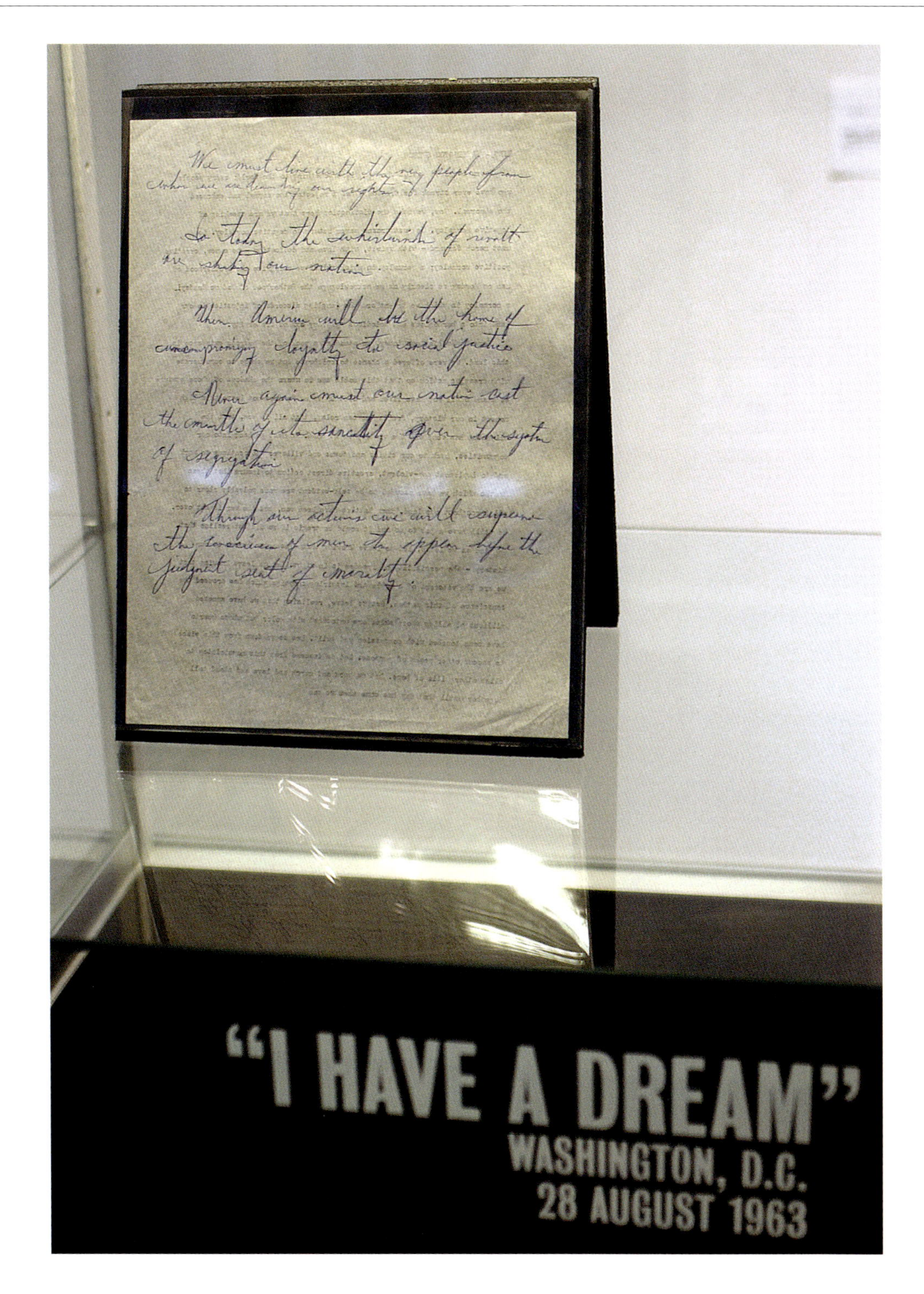

上：ニューヨーク、サザビーズに展示されたキングの有名な演説の手書き草稿。この草稿は2006年にアトランタのモアハウス・カレッジが3200万ドルで購入したマーティン・ルーサー・キング文書コレクションの一部である。

『毛主席語録』
(1964年)

老境の中国共産党主席が、兵士を鼓舞する引用句を精選した小さな手引書を出した。
それは文化大革命を活気づけ、瞬く間に世界のベストセラーとなった――
『毛主席語録(リトル・レッド・ブック)』である。

中華人民共和国の父、そして進行中の革命の指導者として、毛沢東(1893−1976)は党の他の指導者が経済政策に関して彼を除け者にしているのが気に入らなかった。そこで自ら幅を利かせるために、1964年1月、毛は自分の演説や文書からの抜萃した小さな本を編纂させた。そこにはさまざまな議題に関する彼の最も革命的な引用が200も収録されており、表向きは人民解放軍の兵士を鼓舞するための手引き書ということになっていた。

この冊子は党大会の代表者に配られ、論評が求められた。その反応に基づいて、この作品は拡充され、『毛主席語録』として印刷された。この改訂版は直ちに人民解放軍の各部隊に配布され、彼らもまた見解を求められた。人民解放軍の総政治部はこれを激賞し、新訂版を出して「万国の労働者よ、団結せよ!」とのスローガンを2頁目に追加した。

さらなる議論の後、1965年5月に427の引用から成るもうひとつの版が出版された。たとえば次のような文句である。「およそ敵が反対するものは、われわれの支持すべきものであり、およそ敵が支持するものは、われわれの反対すべきものである」「進歩のための戦争が全て正義の戦争であり、進歩を阻む戦争が全て不正義の戦争である」「銃の中から政権が生まれる」。

ポケットサイズで丈夫な耐水性の表紙のこの本はセンセーションを巻き起こし、文化部は国民の99%にこの文書を読ませるという目標を設定した。どこもかしこもこの本で溢れた。拡大する文化大革命の教理問答書として、同書は毛を神のような地位にまで押し上げた。人民はこれを暗唱し、その節を引用することが求められ、できなければ厳しい処罰を受けた。この本を損傷した者は苛烈な投獄、もしくはそれ以上の刑に処せられた。その引用は全ての基準とされ、それに従って真の革命家か否かが判定された。

その反響は凄まじく、1966年に共産党中央宣伝部はこの文書の外国語版の印刷を命令、各国語に翻訳され全世界に広められた。赤いビニールの表紙から「リトル・レッド・ブック」の呼称も得た。その絶頂期には、ハバナからバークリーまでの過激派は皆、その一冊を後ポケットに入れて持ち歩いていた。発行部数は20億から65億部と見積もられており、20世紀で「最も人気のある」書物と言える。

2002年、1965年発行の現存する最古の版がニューヨークのサザビーズで1万3000ドルで売れた。

右:ビニール表紙の「リトル・レッド・ブック」を売る市場の露天とポスター。通常、後光を発しながら人民を輝ける未来へと導いていく毛の顔が民衆の上に描かれる。

毛主席
关于阶级斗争和
无产阶级专政语录
毛泽东思想胜利万岁
毛主席语录

文艺为工农兵服务
八路军
沿着毛主席的革命文艺路线胜利前进

トンキン湾決議

（1964年）

議会の両院合同決議は、大統領リンドン・B・ジョンソンが東南アジアで通常戦力を行使することを支持し、
これによって合衆国がヴェトナムで開戦する法的な口実ができた――
だがその文書は歪曲と虚偽に基づくものであった。議会とアメリカ人は騙されていたのだ。

合衆国国防省によれば、1964年8月2日、ヴェトナム沖トンキン湾を哨戒（しょうかい）していた合衆国の駆逐艦ＵＳＳマドックスが3隻の北ヴェトナム海軍の魚雷艇と交戦した。2日後、マドックスと駆逐艦ターナー・ジョイは、またしても北ヴェトナムの魚雷艇による侵略行為を受けたと報告した。

共産主義であるハノイの北ヴェトナム政府はその申し立てを否定したが、合衆国当局はこの事件を軍事的侵略行為として言及した。8月4日、大統領リンドン・B・ジョンソンは全国に向けたＴＶ演説で、トンキン湾における米海軍艦に対する北ヴェトナムの攻撃を受けて必要な軍事的対応に対する支持を議会に求めると述べた。

ジョンソンは3ヶ月後に選挙を控えており、多くのアメリカ人がこのような行動を支持すると思われた。もしかしたら、共和党のタカ派バリー・ゴールドウォーターに対する彼の選挙戦にも有利に働くかも知れない。トンキン湾決議は謳う、「議会は最高司令官たる大統領の、合衆国軍に対するあらゆる武力攻撃を無効化し、更なる侵略を防ぐために必要なあらゆる手段を執るという決定を承認し指示する」。この議案は416名全員による満場一致で下院を通過し、上院では88対2で承認された。反対票を投じたのはいずれも民主党の上院議員、オレゴン州のウェイン・モースとアラスカ州のアーネスト・グリューニングだけだった（モースは警告した、「この決議は歴史的な過誤となると信ずる」）。

8月10日、大統領ジョンソンはこの両院合同決議に署名し、これによって彼が必要と認めるあらゆる通常戦力を行使することが可能となった――宣戦布告と同義である。それから彼は、この決議に基づいて南ヴェトナムにおける合衆国の軍事介入の拡大を承認させた。

7年後、国防省の極秘報告書が公開され、公式の説明とは裏腹に、北ヴェトナムはトンキン湾において合衆国の艦船に対する「明白かつ先制の」攻撃は行なっていないということが暴露された。2005年までには、それ以前に分類された国家安全保障局の文書やテープ、及びその他の新たな談話等が公開され、政府首脳が事実を歪曲し、実際に起きた事態に関して議会と国民を欺いていたことが発覚することになる。10年に及ぶアメリカの東南アジアにおける戦争の口実とされた重要情報の信頼性は地に堕ちたのだ。

トンキン湾決議の原本は合衆国国立公文書館に保管されている。

右：決議の草稿原本。「ヴェトナムにおける共産党政権の海軍部隊が……意図的かつ反復的に合衆国海軍の艦船を攻撃した」。

RUSH
~~9 a.m.~~ 7 A.M.

88th CONGRESS
2nd SESSION

S. J. RES. 189

(NOTE.—Fill in all blank lines except those provided for the date and number of resolution.)

189/1

Set Endorsement

500 X copies

IN THE SENATE OF THE UNITED STATES

AUG 5 - 1964

Mr. Fulbright (for himself and Mr. ~~Hickenlooper~~, Mr. Russell, and Mr. Saltonstall) introduced the following joint resolution; which was read twice and referred to the Committees on FOREIGN RELATIONS AND ARMED SERVICES JOINTLY.

7 a.m.

500

to be picked up at G.P.O. at 8 AM by MR. KENDRICK

JOINT RESOLUTION

To promote the maintenance of international peace and security in Southeast Asia.

(Insert title of joint resolution here)

1 *Resolved by the Senate and House of Representatives of the United*
2 *States of America in Congress assembled,* ~~That~~

X30

WHEREAS naval units of the Communist regime in Vietnam, in violation of the principles of the Charter of the United Nations and of international law, have deliberately and repeatedly attacked United States naval vessels lawfully present in international waters, and have thereby created a serious threat to international peace; and

WHEREAS these attacks are part of a deliberate and systematic campaign of aggression that the Communist regime in North Vietnam has been waging against its neighbors and the nations joined with them in the collective defense of their freedom; and

WHEREAS the United States is assisting the peoples of Southeast Asia to protect their freedom and has no territorial, military, or political ambitions in that area, but desires only that these peoples should be left in peace to work out their own destinies in their own way; Now therefore, BE IT

7 a.m.

RUSH
~~9 a.m.~~ 7AM

7 a.m.

アポロ11号飛行計画書

（1969年）

世界初の有人月面着陸に備えて、NASAは詳細な飛行計画を立てた。それはケイプ・ケネディでの打ち上げから、4日後に予定されたカプセルの太平洋への着水まで、宇宙船とその3名の乗組員の分刻みの活動予定表が収録されていた――歴史上最大の技術的達成のための綿密な宇宙航行マニュアルである。

大統領ケネディがソヴィエトよりも先に月面に人間を送り込むと誓約してから8年後、アメリカ最新の宇宙計画は全世界が啞然（あぜん）として見守る前で歴史に残る偉業を達成する準備を整えた。

アポロ計画には2万に及ぶ企業と軍隊から40万人の技術者、専門家、科学者が携わり、240億ドルを費やして最新鋭の研究と兵站（へいたん）活動が行なわれていた。だが1969年7月、それだけの複雑膨大な準備と費用の全てが、ひとつの単純な問題にまで煮詰まった――このミッションは成功するのか、あるいは失敗か？　3人の宇宙飛行士の生命が懸（かか）っている。そのオペレーションは全世界のＴＶ視聴者に生中継されることになっている。

1969年7月1日、ヒューストンの有人宇宙飛行センターは、7月16日に予定されているＮＡＳＡのアポロ11号打ち上げのための363頁に及ぶ最終飛行計画書を提出した。それはこのミッションを完璧かつ緻密な技術的詳細に至るまで記述していた。

宇宙船は、3名の乗組員――船長ニール・アームストロング、司令船操縦士マイケル・コリンズ、月着陸船操縦士エドウィン・Ｅ・「バズ」・オルドリン・ジュニア――を乗せて歴史に残る旅に出た。

5部に分れた計画は乗組員1人1人に分刻みの活動予定を提供していた。先ずは午前9時32分、ケネディ宇宙センター発射台39Ａから発射、離陸。詳細な指示とデータ・トラックは飛行、月周回軌道、月面活動、帰投飛行、再突入、着水まで連綿と続いていた。

アポロ11号は7月19日の月周回軌道到達まで、24万マイルを76時間で飛行する予定になっていた。翌日、アームストロングとオルドリンは訓練通り月着陸船イーグルに搭乗、コリンズは司令船に残る。2時間後、イーグルは月面への下降開始、「静かの海」南西端に着陸する。

月面上での21時間36分の間、宇宙飛行士たちには幅広い活動の予定が組まれていた。写真撮影、地質サンプル採取、合衆国国旗設置、様々（さまざま）な科学試験、大統領ニクソンとの電話による会話。オルドリンとアームストロングはその夜は月面上で睡眠を取った後、司令船に帰還することになっていた。

アポロ11号のミッションは正確に計画通りに進んだ。この旅の白黒のヴィデオは驚異的な明瞭さで地球に送信され、6億人、すなわち世界の人口の5分の1がＴＶでそれを見た。

アポロ8号とアポロ17号の飛行計画書（公式には「フライト・データ・ファイル」と呼ばれる）およびその他のアポロ計画に関する記録は、テキサス州フォートワースの国立公文書館に保管されている。

右：エドウィン・E・「バズ」・オルドリン・ジュニア用アポロ11号飛行計画書。1969年7月1日付。この365頁の計画書には、乗組員各自の分刻みの行動予定表が収録されている。

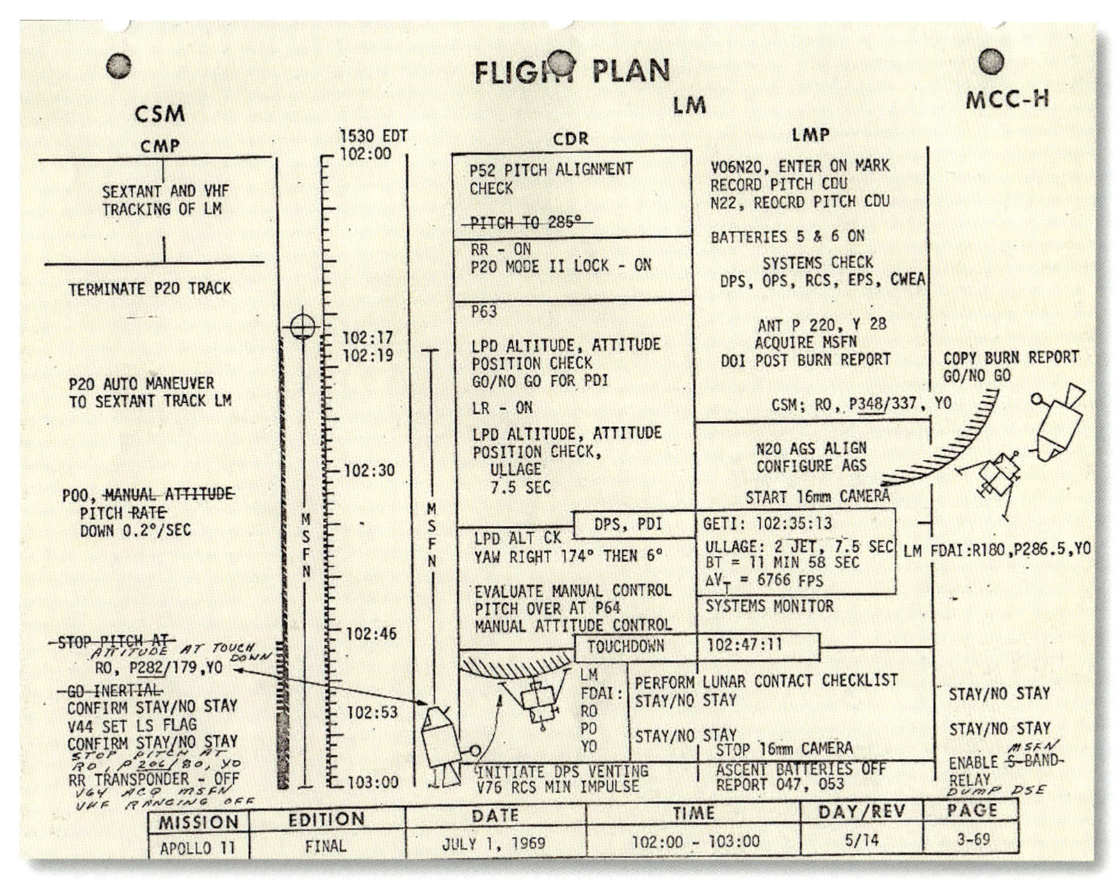

FLIGHT PLAN

CSM | LM | MCC-H

CMP | 1530 EDT 102:00 | CDR | LMP

SEXTANT AND VHF TRACKING OF LM

TERMINATE P20 TRACK

P20 AUTO MANEUVER TO SEXTANT TRACK LM

P00, ~~MANUAL ATTITUDE PITCH RATE~~ DOWN 0.2°/SEC

~~STOP PITCH AT~~ ATTITUDE AT TOUCH DOWN RO, P282/179, YO

~~GO INERTIAL~~

CONFIRM STAY/NO STAY

V44 SET LS FLAG

CONFIRM STAY/NO STAY

STOP PITCH AT RO, P206/80, YO

RR TRANSPONDER - OFF

V64 ACQ MSFN

VHF RANGING OFF

102:17

102:19

102:30

102:46

102:53

103:00

MSFN

P52 PITCH ALIGNMENT CHECK

~~PITCH TO 285°~~

RR - ON

P20 MODE II LOCK - ON

P63

LPD ALTITUDE, ATTITUDE POSITION CHECK

GO/NO GO FOR PDI

LR - ON

LPD ALTITUDE, ATTITUDE POSITION CHECK, ULLAGE 7.5 SEC

DPS, PDI

LPD ALT CK

YAW RIGHT 174° THEN 6°

EVALUATE MANUAL CONTROL PITCH OVER AT P64

MANUAL ATTITUDE CONTROL

TOUCHDOWN

LM FDAI: RO PO YO

INITIATE DPS VENTING

V76 RCS MIN IMPULSE

V06N20, ENTER ON MARK

RECORD PITCH CDU

N22, REOCRD PITCH CDU

BATTERIES 5 & 6 ON

SYSTEMS CHECK

DPS, OPS, RCS, EPS, CWEA

ANT P 220, Y 28

ACQUIRE MSFN

DOI POST BURN REPORT

CSM; RO, P348/337, YO

N20 AGS ALIGN

CONFIGURE AGS

START 16mm CAMERA

GETI: 102:35:13

ULLAGE: 2 JET, 7.5 SEC

BT = 11 MIN 58 SEC

ΔV_T = 6766 FPS

SYSTEMS MONITOR

102:47:11

PERFORM LUNAR CONTACT CHECKLIST

STAY/NO STAY

STAY/NO STAY

STOP 16mm CAMERA

ASCENT BATTERIES OFF

REPORT 047, 053

COPY BURN REPORT

GO/NO GO

LM FDAI: R180, P286.5, Y0

STAY/NO STAY

STAY/NO STAY

ENABLE ~~S-BAND~~ MSFN RELAY

DUMP DSE

MISSION	EDITION	DATE	TIME	DAY/REV	PAGE
APOLLO 11	FINAL	JULY 1, 1969	102:00 - 103:00	5/14	3-69

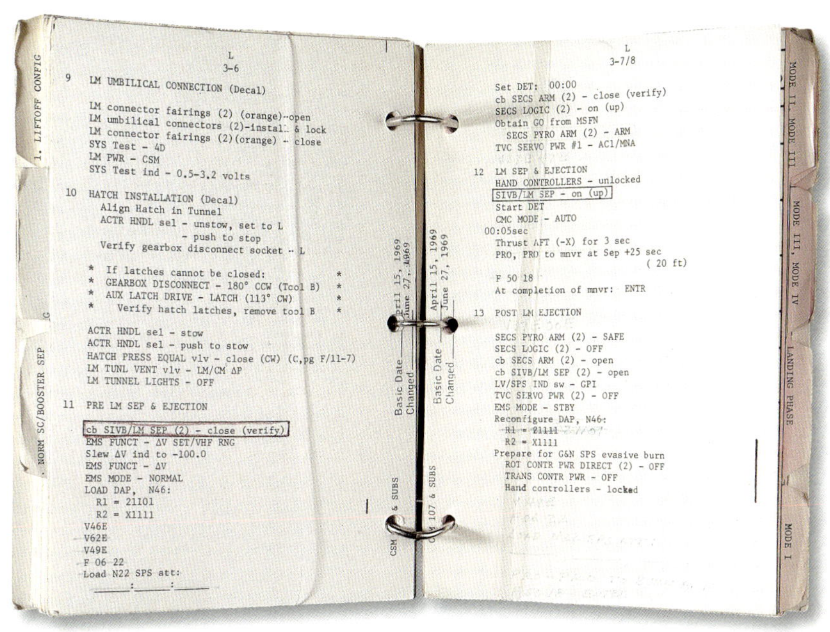

L
3-6

9 LM UMBILICAL CONNECTION (Decal)

LM connector fairings (2) (orange)-open
LM umbilical connectors (2)-install & lock
LM connector fairings (2)(orange) - close
SYS Test - 4D
LM PWR - CSM
SYS Test ind - 0.5-3.2 volts

10 HATCH INSTALLATION (Decal)
Align Hatch in Tunnel
ACTR HNDL sel - unstow, set to L
- push to stop
Verify gearbox disconnect socket - L

* If latches cannot be closed: *
* GEARBOX DISCONNECT - 180° CCW (Tool B) *
* AUX LATCH DRIVE - LATCH (113° CW) *
Verify hatch latches, remove tool B *

ACTR HNDL sel - stow
ACTR HNDL sel - push to stow
HATCH PRESS EQUAL vlv - close (CW) (C,pg F/11-7)
LM TUNL VENT vlv - LM/CM ΔP
LM TUNNEL LIGHTS - OFF

11 PRE LM SEP & EJECTION

cb SIVB/LM SEP (2) - close (verify)
EMS FUNCT - ΔV SET/VHF RNG
Slew ΔV ind to -100.0
EMS FUNCT - ΔV
EMS MODE - NORMAL
LOAD DAP, N46:
R1 = 21101
R2 = X1111
V46E
V62E
V49E
F 06 22
Load N22 SPS att:
____:____:____

L
3-7/8

Set DET: 00:00
cb SECS ARM (2) - close (verify)
SECS LOGIC (2) - on (up)
Obtain GO from MSFN
SECS PYRO ARM (2) - ARM
TVC SERVO PWR #1 - AC1/MNA

12 LM SEP & EJECTION
HAND CONTROLLERS - unlocked
SIVB/LM SEP - on (up)
Start DET
CMC MODE - AUTO
00:05sec
Thrust AFT (-X) for 3 sec
PRO, PRO to mnvr at Sep +25 sec
(20 ft)

F 50 18
At completion of mnvr: ENTR

13 POST LM EJECTION

SECS PYRO ARM (2) - SAFE
SECS LOGIC (2) - OFF
cb SECS ARM (2) - open
cb SIVB/LM SEP (2) - open
LV/SPS IND sw - GPI
TVC SERVO PWR (2) - OFF
EMS MODE - STBY
Reconfigure DAP, N46:
R1 = 21111
R2 = X1111
Prepare for G&N SPS evasive burn
ROT CONTR PWR DIRECT (2) - OFF
TRANS CONTR PWR - OFF
Hand controllers - locked

アップル・コンピュータ社

(1976年)

家のガレージのあり合わせの作業場から全ては始まった。
カリフォルニア州シリコンヴァレイで、大学をドロップアウトした2人の若者が
趣味人のためのDIYキットを売る会社を作った。それを使えば自分で安価なマイクロコンピュータが組めるのだ。
彼らのパートナーシップ合意書と法人設立書類は、後に世界を変えることになるヴェンチャー企業を設立した。

1976年、独学のコンピュータ・ギークであるスティーヴ・ジョブズ(1955－2011)はカリフォルニア州ロス・アルトスにある親の家のガレージで、ヲタク仲間の「ウォズ」と「ウェイン」と共に仕事をしていた。ロナルド・ウェインは自分の持株を他の2人に800ドルで売り払ったが、スティーヴ・ウォズニアック(1950－)とジョブズは相互に、このできたばかりの会社の全ての権利、権限、利益を共有するということで合意した。会社の目的は、「コンピュータ・デヴァイス、コンポーネント、関連製品の製造販売」。

彼らはこの会社を、「アップル・コンピュータ社」と名付けた。

最初の製品は、コンピュータを趣味とする客が自分用のマイクロコンピュータを組み立てることのできる666ドルのキットで、彼らはこれをアップルＩと名付けた。販売したのはチップ実装済みの回路基板だけで、キーボードやモニタ、筐体(きょうたい)などの基本要素すら無かった。だがこの機械は幾つかの斬新な特徴を備えていた。たとえば表示装置としてＴＶ画面を用いる、等である。またアップルＩは史上にある他の機械よりも取っつき易く、当時の機械に使われていたテレプリンタよりも速かった。コンピュータ・フリークたちは、その優れた設計に度肝を抜かれた。

爪に火を灯すような生活をしながらも、ジョブズとウォズニアックはこの機械を200台作って売り、かなりの利益を上げた。それによって彼らは幸先の良いスタートを切ることとなった。

アップル・コンピュータ社は1977年1月3日、カリフォルニア州で法的に法人化した。

アップルInc.はさらに世界のパーソナル・コンピュータ革命に拍車を掛け続けた。そして遂にはコンシューマ・エレクトロニクス、パーソナル・コンピュータ、コンピュータ・ソフトウェア、コマーシャル・サーヴィスを扱う主要多国籍企業となった。また、ポピュラー・メディア・コンテンツのディジタル・ディストリビュータでもある。アップルのコア・プロダクト・ラインにはスマートフォンのiPhone、タブレット・コンピュータのiPad、ポータブル・メディア・プレイヤーのiPod、そしてマッキントッシュ・コンピュータがある。創立以来、同社は今も世界で最も革新的な企業のひとつである。

ウォズニアックは1981年に同社を去り、ジョブズは2011年に死んだ。だが2013年3月の時点で、アップルは時価総額で世界最大の株式公開企業であり、正社員数は7万2800人以上、時価総額は4150億ドル以上であった。

2010年、1976年の同社設立時の、ジョブズ、ウォズニアック、ウェインの署名の入った法的書類がオークションで140万ドルで落札された。

APPLE COMPUTER COMPANY
PARTNERSHIP AGREEMENT

TO WHOM IT MAY CONCERN: **AMENDMENT**

By virtue of a re-assessment of understandings by and between all parties to the Agreement of April 1, 1976, WOZNIAK, JOBS, and WAYNE, the following modifications and amendments are herewith appended to the said Agreement, and made a part thereof. These modifications and amendments, having been concluded on this 12th day of April, 1976, hereby supercede, and render void, all contrary understandings given in the Agreement of April 1, 1976.

ARTICLE A:
As of the date of this amendment, WAYNE shall hereinafter cease to function in the status of "Partner" to the aforementioned Agreement, and all obligations, responsibilities, agreements, and understandings of the Agreement of April 1, 1976, are herewith terminated. It is specifically understood, and agreed to, by all of the parties to the original agreement, and the amendments hereto appended, WOZNIAK, JOBS, and WAYNE, that that portion of all financial obligations incurred by WAYNE, on the part of the COMPANY, prior to the date of this amendment, is herewith terminated, and that WAYNE's portion of obligations (10%) to the creditors of the COMPANY are herewith assumed, jointly and equally, by the remaining partners to the original agreement, namely, WOZNIAK and JOBS. It is further mutually understood, and agreed, that WAYNE shall incur no obligations or responsibilities in, or for, the COMPANY, nor shall WAYNE be held liable in any litigation, initiated by or instituted against, the COMPANY, with regard to the conduct of the COMPANY's business with any creditor, vendor, customer, or any other party, nor with reference to or arising from any product of the COMPANY, as of the first day of April, 1976.

ARTICLE B:
In consideration of the relinquishment of WAYNE's former percentage of ownership, and for all efforts thusfar conducted in honor of the aforementioned agreement during its term of activity, the remaining parties to the partnership, WOZNIAK, and JOBS, agree to pay and deliver to WAYNE, as their sole obligations under the terms of this amendment, the sum of eight hundred dollars ($800.00).

IN WITNESS WHEREOF: These amendments have been appended to the original Agreement and made a part thereof, and have been executed by each of the parties hereto, on this 12th day of April, 1976.

Stephen G. Wozniak
Mr. Stephen G. Wozniak (WOZNIAK)

steven p. jobs
Mr. Steven P. Jobs (JOBS)

Mr. Ronald G. Wayne (WAYNE)

左：操作説明書とスティーヴ・ウォズニアックの署名入り写真の付いたオリジナルのアップルⅠ。2014年、クリスティズにて36万ドルで落札。
上：アップル・コンピュータ社設立から２週間後に、ロナルド・ウェインは自分の持分である同社の株の10%を800ドルで売った。2015年、アップルは合衆国最大の企業となり、その時価総額は7000億ドルを超すと見積もられている。

Internet Protocol

(1981)

ロサンゼルス出身の髭もじゃで暢気者のコンピュータ・エンジニアが、45頁の専門文書を書いた。この文書がインターネットの仕組みとその文化の未来を確定することとなる——それは協働、解放、寛容、簡潔、統合を旨とするものとなると。彼の仲間であるインターネットのパオニアたちは、彼を「インターネットの神」と呼んだ。

コンピュータ業界以外ではほとんど知られていないが、ジョン・ポステル（1943－98）は世界を揺るがした男である。1969年、彼はARPANetの最初のノードの設立に携わった。これは現在のインターネットの先駆者であり、20年以上に亘って彼はインターネットを動作させるための技術的プロトコルの確立と、何十億というユーザが所属するインターネット・コミュニティの設立の両方の責任者であった。

1981年、ポステルは『RFC：791』——略してInternet Protocol——と題する45頁の専門文書を書いた。これは彼の仲間のコンピュータ科学者ロバート・カーンとヴィントン・サーフの仕事に基づくもので、インターネット技術タスクフォースによって Transfer Control Protocol (TCP/IP) として認可された。

リンクされたコンピュータの小規模ネットワークを経由してひとつのコンピュータから別のコンピュータへメッセージを送信する手段は既に存在していたが、その活動は元来、限定された一連の活動のみを行なうことを意図していた。ネットワークの参加者は全て政府機関に所属していたのである。ポステルの TCP/IP の下で「インターネット」はネットワークを繋ぐネットワークへと変容した。それはデータを自由に、かつ変更も検査も施すことなく、それに構造を与え効率的に機能させるための基本的な基準に従って移動させる。TCP/IP はネットワーク上をデータが移動する方式を確定した。新たなインターネットは実装、加入、維持がより容易となった。

「一般に」と彼は言う、「実装は送信時の振る舞いは保守的で、受信時の振る舞いは寛容でなければならない」。

この新ネットワークをテストした後、1981年11月にポステルは移行プランを公表し、400のARPANetのホストは1983年1月1日までに旧式のNCPプロトコルからTCP/IPへと乗り換えるべしとした。それ以後、移行していない全てのホストは切断されることとなった。この移行は円滑に行なわれた。

1998年にポステルが早逝すると、ワールド・ワイド・ウェブの生みの親とされるコンピュータ科学者のティム・バーナーズ＝リーはこう述べた——

> インターネットの黎明以後にそこに参加した者は、単に素晴らしいアイデアとテクノロジーのみならず、他にはほとんど存在しない素晴らしい社会、一連の価値観、そして働き方までをも受け継いだ。ジョン・ポステルはその中心に立っていた。その仕事——公益信託として彼が行なったサービス——においてのみならず、またそれを行なうことによって、彼がまさに象徴していたものの中心にいたのである。ある種のものは万人のものだというコンセプト。行なうべき正しいことだから行なうという精神。異なる見解への寛容——まだまだあるが——現在、インターネット文化として知られているものである。彼の死は、その伝統を継承するという重い責任をわれわれに課した。

September 1981

Internet Protocol

2. OVERVIEW

2.1. Relation to Other Protocols

The following diagram illustrates the place of the internet protocol in the protocol hierarchy:

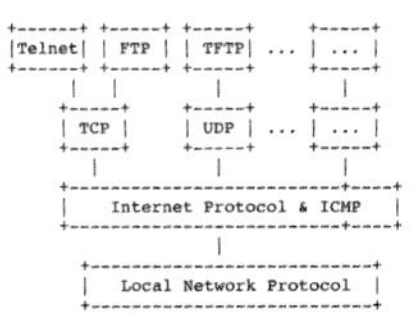

Protocol Relationships

Figure 1.

Internet protocol interfaces on one side to the higher level host-to-host protocols and on the other side to the local network protocol. In this context a "local network" may be a small network in a building or a large network such as the ARPANET.

2.2. Model of Operation

The model of operation for transmitting a datagram from one application program to another is illustrated by the following scenario:

We suppose that this transmission will involve one intermediate gateway.

The sending application program prepares its data and calls on its local internet module to send that data as a datagram and passes the destination address and other parameters as arguments of the call.

The internet module prepares a datagram header and attaches the data to it. The internet module determines a local network address for this internet address, in this case it is the address of a gateway.

[Page 5]

Internet Protocol
Overview

September 1981

It sends this datagram and the local network address to the local network interface.

The local network interface creates a local network header, and attaches the datagram to it, then sends the result via the local network.

The datagram arrives at a gateway host wrapped in the local network header, the local network interface strips off this header, and turns the datagram over to the internet module. The internet module determines from the internet address that the datagram is to be forwarded to another host in a second network. The internet module determines a local net address for the destination host. It calls on the local network interface for that network to send the datagram.

This local network interface creates a local network header and attaches the datagram sending the result to the destination host.

At this destination host the datagram is stripped of the local net header by the local network interface and handed to the internet module.

The internet module determines that the datagram is for an application program in this host. It passes the data to the application program in response to a system call, passing the source address and other parameters as results of the call.

```
Application                                           Application
Program                                                   Program
      \                                                   /
    Internet Module      Internet Module      Internet Module
          \                 /       \                /
          LNI-1          LNI-1      LNI-2         LNI-2
             \           /             \          /
            Local Network 1          Local Network 2
```

Transmission Path

Figure 2

[Page 6]

上：1981年の文書から2頁。及び1994年のジョン・ポステルの写真。「インターネットの神」が、インターネットのトップレベル・ドメインの手書きの図を指し示している。

ドイツ最終規定条約

（1990年）

ドイツの侵略で始まった世界大戦の終結、そして占領国による国家分断から45年、
2つのドイツと4つの戦勝国は、ドイツの再統合に合意するのか？
もしするなら、どんな条件で？

1945年の敗戦により、ドイツは2つの領域に分断された。共産主義のソヴィエト・ブロックが支配する東と、資本主義のヨーロッパ共同体と共調する西である。ベルリンは2つの区域に分割され、後にベルリンの壁で隔てられた。西ドイツが擡頭して「経済的奇跡」となった一方で、東ドイツのソヴィエト流の警察国家は経済的にはさほど成長しなかったが、それでも他の共産主義諸国に比べれば上手くやっている方だった。

だが1989年、ソヴィエト連邦の軛（くびき）が緩んでいた時に、「平和的革命」と呼ばれる東ドイツの叛乱が突如として11月9日に自然発生的な壁の崩壊をもたらし、その後、民主的な体制への急速な移行が続いた。この騒動の間、西ドイツ首相ヘルムート・コールは東ドイツ（ドイツ民主共和国、GDR）と西ドイツ（ドイツ連邦共和国、FRG）の統合を呼びかけた――統合ドイツのこれまでの2度に及ぶ戦争を考えれば、世界にとって極めて大きな意味を持ちかねない動きである。

1990年5月18日、両ドイツは通貨、経済、社会の統合に合意した。要するに西ドイツが東ドイツを併合し、共産主義体制からの最終的な移行の責任を負うということである。この「ドイツ民主共和国及びドイツ連邦共和国間の通貨・経済・社会同盟の創設に関する国家条約」は1990年7月1日に発効した。

ドイツを占領していた4ヶ国による議論は数ヶ月に亘って続けられていた。はたしてドイツ再統一は良いアイデアなのか？　45年を経て、また冷戦の明らかな緩和を受けて、恐怖と怒りは部分的には治まっていた。一部諸国での世論の鋭い対立とは裏腹に、公式の反対はすぐに克服された。

その結果、両ドイツと4つの占領国（ソヴィエト連邦、フランス、連合王国、合衆国）による正式な合意が結ばれた。ドイツ最終規定条約、すなわち「2プラス4条約」は、1990年9月12日にモスクワで締結された。

この新たな条約の下では、4ヶ国はポツダム合意の下でドイツに保持していた全ての権利を破棄し、統一ドイツを完全な主権国家とする。ドイツもまた、追加の領土を初めとする拡大のための対外主張を取り下げる。ソヴィエト軍は1994年末までにドイツから撤退する。ドイツ軍の戦力は最大37万人とする他、幾つかの制限を設ける。ドイツはまた国連憲章の条文の遵守にも合意した。

この条約は1991年3月15日に発効した。

その後、ドイツ政府による統合に関する談話は次のように述べている。「1994年8月および9月に、最後の連合軍部隊がベルリンを去った時、戦後は円満に、かつ真正に終了したことが明らかとなった」。

下と右：ドイツ再統一条約（下）の発効には、ドイツ最終規定条約の調印（1990年9月12日）が必要であった（右）

- 48 -

Geschehen zu Berlin am 31. August 1990

in zwei Urschriften in deutscher Sprache.

Für die Bundesrepublik Deutschland	Für die Deutsche Demokratische Republik

世界最初のウェブサイト

(1991年)

スイスにある、ヨーロッパでも有数の素粒子物理学研究所本部に勤める
若き英国人コンピュータ・ソフトウェア・コンサルタントとその同僚たちが、世界初の「ウェブサイト」を立ち上げた。
ワールド・ワイド・ウェブという生まれたばかりのコンセプトを懐疑家たちに納得させるためだ——
だが、彼らの草創期のディジタル文書を、後世のために復刻することはできるのか?

1989年、ジュネーヴ郊外にある欧州原子核研究機構(CERN)に務める若き英国人コンピュータ・ソフトウェア・コンサルタントが、ENQUIRE と呼ばれるプロジェクトのためのアイデア開発の許可を得た。これは全世界に散らばる研究科学者たちの間での大規模な自動データ共有を容易にするもので、「ハイパーテキスト」「ハイパーリンク」という未来的コンセプトに基づいていた。CERNの表向きの目的は、ヨーロッパの21ヶ国及びイスラエルのために世界最大の素粒子物理学研究所を運営することであったが、この世界的な研究機構はまた、データ共有技術において幾つかの画期的な活動も行なっていた。

バーナーズ=リーは自らの新たなアイデアを「ワールド・ワイド・ウェブ」すなわちW3と呼んだ。これは「広域ハイパーメディア情報取得の取り組みであり、広大な資料文書の世界へ、世界どこからでもアクセスできることを目指している」。彼とベルギー人の同僚ロバート・カイリューはNeXTコンピュータとルータを含むCERNの設備を利用し、インターネットを通じて彼らが「ウェブサイト」と呼ぶものを創り出した。CERNのウェブサイトは1991年にインターネットに接続された。そこにはウェブの基本的な特徴が記され、他のメンバーの文書にアクセスする方法と、新メンバーが自分自身のサーバを立ち上げる方法をユーザに報せていた。このオリジナルのNeXTワークステーション——世界初のウェブサーバ——は今もCERNにあり、何兆億というウェブサイトを持つワールド・ワイド・ウェブは津々浦々にある。

その先は、もはや歴史の話である。ただし、バーナーズ=リーと同僚たちはその初期のウェブページの記録を取っていなかったので、これらの興味深い歴史の数頁は失われてしまった。だがCERNのチームは、最初期のオリジナルのウェブページを初めとする記念物を復元する試みを行なっている。ウェブの誕生と関係したディジタル資産の保存の試みの一環である。「先ず手始めに」と同プロジェクトは言う——

> われわれは最初のURLを復元したい——遡りうる最初のイタレーションの場にあったファイルを取り戻したいのだ。それから、CERNにおける最初のウェブサーバを見て、そこから保存と共有可能な資産を見る。また、ドキュメンテーションを取捨選択し、当時のままのマシン名とIPアドレスを回復させたい。それから、われわれは http://info.cern.ch——最初のウェブアドレス——を、将来の世代のためにウェブの始まりの物語を再現する参照先としたい。

1993年、CERNは世界中のコンピュータ・ユーザを喜ばせた。ワールド・ワイド・ウェブの発明に関わる全ての知的所有権を放棄したのだ。それによってパブリック・ドメインのソフトウェアが誰にでも無料で使えるようになった。

左：ティム・バーナーズ=リー。1994年、CERN。画面はワールド・ワイド・ウェブ・ソフトウェアの初期ヴァージョン。
上：最初のウェブサイトのホームページ。それ自身を「広域ハイパーメディア情報取得の取り組みであり、広大な資料文書の世界へ、世界どこからでもアクセスできることを目指している」と定義している。

「ビン・ラーデン、合衆国内攻撃を決断」

(2001年)

2001年8月6日、中央情報局はテキサス農園のジョージ・W・ブッシュに大統領日例指示を届けた。
内容は、ウサマ・ビン・ラーデンが合衆国に対し、大規模攻撃を準備しているというもの。
この文書が露見すると、ブッシュ政権の怠慢の可能性に関する憶測がさらに加熱することとなるだろう。

アメリカが史上最悪の攻撃を受けてから8ヶ月後、CBSイヴニング・ニューズは911の36日前の日付のある秘密メモの存在を明らかにした。それは大統領ジョージ・W・ブッシュに対して、ウサマ・ビン・ラーデン及びアルカーイダが合衆国に対して近々のテロ攻撃を画策していると警告していた。

問題の大統領日例指示(PDB)(2001年8月6付)は後に機密を解除されて2004年4月に911委員会に提供され、2004年7月22日に『911委員会報告書』の中で編集済みの形で公開された。この報告書は、その日、中央情報局からブッシュに手渡された最高機密文書に不吉な見出しが付けられていたことを明らかにした。「ビン・ラーデン、合衆国内攻撃を決断」。この2頁の不可解な警告は、CIAの上級分析官バーバラ・スードの手になるもので、その標的として世界貿易センターとワシントンに言及し、ビン・ラーデンが合衆国の航空機のハイジャックを目論んでいると述べていた。また、ビン・ラーデンが1998年以来、インタヴューの中で彼の帰依者たちが1992年の世界貿易センター爆破犯ラムジ・ユセフの例に倣い、「アメリカに恐怖をもたらす」と述べていることについても言及している。

このメモは後に、「おそらく歴史上、最も有名な大統領日例指示」と呼ばれることとなる。またそれはブッシュ政権が一般公開した唯一のPDBでもある。今日では、それは911に関する歴史的に最も重要な文書と考えられている。

多くのブッシュ擁護者は後に、政権がCIAの警告を無視したという批判を躱すために、8月6日のPDBはいつどこで攻撃が行なわれるかを特定していない、と主張した。

当時の他のPDBを調査した元ニューヨーク・タイムズ記者カート・アイケンウォルドは、2001年春以来、ブッシュはアルカーイダの攻撃に関する40件以上の直接警告を予め受けていたが、予防措置を何一つ講じなかったと結論した。ブッシュの情報伝達は通常、CIA局長ジョージ・テネットから直接行なわれ、そこには通常、副大統領のジャック・チェイニーと国家安全保障担当大統領補佐官コンドリーザ・ライスが同席している。だがこの両者もまた何の対応もしていなかった。

アイケンウォルドは問う、「もしもブッシュのチームがこれらの日例指示の全てに含まれた警告に直ちに反応していれば、911の攻撃は止められていたのか？　われわれには知りようもない。そしてそれは、これ以上もないほどの苦痛を伴う現実である」。

右：2001年8月6日のメモ。911に関する歴史的に最も重要な文書。

上：911に対するブッシュのコメントに刺戟されて描かれたニューヨークのポスター。「私は正義を欲する。古い西部のポスターにこう書かれている。『指名手配、生死不問』」

Bin Ladin Determined To Strike in US

Clandestine, foreign government, and media reports indicate Bin Ladin since 1997 has wanted to conduct terrorist attacks in the US. Bin Ladin implied in US television interviews in 1997 and 1998 that his followers would follow the example of World Trade Center bomber Ramzi Yousef and "bring the fighting to America."

After US missile strikes on his base in Afghanistan in 1998, Bin Ladin told followers he wanted to retaliate in Washington, according to a [redacted] service.

An Egyptian Islamic Jihad (EIJ) operative told an [redacted] service at the same time that Bin Ladin was planning to exploit the operative's access to the US to mount a terrorist strike.

The millennium plotting in Canada in 1999 may have been part of Bin Ladin's first serious attempt to implement a terrorist strike in the US. Convicted plotter Ahmed Ressam has told the FBI that he conceived the idea to attack Los Angeles International Airport himself, but that Bin Ladin lieutenant Abu Zubaydah encouraged him and helped facilitate the operation. Ressam also said that in 1998 Abu Zubaydah was planning his own US attack.

Ressam says Bin Ladin was aware of the Los Angeles operation.

Although Bin Ladin has not succeeded, his attacks against the US Embassies in Kenya and Tanzania in 1998 demonstrate that he prepares operations years in advance and is not deterred by setbacks. Bin Ladin associates surveilled our Embassies in Nairobi and Dar es Salaam as early as 1993, and some members of the Nairobi cell planning the bombings were arrested and deported in 1997.

Al-Qa'ida members—including some who are US citizens—have resided in or traveled to the US for years, and the group apparently maintains a support structure that could aid attacks. Two al-Qa'ida members found guilty in the conspiracy to bomb our Embassies in East Africa were US citizens, and a senior EIJ member lived in California in the mid-1990s.

A clandestine source said in 1998 that a Bin Ladin cell in New York was recruiting Muslim-American youth for attacks.

We have not been able to corroborate some of the more sensational threat reporting, such as that from a [redacted] service in 1998 saying that Bin Ladin wanted to hijack a US aircraft to gain the release of "Blind Shaykh" 'Umar 'Abd al-Rahman and other US-held extremists.

— Nevertheless, FBI information since that time indicates patterns of suspicious activity in this country consistent with preparations for hijackings or other types of attacks, including recent surveillance of federal buildings in New York.

The FBI is conducting approximately 70 full field investigations throughout the US that it considers Bin Ladin-related. CIA and the FBI are investigating a call to our Embassy in the UAE in May saying that a group of Bin Ladin supporters was in the US planning attacks with explosives.

イラク戦争決議

（2002年）

911後の狂乱の中、ブッシュ政権は
イラクに対する軍事行動を承認する議会の上下両院合同決議を勝ち取った。
後から考えてみれば、この文書の開戦理由は当時ほど強いものには見えないかも知れない。

世界貿易センターとワシントンに対する攻撃から1年後、大統領ジョージ・W・ブッシュ政権は上下両院合同決議を議会に求めた。ちょうど大統領ジョンソンがトンキン湾決議でヴェトナムにおける合衆国の軍事行動を正当化するためにそれを求めた時と同様、そしてまたブッシュの父である大統領ジョージ・H・W・ブッシュが第1次湾岸戦争開始に先立って求めた時と同様である。

9月12日の国連総会での声明で安全保障理事会によるイラクに対する緊急の決議を求めたのに続き、ブッシュは合衆国がサダム・フセインのイラクに対する戦争を遂行する根拠を述べた「2002年対イラク軍事力行使認可決議」と題された文書を提出した。

大統領の提議に対して、HJ決議114——提出者は下院議長デニス・ハスタート（共和党、イリノイ州）、及び下院少数党院内総務ディック・ゲッパート（民主党、ミズーリ州）——は10月10日、296対133で承認された。翌朝、上院議員ジョー・リーバーマン（民主党、コネティカット州）が提出したＳＪ決議46が77対23で上院を通過、10月16日に署名され立法化された。

この包括的な決議により、大統領ブッシュは「イラクによる継続的な脅威に対する合衆国の国家の安全の防衛」「イラクに関する適切な国連安全保障理事会決議を実施」のために「必要かつ適切と判断」した軍事力の行使を承認された。

この決議はイラクに対する軍事力行使を正当化する幾つかの要素を挙げている。たとえばイラクは「重大な化学生物兵器運用能力の所有及び開発の継続」「核兵器運用能力の獲得努力」を行なっており、「合衆国の国家安全保障及びペルシア湾地域における国際的な平和と安全に対する脅威」をもたらしている。またイラクは「他国及び自国民に対して大量破壊兵器を使用する能力と意思を持つ」。さらにこの文書によれば、アルカーイダのメンバーは「イラクにいることが判明」しており、イラクは「他のテロ組織の援助と隠匿」「自爆テロリストの家族への報奨金の支払」を継続している。またトルコ、クウェート、サウジアラビア政府がサダム・フセインを権力の座から除去することを望んでいる、とも述べている。

2003年3月16日、合衆国政府は国連の武器査察官に直ちにイラクから離脱するよう忠告し、3月20日、合衆国は宣戦布告無しにイラクに対する奇襲攻撃を開始した。

歴史家は今なお、この戦争の承認は正当化できるか否かを議論している。特に、合衆国軍が大量破壊兵器を発見できなかったという点は議論の的となっている。トンキン湾決議と同様、イラク決議もまた、アメリカ史上、最も賛否両論ある文書のひとつである。

上：2002年9月12日の国連演説で、ブッシュはイラクを「重大にして日々増大する脅威」と呼んだ。
右：決議114に続く覚書。大統領が「イラクによる継続的な脅威に対して合衆国の国家の安全を防衛する」ことを承認した。

107TH CONGRESS
2D SESSION

Union Calendar No. 451

H. J. RES. 114

[Report No. 107–721]

To authorize the use of United States Armed Forces against Iraq.

IN THE HOUSE OF REPRESENTATIVES

OCTOBER 2, 2002

Mr. HASTERT (for himself and Mr. ... resolution; whi...

...uced the following joint
...ternational Relations

...e of the Whole House
...printed

...printed in italic]
...italic]
...resolution as introduced

...ON

...rces against

...aggression
...he United
...uwait and
...ity of the

U.S. Department of Jus...

Office of Legal Counsel

Office of the Deputy Assistant Attorney General | *Washington, D.C. 20530*

October 21, 2002

MEMORANDUM FOR DANIEL J. BRYANT
ASSISTANT ATTORNEY GENERAL
OFFICE OF LEGISLATIVE AFFAIRS

From: John C. Yoo
Deputy Assistant Attorney General

Re: Authorization for Use of Military Force Against Iraq Resolution of 2002

This memorandum confirms the views of the Office of Legal Counsel, expressed to you last week, on H. J. Res. 114, the Authorization for Use of Military Force Against Iraq Resolution of 2002. This resolution authorizes the President to use the United States Armed Forces, "as he determines to be necessary and appropriate," either to "defend the national security of the United States against the continuing threat posed by Iraq," or to "enforce all relevant United Nations Security Council resolutions regarding Iraq." H. J. Res. 114, § 3(a).

We have no constitutional objection to Congress expressing its support for the use of military force against Iraq.[1] Indeed, the Office of Legal Counsel was an active participant in the drafting of and negotiations over H. J. Res. 114. We have long maintained, however, that resolutions such as H. J. Res. 114 are legally unnecessary. *See, e.g., Deployment of United States Armed Forces into Haiti*, 18 Op. O.L.C. 173, 175-76 (1994) ("the President may introduce troops into hostilities or potential hostilities without prior authorization by the Congress"); *Proposed Deployment of United States Armed Forces into Bosnia*, 19 Op. O.L.C. 327, 335 (1995) ("the President has authority, without specific statutory authorization, to introduce troops into hostilities in a substantial range of circumstances"). As Chief Executive and Commander in Chief of the Armed Forces of the United States, the President possesses ample authority under the Constitution to direct the use of military force in defense of the national security of the United States, as we explain in Section I of this memorandum, and as H. J. Res. 114 itself acknowledges when it states that "the President has authority under the Constitution to take

---

[1] Congress has expressed its support for the use of military force on a number of occasions throughout U.S. history, including, most recently, in response to the attacks of September 11, 2001. *See* Authorization for Use of Military Force, Pub. L. No. 107-40, 115 Stat. 224 (2001); *see also* Act of May 28, 1798, 1 Stat. 561 (Quasi War with France); Act of Feb. 6, 1802, 2 Stat. 129 (First Barbary War); Act of Jan. 15, 1811, 3 Stat. 471 (East Florida); Act of Feb. 12, 1813, 3 Stat. 472 (West Florida); Act of Mar. 3, 1815, 3 Stat. 230 (Second Barbary War); Act of Mar. 3, 1819, 3 Stat. 510 (African Slave Trade); Joint Resolution of June 2, 1858, 11 Stat. 370 (Paraguay); Joint Resolution of Apr. 20, 1898, 30 Stat. 738 (Spanish-American War); Joint Resolution of Apr. 22, 1914, 38 Stat. 770 (Mexico); Joint Resolution of Jan. 29, 1955, 69 Stat. 7 (Formosa); Joint Resolution of Mar. 9, 1957, 71 Stat. 5 (codified at 22 U.S.C. § 1962) (Middle East); Joint Resolution of Aug. 10, 1964, 78 Stat. 384 (Gulf of Tonkin); Authorization for Use of Military Force Against Iraq Resolution, Pub. L. No. 102-1, 105 Stat. 3 (1991).

世界最初のツイート

(2006年)

若くてシャイなとある起業家が、インスタント・メッセージング・システムを思いついた。
それを使えば誰もが、携帯電話で世界中に短いテキスト・メッセージを送信できるのだ。
それから彼は、最初の「ツイート」を送った――それが彼を億万長者にするとは、夢にも思っていなかった。

異常なまでの成功を成し遂げたソーシャル・ネットワーキング・サーヴィスである Facebook が世に出てからちょうど2年後の2006年初頭、サンフランシスコ在住の30歳のディジタル時代の革新者が、全く新たな無料のソーシャル・ネットワーキングとマイクロブログのシステムを思いついた。ジャック・ドーシーと仲間たち（イヴァン・ウィリアムズ、ビズ・ストーン、ノア・グラス）は経済的な後援を得てそのプロジェクトの開発に着手した。彼らはそれを「ツイッター」と呼んだ。

ドーシーがこの名前を特に気に入ったのは、それがちょうど鳥の囀りのような「取るに足らない情報の短い発露」を意味しているからであり、ツイッターは登録ユーザが「ツイート」と呼ばれる140文字までの短いメッセージの発露を送受信できるオンラインのソーシャルネットワーキング・サーヴィスとして構想されていた。ツイートはウェブサイトのインターフェイスを通じて投稿され、非登録ユーザはそれを読むことはできるが、投稿はできない。

2006年3月21日午後9時50分、ドーシーは最初のツイートを送信した。曰く、「just setting up my twttr」。そして4ヶ月後にこのサイトは立ち上げられた。ツイッターは瞬く間に人気を博し、2012年には1億人以上のユーザを獲得している。2014年7月にはユーザ数は5億人にまで拡大し、その内の2億7100万人がアクティヴ・ユーザとされている。その広告収入によりドーシーはたちまち億万長者となった。

ドーシーの当初の予想を超えて、一部のツイートは取るに足らないどころではない有益なものとなった。何百万というスポーツファンは、ツイッターを用いてスポーツ・コンテンツやコンサート等のソーシャル・イヴェントに関する即時ニュースを得た。モルドヴァで抗議者たちがそれを用い、2009年「ツイッター革命」と名付けられて以後は、このソーシャルネットワーキング・サーヴィスは政治活動家にとっては死活的なツールとなった。ツイートを初めとするソーシャル・メディアはニュース速報の効果的なソースとして認められるようになった。自然災害やテロ攻撃の際には特に有用だった。2009年1月15日に飛行機がハドソン川に着水した時、そして2011年5月2日午前1時にパキスタンのアボッタバード上空にヘリコプターが飛んだ時（ウサマ・ビン・ラーデン殺害ミッション）、最初にその一報を報じたのはツイッターであった。2010年にはＮＡＳＡの宇宙飛行士Ｔ・Ｊ・クリーマーは地球外からツイートした最初の人間となった。そのメッセージには何百万もの読者がフォローした。ツイートは学校での銃撃や交通機関の遅延などを報せるのにも用いられた。

ツイッターはまた、過った政治家やセレブたちのアキレス腱ともなった。彼らの不適切な画像やコメントの衝動的な投稿は大失態をもたらすこととなったのだ。

だがツイッターやその他のソーシャル・メディアが批判に曝されないわけではない。例えばマルコム・グラッドウェルは、ツイッターを「会ったこともない人間をフォローする（あるいはフォローされる）手段」と呼び、それが強い動機を生み出すことがありうるのかと問うている。また、僅か140字に切り詰められた見解の単純過ぎるメンタリティを嘲笑する者もいる。

上と左：世界初のツイートはジャック・ドーシーによって2006年3月21日に投稿された。「just setting up my twttr」。バラク・オバマは2011年7月、油断なく見守るドーシーの前で初めて大統領としてのツイートを行なった。

WikiLeaks

(2007年)

メインストリームのニュースメディアには重要かつ深く掘り下げた情報を
大衆に届けることができないという事実を受けて、鉄面皮なコンピュータ・ヲタクたちがカネもないのに
いかがわしい同盟を組み、自らこの問題に取り組んで、ディジタル時代の調査報道の性質に革命を起したのであった。

幾つかの主要なアメリカの新聞が〈ペンタゴン・ペイパーズ〉と呼ばれる漏洩した国防文書の抄録を公表し、ヴェトナム戦争の秘められた前史を暴露した時、その暴露の大胆さと規模は膨大に思えた。だがそれはディジタル時代以前の話である。今や、ほとんど瞬時にして何百万という文書を検索し、コピーし、シェアすることができるのだ。

1971年のダニエル・エルズバーグによる〈ペンタゴン・ペイパーズ〉公開と同様の精神で、2007年、最高機密のディジタル文書が漏洩し始めた。今回の首謀者は情報リーク者ではなく、漏洩した情報を直接流布させた者である。ジュリアン・アサンジというオーストラリア人コンピュータ・ハッカーが他の叛逆者たちと共同で、漏洩した膨大な機密文書を、それに関連したニュースも付けてインターネットに投稿し始めた。そのウェブサイトはWikiLeaks(ウィキリークス)と呼ばれた。

最初の3年間でWikiLeaksは世界最大のニュースの幾つかを暴露した。合衆国陸軍のガンシップによってジャーナリストや市民が殺戮されたバグダッドの血も凍る戦場の光景。イエメンを初めとするさまざまな場所での極秘ドローン攻撃の衝撃的な詳細。グァンタナモ湾収容キャンプの捕虜虐待。合衆国が海外の外交官をスパイしていたという気まずい報告書。ヘンリー・キッシンジャーを含む昔の国務省の外電。その他多くの情報暴露。その全ては、極秘扱いされていた何百万もの公式報告書を典拠としていた。WikiLeaksはまた、中国公安省、ケニアの元大統領、バーミューダの首相、サイエントロジー、カトリック及びモルモン教会、スイス最大の個人銀行とロシア企業などに関する大規模暴露を準備していた。

これらのニュースの一部には、『ガーディアン』『ニューヨーク・タイムズ』『デア・シュピーゲル』などの主要紙のニュース報道が付いていた。WikiLeaksチームは僅か5人の専門の職員と800人のパートタイムのヴォランティアから成り、全員無給で働いていると言われていた。ヨーロッパベースのグループは、自らを「追跡不可能な大量文書漏洩のための検閲不可能なシステム」と呼んだ。

アサンジと関係者は情報のソースを明らかにすることを拒んだが、リーク者のひとりとされた合衆国陸軍兵士ブラッドリー・マニング(現チェルシー・マニング)は合衆国政府から起訴され、有罪を宣告された。2013年、マニングは諜報活動取締法違反その他の罪状で35年の判決を受けた。だがアサンジとWikiLeaksは野放しのままであった。

WikiLeaksは毀誉褒貶を受けている。この組織とそのメディア・パートナーは幾つかのジャーナリズム賞を受賞したが、その指導者と貢献者は世界中の幾つかの政府に追われ、脅迫を受けている。アサンジは迫害からの避難所を探すことを余儀なくされた。2015年初頭の時点で彼は依然として本国送還を免れるために闘っている。

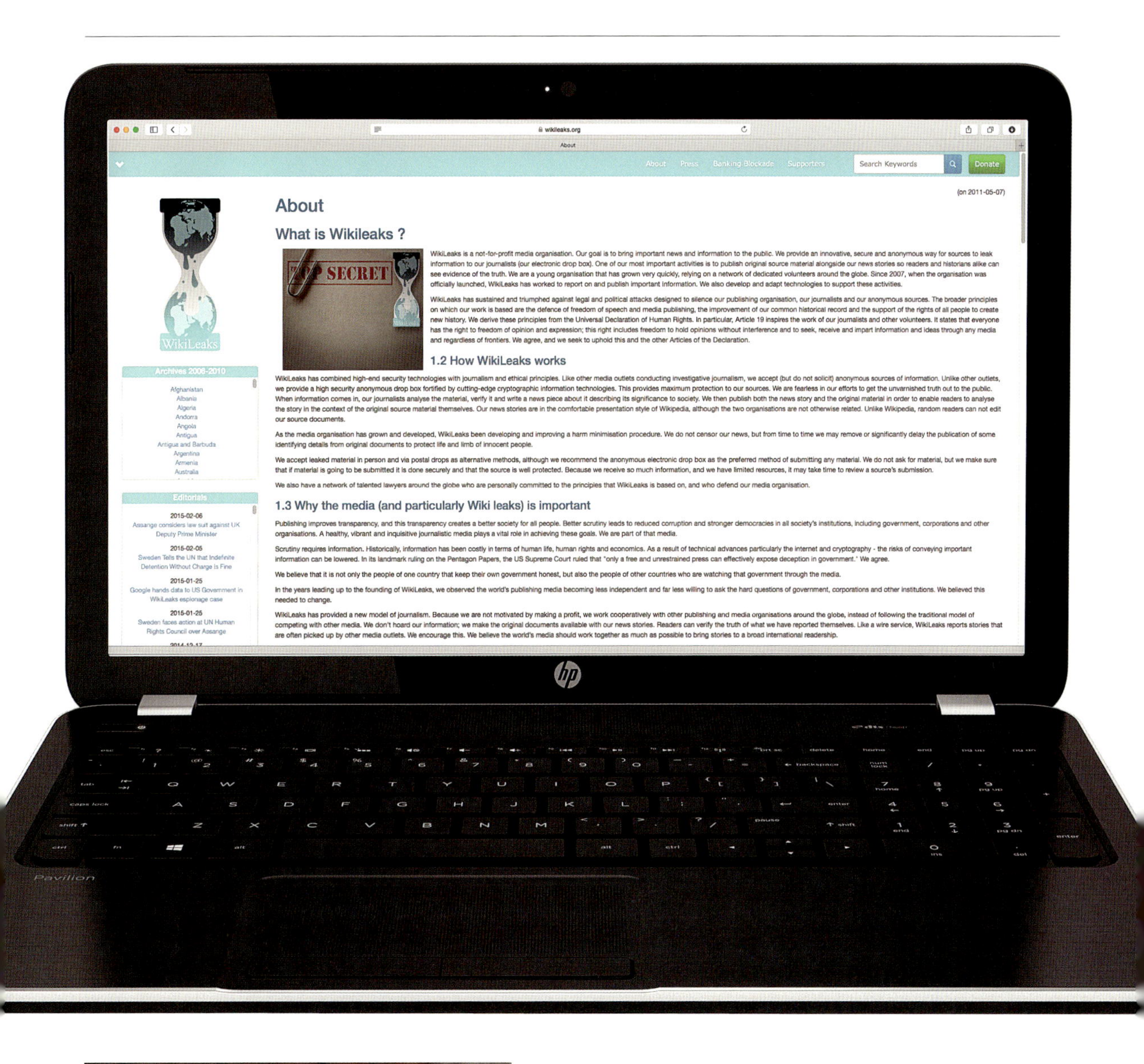

上：WikiLeaks のホームページ。その目的を、世界人権宣言の原理に基づく言論の自由の擁護であると謳っている。「われわれの最も重要な活動のひとつは、われわれのニュースに原典となる資料を付け、それによって読者も歴史家も事実の証拠を見ることができるようにすることである」。
左：ジュリアン・アサンジ。WikiLeaks 編集長。本国送還を免れるために闘い、2010年12月に保釈された後、令状を掴んでいる。

3次元宇宙地図

(2011年)

想像を絶するスケールで投影された最も完全な宇宙図が、既知の宇宙を３Dで記録する。
2MASS赤方偏移サーヴェイ（2MRS）はおそらく、
これまでに作られた中で最大かつ最も複雑なデータマップとされている。

2011年5月、ハーヴァード・スミソニアン天体物理学センターは、これまで創られた中でも最も完全な局所宇宙の3次元地図を製作したと発表した。近赤外線の光は可視光よりも宇宙塵の干渉をよく透過するという原理を用いて、天文学者たちはこれまで考えられていた誰よりも幅広く宇宙を観測・走査し、3つの近赤外線の波長域によって世界の夜空の91％以上を捉えた。

300人の研究者が、宇宙時代の望遠鏡やスーパーコンピュータ等の先進技術を駆使してすら、2MASS赤方偏移サーヴェイ（2MRS）は達成までに10年に及ぶ複雑かつ念入りな作業を必要とした。

マサチューセッツ大学の天文学者たちは、2つの世界的な天文台——アリゾナ州ホプキンズ山の標高2590mの山頂にあるフレッド・ローレンス・ホイップル天文台とチリのアンデス山中の標高2195mに位置するセロ・トロロ汎米天文台——の2つの口径1.3mのスーパー望遠鏡と補助装置を利用した。その走査により、検出された全ての恒星と銀河がカタログ化され、低質量恒星の広域サーヴェイが実施され、最初の「褐色矮星」が検出された。だがこの探査は2次元画像しか編纂していなかったため、科学者たちは距離を説明する方法を実現せねばならなかった。

これを行なうためにこのプロジェクトには、進行中の宇宙の膨張のために銀河の光が「赤方偏移」している、すなわちより長波長側へずれているという知識が取り入れられた。銀河が遠くにあればあるほどその赤方偏移は大きくなる。ゆえに赤方偏移を計測すれば銀河の距離が判るのである。

それから研究者たちは各天体の赤方偏移を計測した。それはその光が色彩スペクトルの赤の方へどの程度ずれているかを示している。これはいわゆるドップラー効果のために生じる現象で、光源が遠ざかっていると光の波長が引き延ばされる（150万もの赤方偏移があることを考えれば、これは容易な仕事

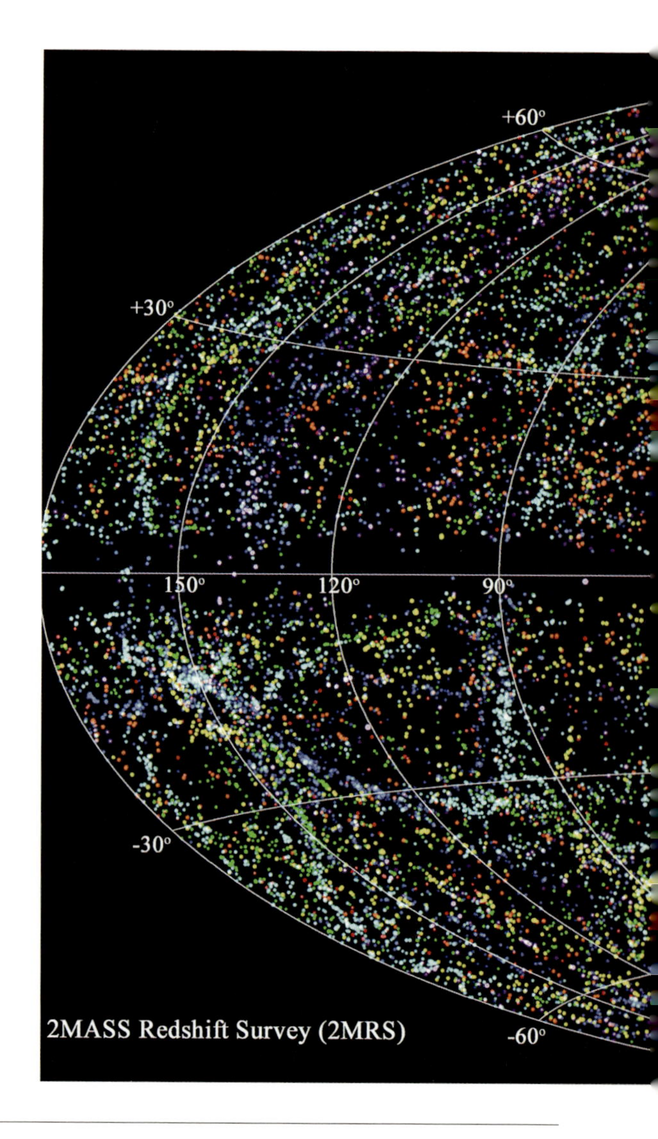

ではない)。

このプロジェクトは記念碑的な量のデータを収集した。ソフトウェア・パッケージの活用により、研究者たちは日にちの範囲で天を観測し、観測に基づいたデータを出力し、そして(幾つかのヴァージョンでは)望遠鏡をコントロールできるようになった。この複雑なプロセスによって、恒星カタログのコレクションのデータ、3Dモデル、コンピューティング・プラットフォームが統合された。この膨大な事業には膨大なデータバンクと、世界中の多くの場所で同時に働く何十人もの分析者が必要だった。この努力により、数えきれぬほどの科学論文、データ・セット、それに宇宙図上のデータの可視化が生み出された。

2MASS赤方偏移は、3次元宇宙図としては最初でも最後でもない。だが、ともかく前代未聞のものであったと言えるだろう。

このデータはスミソニアン天体物理観測所からダウンロードできる。

下:2MRS図。地球から最大3億8000万光年までの銀河と暗黒物質を示している。紫の輝点は地球に最も近い銀河であり、赤い輝点は遥か遠くにある。

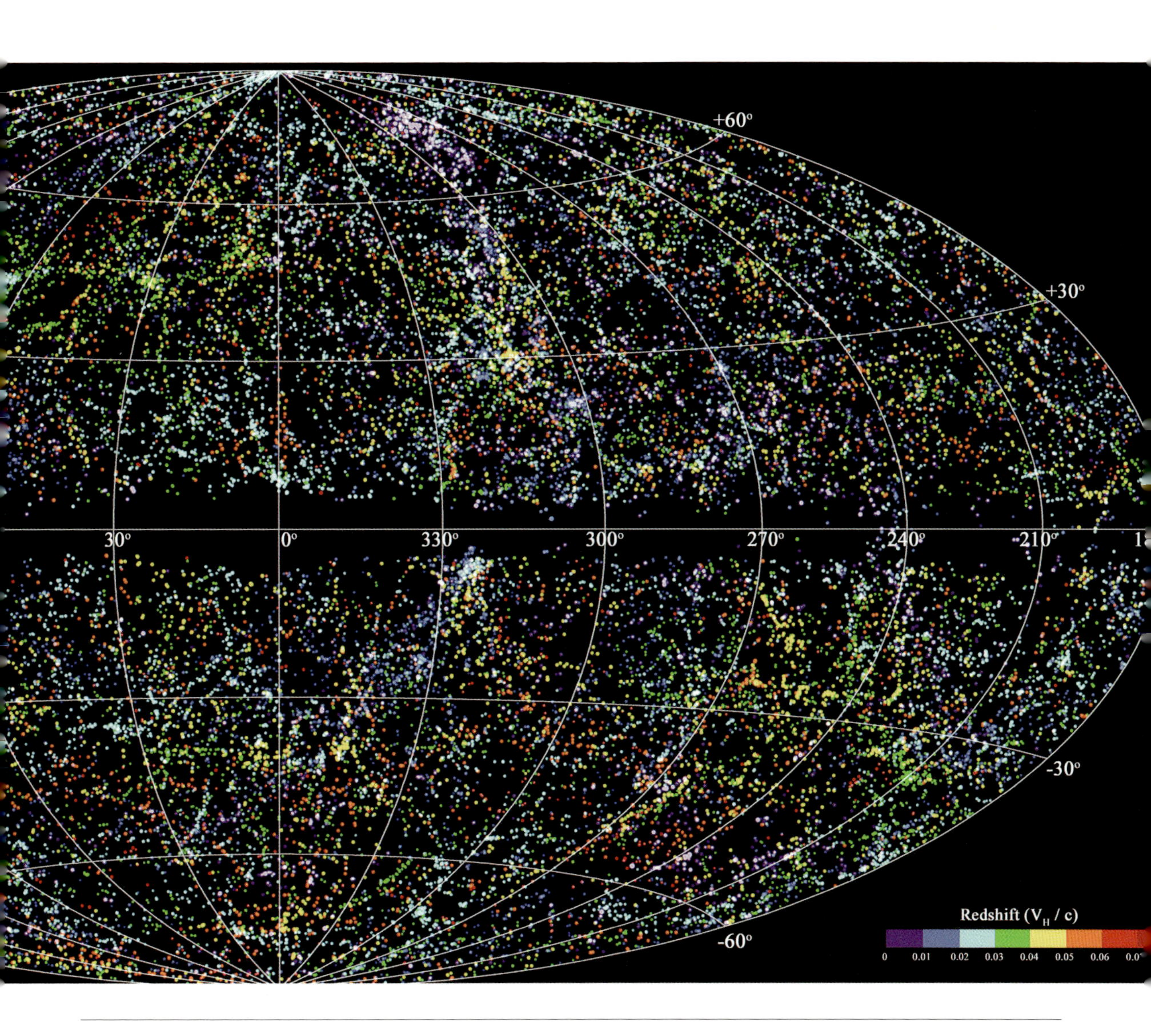

エドワード・スノーデン・ファイル

(2013年)

アメリカの超機密スパイ機関で働いていた29歳のコンピュータの達人が、合衆国史上最大の内部告発者となった。膨大な機密文書の隠し場所を漏洩させ、自ら祖国の「憲法違反」で「違法」なサイバー監視を暴露したのだ。外国の首脳らは抗議したが、合衆国での反応は両極端である。

2006年、エドワード・スノーデン（1983－）という名の若いアメリカのコンピュータ・エキスパートが、最高機密文書の取扱許可を持つ専門技術者／ITスペシャリストとして中央情報局に雇われた。それからの6年間、彼はサイバー・インテリジェンス関係のさまざまな部署を転々とし、デルとブーズ・アレン・ハミルトンに雇われたが、これは国家安全保障局の高度管理業務のための隠れ蓑であった。

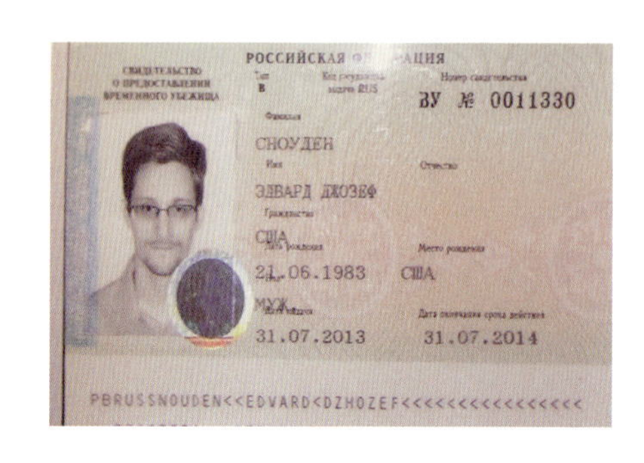

合衆国のサイバー・スパイの性質と範囲を深く知るにつれ、スノーデンは多くの同僚と2人の上司に、そのプログラムが明らかに合衆国法及び国際法に違反しているとの懸念を表明した。だが上司たちは彼の不満を無視し、黙って仕事を続けろと言うばかりだった。それによって彼の良心の危機は増大していった。

2012年と2013年初頭、彼は自らの懸念を実証する機密文書のダウンロードを開始した。ハワイを拠点とする、特別セキュリティ取扱許可を持つ「システム管理者」となったスノーデンは、メリーランド州フォートミードにあるNSAの中央コンピュータに直接アクセスし、自らの行動の痕跡を残さない「ゴースト・ユーザ」として望むままにどんなファイルも閲覧できるようになった。単純なサムドライヴと「ウェブ・クロウラー」ソフトウェア、及びその他のあまり洗練されていないテクノロジーを用いてNSAのシステムから「データを取得」し、多くの膨大かつ極めて機密性の高いファイルをダウンロードした。

NSAの極秘監視活動の中には、何億というアメリカ人のGoogle及びYahooのアカウントから収集した膨大なeメール、住所録、携帯電話の位置情報、その他のデータが含まれていた。NSAはトップ企業のエグゼクティヴ、外国の首脳、欧州連合代表、その他要人をスパイし、その私的・公的通信を傍受していた。ある場合には、特定の人物の威信を墜とすために性的情報まで収集していた。

2012－13年、スノーデンは精選した機密文書を合衆国、連合王国、ドイツ、フランス、ブラジル、スウェーデン、カナダ、イタリア、オランダ、ノルウェイ、スペイン、オーストラリアの代表的な記者たちに提供した。彼はまた、自分の身元を公開すると主張した。この暴露は非常な論争を引き起こし、スノーデンは2件の諜報活動取締法違反及び政府資産の窃盗の罪で告発された。彼の合衆国パスポートは2013年に無効化され、以来彼はロシアで逃亡生活を送っている。2015年の時点で、彼を合衆国で裁くための本国送還の試みがなおも行なわれている。

スノーデンの暴露の全貌は不明であるが、合衆国の情報筋はそのファイル数を170万と見積もっている。報道機関や記者の中には、それらの文書に基づく記事で大きな賞を取った例もある。同時に、スノーデンは何かと議論の的となる人物であり、彼に対する世論は大きく分れている。政府によるスパイ活動に関する彼の内部告発の影響は、未だ不明である。

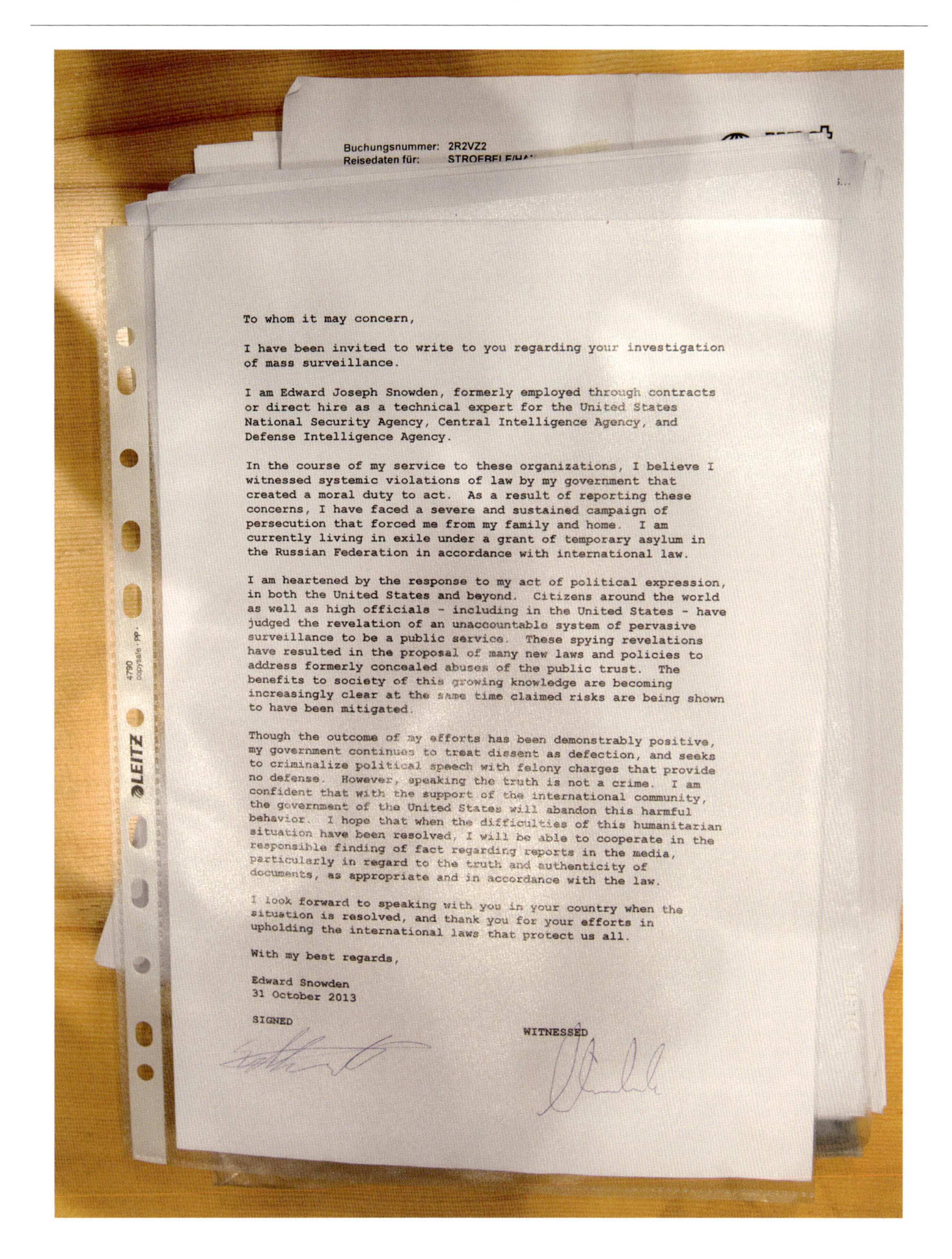

To whom it may concern,

I have been invited to write to you regarding your investigation of mass surveillance.

I am Edward Joseph Snowden, formerly employed through contracts or direct hire as a technical expert for the United States National Security Agency, Central Intelligence Agency, and Defense Intelligence Agency.

In the course of my service to these organizations, I believe I witnessed systemic violations of law by my government that created a moral duty to act. As a result of reporting these concerns, I have faced a severe and sustained campaign of persecution that forced me from my family and home. I am currently living in exile under a grant of temporary asylum in the Russian Federation in accordance with international law.

I am heartened by the response to my act of political expression, in both the United States and beyond. Citizens around the world as well as high officials - including in the United States - have judged the revelation of an unaccountable system of pervasive surveillance to be a public service. These spying revelations have resulted in the proposal of many new laws and policies to address formerly concealed abuses of the public trust. The benefits to society of this growing knowledge are becoming increasingly clear at the same time claimed risks are being shown to have been mitigated.

Though the outcome of my efforts has been demonstrably positive, my government continues to treat dissent as defection, and seeks to criminalize political speech with felony charges that provide no defense. However, speaking the truth is not a crime. I am confident that with the support of the international community, the government of the United States will abandon this harmful behavior. I hope that when the difficulties of this humanitarian situation have been resolved, I will be able to cooperate in the responsible finding of fact regarding reports in the media, particularly in regard to the truth and authenticity of documents, as appropriate and in accordance with the law.

I look forward to speaking with you in your country when the situation is resolved, and thank you for your efforts in upholding the international laws that protect us all.

With my best regards,

Edward Snowden
31 October 2013

SIGNED

WITNESSED

左：2013年から2014年、スノーデンがロシアに逃亡する際に用いた臨時パスポート。

上：スノーデンの手紙、2013年10月31日。政府による「組織的な違法行為を目撃」したために「倫理的義務が生じた」と主張している。

謝　辞

いつものように、本書はテイマー・ゴードン教授の賢明なる助言と、家族や友人たちの親切に多くを負っている。またパヴィリオン・ブックスのフランク・ホプキンソンとデイヴィッド・サルモの専門的な助力にも感謝したい。

出版人は、本書に掲載された図版の提供について、以下の方々に感謝を捧げたい。

Alamy: 121, 211. Anne Frank Zentrum, Berlin: 11, 161. AP: 126, 180. AP/Christie's: 192. Apartheid Museum: 174, 175. Arxiu Municipal de Girona: 46. Beinecke Rare Book & Manuscript Library: 55. Berlin State Library: 51. Biblioteca Ambrosiana: 43 (上). Biblioteca Nazionale Marciana: 17 (右). Bodleian Library: 26. Bridgeman Images: 25. British Cartoon Archive: 152. British Library: 29, 32, 34. Cambridge University Library: 73, 102, 103, 218, 219. Central Intelligence Agency: 204. CERN: 199. Cheongju Early Printing Museum: 40. Chester Beatty Library: 43 (下). Congress.gov: 203 (右). Corbis: 68–69, 79, 87, 214–215. Cour de Cassation: 95. Echo – Cultural Heritage Online: 59. Ed Westcott/American Museum of Science and Energy: 156. EMI: 183 (下). European Commission Audiovisual Library: 178. Executive Office of the President of the United States: 202. Folger Shakespeare Library: 59. Franklin D. Roosevelt Presidential Library and Museum: 163 (下). German Museum of Books and Writing: 52. Getty Images: 35, 47 (上), 179, 183 (上), 196. Griffith Institute: 142, 143. Harold Rider Collection, ArchiTech Gallery, Chicago: 145. Harvard-Smithsonian Center for Astrophysics: 208–209. Hereford Cathedral: 38, 39. Historisches Museum der Pfalz Speyer: 94. Imaging Papyri Project, University of Oxford: 27, 221. International Committee of the Red Cross: 172, 173. International Institute of Social History: 106. Israeli Antiquities Authority: 21. John F. Kennedy Presidential Library and Museum: 181. Karpeles Manuscript Library: 109 (右). Lebendiges Museum Online: 197. Library of Congress: 57, 62, 82, 98, 104, 105, 122, 134, 136. Louvre Museum: 15. Maggs Bros Ltd: 101. Mary Evans Picture Library: 53, 75, 139 (上), 153. Metropolitan Museum of Art: 17 (左), 31. Mitchell Archives: 74. Mullock's: 101. Musée Champollion: 97. Museo del Prado: 44. Museo Naval de Madrid: 47 (下). National Air and Space Museum, Smithsonian Institution: 191 (下). National Archives (UK): 77, 129, 147, 151 (上). National Archives and Records Administration (USA): 33, 85, 91, 93, 115, 117, 119, 133, 137, 139 (下), 154, 155, 157, 163 (上), 164, 165 (上), 169, 170, 171, 189, 191 (上). National Gallery: 36. National Portrait Gallery: 76. Newberry Library: 89. OECD PHOTO OCDE: 168. Oriental Institute, University of Chicago: 20. Parliamentary Archives: 113. Penguin Books: 220. Radio Times: 148, 149. Reuters Pictures: 200, 207, 210. Secker & Warburg: 166, 167. Sotheby's, New York: 185, 193, 217. Spink/BNPS: 151 (下). Stanford University: 30. Thomas Fisher Rare Book Library: 67. Tokyo National Museum: 28. Twitter, Inc: 205 (上). United States White House: 205 (下). University of California, Riverside: 19. University of Minnesota: 99 (上). USC News Service/Irene Fertik: 195 (下). US Department of Justice: 203 (左). ViaLibri: 83. WikiLeaks: 207(上). Washington National Cathedral: 60. UN Photo Library/McLain: 165 (下). United States Holocaust Memorial Museum: 141. University of Southern California: 195 (上). US Patent and Trademark Office: 123. Wannsee Conference House Memorial: 158, 159. Wellcome Library: 177. Yinqueshan Han Tombs Bamboo Slips Museum: 18.

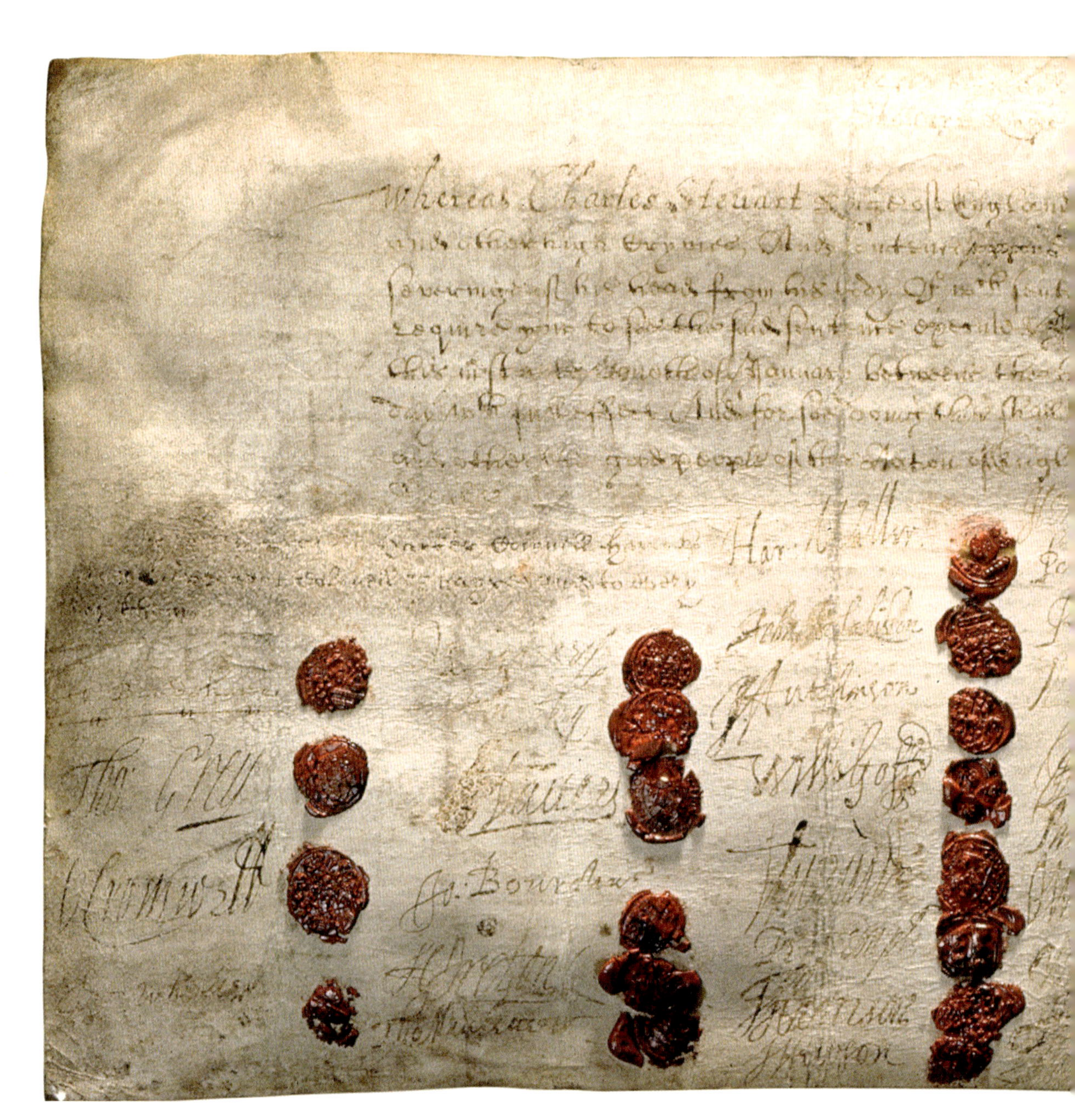

英国上院公文書館で最も劇的な文書──チャールズ1世処刑命令書。オリヴァー・クロムウェルの署名が左端に見える。残部議会（1649-53）の一員であったクロムウェルは、短命に終ったイングランド共和国を支配していた（68頁参照）。

翻訳者あとがき

本書はスコット・クリスチャンソン著『世界を変えた100の文書(ドキュメント)──マグナ・カルタからWikiLeaksまで』(Scott Christianson, *100 Documents That changed the World; From Magna Carta to WikiLeaks,* Batsford, London, 2015)の全訳である。内容はまさに表題通りで、人類の歴史上、最も重要な文書を100通に亘って精選し、美しいカラー写真で紹介すると共に、その内容や歴史的意義などを簡便に解説したものである。採り上げられた文書は文字通り多岐に亘っており、パピルスや粘土板に刻まれた古代の文書から、時代の最先端を行くツイッター、3次元宇宙マップにまで及ぶ。

「文書」という観点から歴史を通覧する試み自体は珍しくないかもしれないが、その中でも本書の大きな特徴は、政治、宗教、論争、科学、大衆文化、戦争など、実に幅広い分野に抜け目なく目を配り、それぞれに心憎いばかりにツボを押えた文書が選択されているということになろうか。冒頭の『易経』から掉尾(とうび)の「エドワード・スノーデン・ファイル」まで、採り上げられた文書の年代の幅は実に5000年に及んでいるが、その間、人類の精神が如何に変ったか、また如何に変っていないかを一望できるという意味で、本書が提供する読書体験は一種独特のものである。その長い歴史の流れの中で、著者は特に人間精神の自由の拡大、人権意識の向上といった部分を念頭に置いて世界史を俯瞰しているらしいことが記述の端々から窺える。それはともかく、本書は当然ながら巻頭から順に通読しても良いし、また気侭(きまま)に目に付いた項目を拾い読みしても良い。何なら生々しい写真図版だけを眺めて歴史に思いを馳せるのもよい。実に贅沢な愉しみ方のできる書物と言えよう。

著者クリスチャンソンは1947年ニューヨーク生まれの著述家・ジャーナリスト・人権活動家で、刑法や死刑制度、法医学、アメリカ史、政治学などを専門にしている。高校生の頃から執筆活動を開始し、ニューヨーク・タイムズやワシントン・ポストなど、アメリカの一流紙を舞台にジャーナリスト活動に従事、「全米で最も有能な記者20傑」にも選ばれた。

学者としては、ニューヨーク州立大学で学位取得後、ハーヴァードやプリンストンなど数多くの大学で教鞭を執っている。法学、刑事裁判、歴史、ジャーナリズム、社会学、心理学等に関する論文多数。その幾つかは、合衆国最高裁判所でも典拠とされている。アメリカにおける刑罰の歴史を描いた *With Liberty for Some: 500 Years of Imprisonment in America*(1998)や、アメリカで最も有名な刑務所の内幕を暴露する *Condemned: Inside the Sing Sing Death House*(2000)など、歴史物や刑法関連を中心に、著書は多数に上る。2012年には、本書の姉妹編とも言うべき *100 Diagrams That Changed the World: From the Earliest Cave Paintings to the Innovation of the iPod* も上梓している。これまた表題通り、最初期の洞窟壁画からiPodまで古今東西の「図像」を扱ったもので、その年代の幅は本書を軽く上回っている。こちらも実に興味深い内容なので、もしも機会があれば是非ご紹介したいと念願している。

2018年春

翻訳者識

索　引

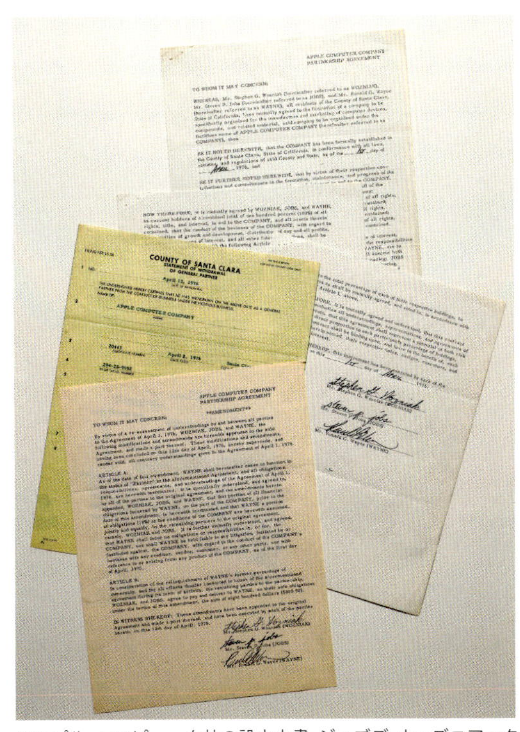
COUNTY OF SANTA CLARA

APPLE COMPUTER COMPANY

アップル・コンピュータ社の設立文書。ジョブズ、ウォズニアック、ウェインの署名入り。2010年、オークションで140万ドルで落札された（192頁参照）。

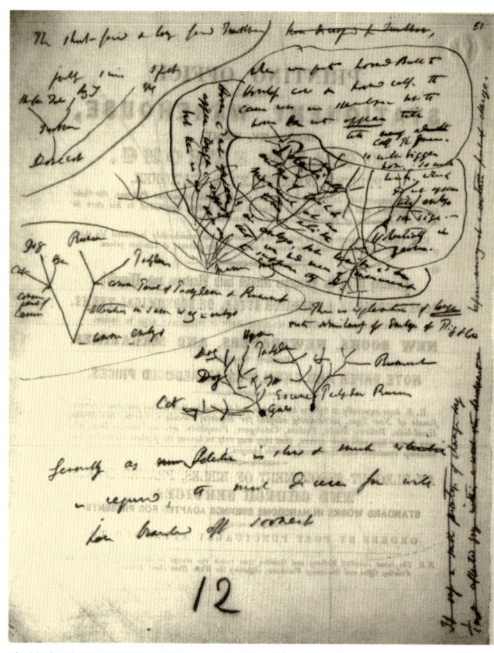
自然淘汰説に関するチャールズ・ダーウィンのノートの1頁。彼の発見は、世界に対する自然科学者の見方を変えた（102頁参照）。

【サ】

【シ】

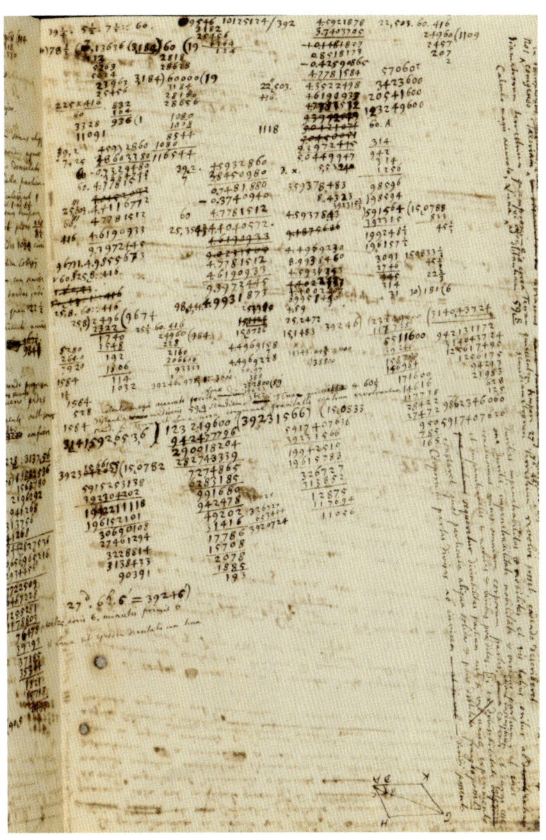

アイザック・ニュートン文書の計算の頁。ニュートンは1千万語近くに及ぶ膨大な書類を後世に残した（72頁参照）。

【ス】

【セ】

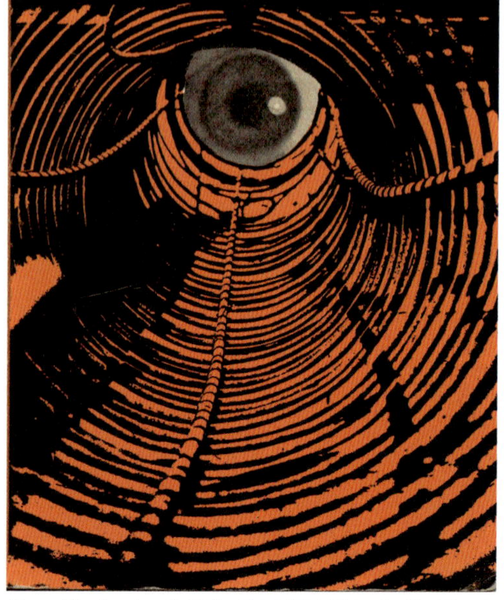

ジョージ・オーウェルのディストピア小説のペンギン版。この小説は doublethink や newspeak、そして Big Brother などの用語を生んだ（166頁参照）。

3世紀のパピルス断片。プラトンの『国家』――世界で最も影響力の大きな哲学及び倫理／政治論の作品である（26頁参照）。

【ミ・ム・メ】

【モ】

【ヤ・ユ・ヨ】

【ラ】

【リ】

【ル】

【レ】

【ロ】

【ワ】

著者略歴

スコット・クリスチャンソン Scott Christianson

1947年ニューヨーク生まれ。著述家・ジャーナリスト。高校生の時から執筆活動を始める。ニューヨーク州立大学で学位取得後、ハーヴァードやプリンストンなど数多くの大学で教鞭を執り、法学、刑事裁判、歴史等に関する論文多数。米国刑罰通史 *With Liberty for Some: 500 Years of Imprisonment in America*（1998）や、米国の著名な刑務所の内幕を暴露した *Condemned: Inside the Sing Sing Death House*（2000）など、著書も多い。

翻訳者略歴

松田和也 MATSUDA Kazuya

翻訳家。主要翻訳書に、スティーヴン・ネイフ＆グレゴリー・ホワイト・スミス『ファン・ゴッホの生涯』（国書刊行会）、コリン・ウィルソン＆デイモン・ウィルソン『殺人の人類史』（青土社）、スキップ・ホランズワース『ミッドナイト・アサシン』（二見書房）、ダニエル・レヴィン『喜劇としての国際ビジネス』（創元社）などがある。

図説（ずせつ） 世界（せかい）を変（か）えた100の文書（ドキュメント）

易経（えききょう）からウィキリークスまで

2018年6月20日第1版第1刷　発行
2019年7月10日第1版第2刷　発行

著者———スコット・クリスチャンソン

訳者———松田和也

発行者———矢部敬一

発行所———株式会社創元社

https://www.sogensha.co.jp/
本社▶〒541-0047 大阪市中央区淡路町 4-3-6
Tel.06-6231-9010 Fax.06-6233-3111
東京支店▶〒101-0051 東京都千代田区神田神保町 1-2 田辺ビル
Tel.03-6811-0662

ブックデザイン———山田英春
印刷所———図書印刷株式会社

ISBN978-4-422-21530-3 C0022